Ley sobre protección de los derechos de los consumidores

Edición anotada, concordada, índice
analítico y nota preliminar
Con tablas y cuadros sinópticos

ACCESO GRATIS *a la Lectura en la Nube*

Para visualizar el libro electrónico en la nube de lectura envíe junto a su nombre y apellidos una fotografía del código de barras situado en la contraportada del libro y otra del ticket de compra a la dirección:

ebooktirant@tirant.com

En un máximo de 72 horas laborables le enviaremos el código de acceso con sus instrucciones.

Ley sobre protección de los derechos de los consumidores

Edición anotada, concordada,
índice analítico y nota preliminar
Con tablas y cuadros sinópticos

ALFREDO FERRANTE

tirant lo blanch
Valencia, 2022

©   Alfredo Ferrante

©   TIRANT LO BLANCH
EDITA: TIRANT LO BLANCH
C/ Artes Gráficas, 14 - 46010 - Valencia
TELFS.: 96/361 00 48 - 50
FAX: 96/369 41 51
Email: tlb@tirant.com
www.tirant.com
Librería virtual: https://editorial.tirant.com/cl
ISBN: 978-84-1397-534-4

Si tiene alguna queja o sugerencia, envíenos un mail a: *atencioncliente@tirant. com*. En caso de no ser atendida su sugerencia, por favor, lea en *www.tirant. net/index.php/empresa/politicas-de-empresa* nuestro procedimiento de quejas.

Responsabilidad Social Corporativa: http://www.tirant.net/Docs/RSCTirant.pdf

Índice

SEGUNDA PARTE

TERCERA PARTE

Abreviaturas

CC	Código Civil de la República de Chile promulgado el 14 de diciembre de 1855.
C. Com.	Código de Comercio de la República de Chile promulgado el 23 de noviembre de 1865.
CM	Decreto 59 de 24 de marzo de 2009 (Ministerio de Relaciones exteriores), promulga el Convenio para la unificación de ciertas reglas para el trasporte aéreo (D.O. 19 de mayo 2009) (Convenio Montreal).
COT	Código Orgánico de Tribunales de la República de Chile, Ley 7421, promulgado el 15 de junio de 1943.
CP	Código Penal promulgado el 12 de noviembre de 1874.
CPC	Código de Procedimiento Civil, Ley 1552, promulgado el 30 de agosto de 1902.
CPR de 1980	Constitución Política de la República de Chile, Decreto Ley 3464, promulgada el 8 de agosto de 1980 (D.O. 12 de agosto de 1980).
CPR de 2005	Constitución Política de la República de Chile, Decreto 100, promulgada el 17 de septiembre de 2005 (D.O. 22 de septiembre de 2005).
CV	Decreto 358 de 12 de junio de 1979 (Ministerio de Relaciones exteriores), aprueba el Convenio para la unificación de ciertas reglas para el trasporte aéreo internacional de 12 de octubre de 1929, en Varsovia, y al Protocolo que lo modifica de 28 de septiembre de 1955, en la Haya (D.O. 13 de agosto 1979) (Convenio Varsovia).
DT	Disposiciones transitorias.
Circulares	
Circular Bancos 3531 de 2012	Circular Bancos 3531, de 27 de marzo 2012 (Ministerio de hacienda, Superintendencia de Bancos e Instituciones financieras), Refinanciamientos y pago anticipado de créditos. Complementa y modifica Circular N° 3.511.

Circular Cooperativas 108 de 2003	Circular Cooperativas 108 de 4 de junio de 2003 (Ministerio de hacienda, Superintendencia de Bancos e Instituciones financieras), Instrucciones generales para las cooperativas de ahorro y crédito (así como modificada por las varias circulares).
Circular emisores 17 de 2006	Circular emisores 17 de 28 de abril 2006 (Ministerio de hacienda, Superintendencia de Bancos e Instituciones financieras), Normas generales para empresas emisoras operadoras y operadoras de tarjetas de crédito, reemplaza instrucciones (y sucesivas modificaciones).
Decretos con Fuerza de Ley	
DFL 251 de 1931	Decreto con Fuerza de Ley 251 de 20 de mayo de 1931, Ministerio de Hacienda) Compañías de seguros, sociedades anónimas y bolsas de comercio (D.O. 22 de mayo de 1931).
DFL 2 de 1959	Decreto con Fuerza de Ley 2, de 7 de julio de 1959, (Ministerio de Hacienda) sobre plan habitacional (D.O. 31 de julio de 1959).
DFL 725 de 1968	Decreto con Fuerza de Ley 725 de 11 de septiembre de 1967, Código Sanitario (D.O. 31 de enero de 1968).
DFL 3 de 1997	Decreto con Fuerza de Ley 3 de 26 de noviembre de 1997 (Ministerio de Hacienda, fija Texto Refundido, sistematizado y concordado de la Ley General de Bancos y de otros cuerpos legales que se indica), de 16 de noviembre (D.O. 19 de diciembre de 1997).
DFL 1/19.653 de 2000	Decreto con Fuerza de Ley 1/19.653 (Ministerio Secretaría General de la Presidencia), de 13 de diciembre de 2000,fija el Texto Refundido, Coordinado y Sistematizado de la Ley Nº 18.575, orgánica constitucional de bases generales de la Administración del Estado (D.O. 17 de noviembre de 2001).
DFL 1 de 2004	Decreto con Fuerza de Ley 1, de 18 de octubre de 2004, (Ministerio de Economía, Fomento y Reconstrucción) fija el Texto Refundido, coordinado y sistematizado del Decreto Ley Nº 211, de 1973 (D.O. 7 de marzo de 2005).

DFL 29 de 2004	Decreto con Fuerza de Ley 29, de 16 de junio de 2004 (Ministerio de Hacienda) fija el Texto refundido, coordinado y sistematizado de la Ley N° 18.834, sobre Estatuto Administrativo (D.O. de 16 de marzo de 2005).
DFL 3 2019	Decreto con Fuerza de Ley 3, de 13 de septiembre de 2019 (Ministro de Economía, Fomento y Turismo, Subsecretaría de Economía y Empresas de Menor Tamaño), fija el Texto Refundido, coordinado y sistematizado de la Ley N° 19.496, que establece normas sobre protección de los derechos de los consumidores (D.O. 31 de mayo de 2021).
Decretos supremos	
Decreto 307 de 1978	Decreto 307, de 3 marzo de 1978, (Ministerio de Justicia) fija el Texto Refundido coordinado y sistematizado de la Ley 15.231, sobre organización y atribuciones de los juzgados de policía local (D.O. 23 de mayo de 1973).
Decreto 587 de 1998	Decreto 587 de 27 de noviembre de 1998 (Ministerio de Justicia), Arancel de los Notarios Públicos (D.O. 3 de diciembre 1998).
Decreto 588 de 1998	Decreto 588 de 27 de noviembre de 1998 (Ministerio de Justicia), Arancel de los Conservadores de Bienes Raíces y De Comercio (D.O. 3 de diciembre 1998).
Decreto 589 de 1998	Decreto 589 de 1998, de 27 de noviembre de 1998 (Ministerio de Justicia), Arancel de los Conservadores de Minas (D.O. 3 de diciembre 1998).
Decreto 229 de 2002	Decreto 229 de 23 de septiembre de 2002 (Ministerio de Economía, Fomento y Turismo; subsecretaría de economía, fomento y reconstrucción) que aprueba Reglamento sobre información del precio unitario de los productos (D.O. 25 de noviembre de 2002).
Decreto 41 de 2012	Decreto 41 de 14 de marzo de 2012 (Ministerio de Economía, Fomento y Turismo; subsecretaría de economía y empresas de menor tamaño) que aprueba Reglamento sobre Sello Sernac (D.O. 13 de julio de 2012).

Decreto 42 de 2012	Decreto 42 de 14 de marzo de 2012 (Ministerio de Economía, Fomento y Turismo; subsecretaría de economía y empresas de menor tamaño) que aprueba Reglamento sobre información al consumidor de créditos hipotecarios (D.O. 13 de julio de 2012).
Decreto 43 de 2012	Decreto 43 de 14 de marzo de 2012 (Ministerio de Economía, Fomento y Turismo; subsecretaría de economía y empresas de menor tamaño) que aprueba Reglamento sobre información al consumidor de créditos al consumo (D.O. 13 de julio de 2012).
Decreto 44 de 2012	Decreto 44 de 14 de marzo de 2012 (Ministerio de Economía, Fomento y Turismo; subsecretaría de economía y empresas de menor tamaño) que aprueba Reglamento sobre información al Consumidor de Tarjetas de Créditos Bancarias y no bancarias (D.O. 13 de julio de 2012).
Decreto 248 de 2014	Decreto 248 de 28 de noviembre de 2014 (Ministerio de Economía, Fomento y Turismo), que aprueba reglamento de rotulación del cemento (D.O. de 18 de noviembre de 2015).
Decreto 51 de 2015	Decreto 51 de 25 de marzo de 2015 (Ministerio de Economía, Fomento y Turismo), Reglamento que regula el contenido, forma, dimensiones y demás características de la leyenda que deben exhibir los videojuegos (D.O. 8 de febrero de 2017).
Decreto 89 de 2017	Decreto 89 de 10 de julio de 2017 (Ministerio de Economía, Fomento y Turismo) que modifica Decreto 51, de 2015, que aprueba Reglamento que regula el contenido, forma, dimensiones y demás características de la leyenda que deben exhibir los videojuegos (D.O. 20 de septiembre de 2017).
Decreto 62 de 2019	Decreto 62 de 28 de mayo de 2019 (Ministerio de Economía, Fomento y Turismo; subsecretaría de economía y empresas de menor tamaño) que aprueba Reglamento que regula el sistema no molestar o antispam (D.O. 13 de febrero de 2020).

Decreto 86 de 2019	Decreto 86 de 9 de agosto de 2019 (Ministerio de Economía, Fomento y Turismo; subsecretaría de economía y empresas de menor tamaño) que aprueba Reglamento que establece el Registro de sentencias del art. 58 bis de la Ley 19.496 (D.O. 22 de febrero de 2020).
Decreto 98 de 2019	Decreto 98 de 13 de septiembre de 2019 (Ministerio de Economía, Fomento y Turismo; subsecretaría de economía y empresas de menor tamaño) que aprueba Reglamento del fondo concursable destinado al Financiamiento de iniciativas de Asociaciones de Consumidores del Art. 11 bis de la Ley 19.496 que establece normas sobre protección de los derechos de los consumidores y establece el procedimiento para reconocimiento de carácter de Asociación Nacional de Consumidor del art. 11 ter de la Ley 19.496 (D.O. 4 de diciembre de 2019).
Decreto 1.154 de 2020	Decreto 1.154, de 24 julio de 2020, (Ministerio de Hacienda) Reglamento de la Ley 21.236, que regula la portabilidad financiera (D.O. de 8 de septiembre de 2020).
Decreto 6 de 2020	Decreto 6 de 2020 (Ministerio de Economía, Fomento y Turismo) de 23 de septiembre, que aprueba el reglamento de comercio electrónico (D.O. de 21 de enero de 2021).
Decretos de Ley	
D.L. 520 de 1932	Decreto Ley 520 de 30 de agosto de 1932, (Ministerio de Trabajo), crea Comisariato General de Subsistencia y Precios (D.O. de 31 de agosto de 1931).
D.L. 211 de 1973	Decreto Ley 211, de 17 de diciembre de 1973, (Ministerio de Economía, Fomento y Reconstrucción) que fija normas sobre la defensa de la libre competencia (D.O. 22 de diciembre de 1973).
D.L. 80 de 1974	Decreto Ley 80, de 22 de enero de 1974 (Ministerio de Economía, Fomento y reconstrucción, Subsecretaría de Economía) establece normas en resguardo de la actividad económica nacional (D.O. de 24 de enero de 1974).

D.L. 825 de 1974	Decreto Ley 825, de 27 de diciembre de 1974 (Ministerio de Economía, Fomento y Turismo) Ley sobre impuesto a las ventas y servicios (D.O. de 31 de diciembre de 1974).
D.L. 1.263 de 1975	Decreto Ley 1.263, de 21 noviembre de 1975, (Ministerio de Hacienda), sobre Administración Financiera del Estado (D.O. de 28 de noviembre de 1975).
D.L. 2.757 de 1979	Decreto Ley 2.757, de 29 de junio 1979, (Ministerio del Trabajo y previsión social; subsecretaría del Trabajo) establece normas sobre asociaciones gremiales (D. O. 4 de julio de 1979).
D.L. 3.551 de 1980	Decreto Ley 3.551, de 26 diciembre 1980 (Ministerio de Hacienda), que fijo normas sobre remuneraciones del personal del Sector Público (D.O. de 2 enero de 1981).
D.L. 3.557 de 1980	Decreto Ley 3.557, de 29 de diciembre de 1980 Ministerio de Agricultura), que establece disposiciones para la protección agrícola (D.O. 9 de febrero de 1981).
D.S. 1.101 de 1960	Decreto Supremo 1.101, de 3 de junio de 1960 (Ministerio de Obras Públicas), fija el Texto Definitivo del Decreto con Fuerza de Ley N° 2, del año 1959, sobre Plan Habitacional (D.O. 17 de junio de 1960).
D.S. 298 de 1994	Decreto Supremo 298 de 25 de noviembre de 1994 (Ministerio de Trasporte y Telecomunicaciones) que reglamenta trasporte de cargas peligrosas por calles y caminos (D.O. 11 de febrero de 1995).
D.S. 148 de 2003	Decreto Supremo 148 de 12 de junio de 2003 (Ministerio de Salud) que aprueba Reglamento sanitario sobre manejo de productos peligrosos (D.O. 16 de junio de 2004).
D.S. 43 de 2015	Decreto Supremo 43 de 27 de julio de 2015 (Ministerio de Salud)l aprueba el Reglamento de Almacenamiento de sustancias peligrosas (D.O. 29 marzo de 2016).
D.S. 104 de 2020	Decreto supremo 104, de 18 de marzo de 2020 (Ministerio del Interior y seguridad pública; subsecretaría del Interior) declara el Estado de excepción constitucional de catástrofe, por calamidad pública, en el territorio de Chile (D.O. de 18 de marzo 2020).

Leyes	
L. 16.250	Ley 16.250, de 20 de abril 1965, reajusta sueldos y salarios que indica y modifica los decretos con fuerza de Ley y Leyes que señala (D.O. de 21 de abril 1965).
L. 18.010	Ley 18.010, de 23 de junio, establece normas para las operaciones de crédito y otras operaciones de dinero que indica 1981 (D.O. de 28 de junio de 1981).
L. 18.045	Ley 18.045, de 21 de octubre de 1981, Ley de Mercado de Valores (D.O. 22 de octubre de 1981).
L. 18.046	Ley 18.046, de 21 de octubre de 1981, Ley sobre sociedades anónimas (D.O. 22 de octubre de 1981).
L. 18.223	Ley 18.223, de 24 de mayo de 1983, establece normas de protección al consumidor y deroga Decreto Ley 280 de 1974 (D.O. de 10 de junio 1984).
L 18.287	L. 18.287, de 1 enero de 1984 estable procedimiento antes los juzgados de policía local, (D.O. 7 de febrero de 1984).
L 18.916	L. 18.916, de 19 enero de 1990 aprueba Código aeronáutico (D.O. 8 de febrero de 1990).
L. 18.959	Ley 18.959, de 22 de febrero de 1990, modifica, interpreta y deroga normas que indica (D.O. de 24 de febrero 1990).
L. 19.250	Ley 19.250,de 23 de septiembre de 1993,modifica Libros I, II y V del Código del Trabajo, artículo 2472 del código civil y otros textos legales (D.O. 30 de septiembre de 1993).
L. 19.472	Ley 19.472, de, 4 de septiembre, Ley General de Urbanismo y Construcciones (D.O. 16 de septiembre de 1996).
L. 19.628	Ley Nº 19.628, de 18 agosto de 1999 sobre de la vida privada (D.O. de 28 de agosto de 1999).
L. 19.659	Ley 19.659 de 16 de diciembre de 1999, establece sanciones a procedimientos de cobranzas ilegales (D.O. 27 de diciembre de 1999).

L. 19.761	Ley 19.761 de 12 de octubre de 2001, extiende el ámbito de aplicación de normas que sancionan los procedimientos de cobranzas ilegales (D.O. de 8 de noviembre de 2001).
L. 19.880	Ley 19.880 de 22 de mayo de 2003, establece bases de los procedimientos administrativos que rigen los actos de la Administración del Estado (D.O. 28 de mayo de 2003).
L 19.882	Ley 19.882, de 11 junio de 2003, regula nueva política de personal a los funcionarios público que indica (D.O. 23 de junio de 2003).
L. 19.955	Ley 19.955, de 29 de junio de 2004 que modifica la Ley 19.496, sobre protección de los derechos de los consumidores (D.O. de 14 de julio de 2004).
L. 19.976	Ley 19.955, de 8 de octubre de 2004, modifica el procedimiento de confección de terna de jueces de garantía y de tribunales de juicio oral en lo penal (D.O. de 23 de octubre de 2004).
L. 20.009	L. 20.009, de 18 marzo de 2005, establece un régimen de limitación de responsabilidad para titulares o usuarios de tarjetas de pago y transacciones electrónicas en caso de extravío, hurto, robo o fraude (D.O. de 1 de abril de 2005).
L. 20.096	Ley 20.096, de 4 de febrero de 2006, establece mecanismos de control aplicables a las sustancias agotadoras de la capa de ozono (D.O. de 23 de marzo de 2006).
L. 20.416	Ley 20.416, de 13 de enero de 2010, que fija normas especiales para las empresas de menor tamaño (D.O. de 3 de febrero de 2010).
L. 20.423	Ley 20.423, de 4 de febrero, del sistema institucional para el desarrollo del turismo (D.O. 12 de febrero de 2010).
L. 20.543	Ley 20.543 de 11 de octubre de 2011, relativa al procedimiento aplicable para la protección del interés colectivo o difuso de los consumidores (D.O. 21 de octubre de 2011).

L. 20.500	Ley Nº 20.500, de 4 de febrero, sobre asociaciones y participación ciudadana en la gestión pública (D.O. 16 de febrero de 2011).
L. 20.555	Ley n 20.555, de 28 de noviembre de 2011, que modifica la Ley nº 19.496, sobre protección de los derechos de los consumidores, para dotar de atribuciones en materias financieras, entre otras, al servicio Nacional de consumidor (D.O. de 5 de diciembre de 2011).
L. 20.715	Ley 20.715 de 10 de diciembre de 2013, sobre protección a deudores de créditos en dinero (D.O. de 13 de diciembre de 2013).
L. 20.720	Ley 20.720 de 30 de diciembre de 2013, sustituye el régimen concursal vigente por una Ley de reorganización y liquidación de empresas, y perfecciona el rol de la Superintendencia del ramo (D.O. de 9 de enero de 2014).
L. 20.756	Ley 20.756 de 2 junio de 2014, que regula la venta y arriendo de videojuegos excesivamente violentos a menores de 18 años y exige control (D.O. 9 de junio de 2014).
L. 20.850	Ley 20.850 de 1 de junio de 2015, crea un sistema de protección financiera para diagnóstico y tratamientos de alto costo y rinde homenaje a Don Luís Ricarte Soto Gallegos (D.O. 6 de junio de 2015).
L. 20.855	Ley 20.855 de 16 de septiembre de 2015, regula el alzamiento de hipotecas y prenda que caucionen créditos (D.O. de 25 de septiembre de 2015).
L. 20.886	Ley 20.886, de 14 de diciembre de 2015, Modifica el Código de Procedimiento Civil, para establecer la tramitación digital de los procedimientos judiciales (D.O. 18 de diciembre de 2018).
L. 20.931	Ley 20.931, de 24 de junio de 2016, facilita la aplicación efectiva de las penas establecidas para los delitos de robo, hurto y receptación y mejora la persecución penal en dichos delitos (D.O. 5 de julio de 2016).
L. 20.945	Ley 20.945 de 19 de agosto de 2016, perfecciona el sistema de defensa de la libre competencia (D.O. 30 de agosto de 2016).

L. 20.967	Ley 20.967 de 4 de noviembre de 2016, regula el cobro de servicios de estacionamiento (D.O. de 17 de noviembre de 2016).
L. 21.062	Ley 21.062 de 27 de diciembre de 2017, establece nuevas obligaciones a proveedores de crédito y a empresas de cobranza extrajudicial (D.O. de 8 de enero de 2018)
L. 21.081	Ley 21.081 de 13 de julio de 2018, modifica Ley 19.496, sobre protección de los derechos de los consumidores (D.O. 13 de septiembre de 2018).
L. 21.156	Ley 21.156, de 2 de mayo de 2019, establece la obligación de disponer desfibriladores externos automáticos portátiles en los establecimientos y recintos que indica (D.O. 20 de mayo de 2019).
L. 21.234	L. 21.234, de 20 de mayo 2020, limita la responsabilidad de los titulares o usuarios de tarjetas de pago y transacciones electrónicas en caso de extravío, hurto, robo o fraude (D.O. 29 de mayo de 2020).
L. 21.236	L. 21.236, de 3 de junio 2020, de portabilidad financiera (D.O. 6 de junio de 2020).
L. 21.320	L. 21.320, de 14 de abril 2021, que modifica la Ley 19.496, sobre protección de los derechos de los consumidores, en materias de cobranzas extrajudicial y otros derechos del consumidor (D.O. 20 de abril de 2021) CONSUMIDORES, EN MATERIA DE COBRANZA EXTRAJUDICIAL Y OTROS DERECHOS DEL CONSUMIDOR.
L 21.398	L. 21.398, de 13 de diciembre 2021, que establece medidas para incentivar la protección de los derechos de los consumidores (D.O. 24 de diciembre de 2021) (Ley pro consumidor).
Resoluciones exentas	
Resolución 5576 EXENTA de 2011	Resolución 5576 EXENTA, de 7 de octubre de 2011 (Ministerio de transporte y telecomunicaciones; subsecretaria de telecomunicaciones), establece requisitos para el envío de mensajería telefónica móvil con cargo al usuario (D.O. de 11 de octubre de 2011).

Resolución 132 EXENTA de 2012	Resolución 132 EXENTA, de 31 de julio de 2012 (Ministerio de Economía, Fomento y Turismo, Subsecretaría de Economía y Empresa de menor tamaño, Servicio Nacional del Consumidor, Dirección Nacional), fija aranceles correspondiente a los honorarios de mediadores y árbitros financieros que indica (D.O. de 2 de agosto de 2012).
Resolución 1173 EXENTA de 2012	Resolución 1174 EXENTA, de 26 de julio de 2012 (Ministerio de Economía, Fomento y Turismo, Subsecretaría de Economía y Empresa de menor tamaño, Servicio Nacional del Consumidor, Dirección Nacional), crea el registro de árbitros financieros (D.O. de 2 de agosto de 2012).
Resolución 1174 EXENTA de 2012	Resolución 1174 EXENTA, de 26 de julio de 2012 (Ministerio de Economía, Fomento y Turismo, Subsecretaría de Economía y Empresa de menor tamaño, Servicio Nacional del Consumidor, Dirección Nacional), crea el registro de mediadores (D.O. de 2 de agosto de 2012).
Resolución 1651 EXENTA de 2012	Resolución 1651 EXENTA de 9 de noviembre 2012(Ministerio de Economía, Fomento y Turismo, Subsecretaría de Economía y Empresa de menor tamaño, Servicio Nacional del Consumidor, Dirección Nacional), nombra árbitros financieros y ordena inscribir en el registro (D.O. 16 de enero de 2013).
Resolución 1837 EXENTA de 2012	Resolución 1837 EXENTA de 19 de diciembre 2012(Ministerio de Economía, Fomento y Turismo, Subsecretaría de Economía y Empresa de menor tamaño, Servicio Nacional del Consumidor, Dirección Nacional), nombra mediadores, modifica y actualiza nomina del registro de mediadores (D.O. 16 de enero de 2013).
Resolución 1838 EXENTA de 2012	Resolución 1838 EXENTA de 19 de diciembre 2012(Ministerio de Economía, Fomento y Turismo, Subsecretaría de Economía y Empresa de menor tamaño, Servicio Nacional del Consumidor, Dirección Nacional), nombra árbitros financieros, modifica y actualiza nomina del registro de árbitros financieros (D.O. 16 de enero de 2013).

Resolución 1892 EXENTA de 2012	Resolución 1892 EXENTA de 28 de diciembre 2012(Ministerio de Economía, Fomento y Turismo, Subsecretaría de Economía y Empresa de menor tamaño, Servicio Nacional del Consumidor, Dirección Nacional), nombra mediadores, modifica y actualiza nomina del registro de mediadores (D.O. 15 de enero de 2013).
Resolución 1893 EXENTA de 2012	Resolución 1893 EXENTA de 28 de diciembre 2012(Ministerio de Economía, Fomento y Turismo, Subsecretaría de Economía y Empresa de menor tamaño, Servicio Nacional del Consumidor, Dirección Nacional), nombra árbitros financieros, modifica y actualiza nomina del registro de árbitros financieros(D.O. 15 de enero de 2013).
Resolución 362 EXENTA de 2013	Resolución 362 EXENTA de 22 de marzo de 2013 (Ministerio de Economía, Fomento y Turismo, Servicio Nacional del Consumidor), nombra árbitros financieros y actualiza nómina del registro de árbitros financieros (D.O. de 10 de abril de 2013).
Resolución 363 EXENTA de 2013	Resolución 363 EXENTA de 22 de marzo de 2013 (Ministerio de Economía, Fomento y Turismo, Servicio Nacional del Consumidor), nombra mediadores y actualiza nómina del registro de mediadores (D.O. de 10 de abril de 2013).
Resolución 695 EXENTA de 2013	Resolución 695 EXENTA de 14 de junio de 2013 (Ministerio de Economía, Fomento y Turismo, Servicio Nacional del Consumidor), nombra mediadores y actualiza nómina del registro de mediadores (D.O. de 21 de junio de 2013).
Resolución 697 EXENTA de 2013	Resolución 697 EXENTA de 14 de junio de 2013 (Ministerio de Economía, Fomento y Turismo, Servicio Nacional del Consumidor), nombra árbitros financieros y actualiza nómina del registro de árbitros financieros (D.O. de 21 de junio de 2013).
Resolución 1058 EXENTA de 2013	Resolución 1058 EXENTA de 24 de septiembre de 2013 (Ministerio de Economía, Fomento y Turismo, Subsecretaría de Economía y Empresa de menor tamaño, Servicio Nacional del Consumidor, Dirección Nacional), nombra arbitros financieros y modifica y actualiza nomina del registro de árbitros financieros (D.O. 8 de octubre 2013).

Resolución 1059 EXENTA de 2013	Resolución 1059 EXENTA de 24 de septiembre de 2013 (Ministerio de Economía, Fomento y Turismo, Subsecretaría de Economía y Empresa de menor tamaño, Servicio Nacional del Consumidor, Dirección Nacional), nombra mediadores, modifica y actualiza nomina del registro de mediadores (D.O. 8 de octubre 2013).
Resolución 1208 EXENTA de 2013	Resolución 1208 EXENTA de 30 de octubre de 2013 (Ministerio de Economía, Fomento y Turismo, Subsecretaría de Economía u Empresas de menor tamaño, Servicio Nacional del Consumidor), nombra mediadores y actualiza nómina del registro de mediadores (D.O. de 16 de noviembre de 2013).
Resolución 1209 EXENTA de 2013	Resolución 1209 EXENTA de 30 de octubre de 2013 (Ministerio de Economía, Fomento y Turismo, Subsecretaría de Economía u Empresas de menor tamaño, Servicio Nacional del Consumidor), nombra árbitros financieros y actualiza nómina del registro de árbitros financieros (D.O. de 16 de noviembre de 2013).
Resolución 75 EXENTA de 2014	Resolución 75 EXENTA de 30 de enero de 2014(Ministerio de Economía, Fomento y Turismo, Subsecretaría de Economía u Empresas de menor tamaño, Servicio Nacional del Consumidor), nombra árbitros financieros y actualiza nómina del registro de árbitros financieros (D.O. de 7 de febrero de 2013).
Resolución 76 EXENTA de 2014	Resolución 76 EXENTA de 30 de enero de 2014(Ministerio de Economía, Fomento y Turismo, Subsecretaría de Economía u Empresas de menor tamaño, Servicio Nacional del Consumidor), nombra mediadores y actualiza nómina del registro de mediadores (D.O. de 7 de febrero de 2013).
Resolución 678 EXENTA de 2014	Resolución 678 EXENTA de 22 de julio de 2014 (Ministerio de Economía, Fomento y Turismo, Servicio Nacional del Consumidor), nombra árbitros financieros y actualiza nómina del registro correspondiente (D.O. de 4 de julio de 2014).

Resolución 679 EXENTA de 2014	Resolución 678 EXENTA de 22 de julio de 2014 (Ministerio de Economía, Fomento y Turismo, Servicio Nacional del Consumidor), nombra mediadora y actualiza nómina del registro correspondiente (D.O. de 4 de julio de 2014).
Resolución 1125 EXENTA de 2014	Resolución 1125 EXENTA de 29 de septiembre de 2014 (Ministerio de Economía, Fomento y Turismo, Subsecretaría de Economía u Empresas de menor tamaño, Servicio Nacional del Consumidor), nombra árbitros financieros y actualiza nómina del registro correspondiente (D.O. de 7 de octubre de 2014).
Resolución 1034 EXENTA de 2015	Resolución 1034 EXENTA de 22 de julio de 2015 (Ministerio de Economía, Fomento y Turismo, Servicio Nacional del Consumidor), nombra mediadores financieros y actualiza nómina del registro correspondiente (D.O. de 12 de agosto de 2015).
Resolución 1046 EXENTA de 2015	Resolución 1046 EXENTA de 22 de junio de 2015 (Ministerio de Economía, Fomento y Turismo, Servicio Nacional del Consumidor), nombra árbitros financieros y actualiza nómina del registro de árbitros financieros (D.O. de 12 de agosto de 2015).
Resolución 1496 EXENTA de 2015	Resolución 1496 EXENTA de 15 de octubre de 2015 (Ministerio de Economía, Fomento y Turismo, Servicio Nacional del Consumidor), nombra árbitros financieros y actualiza nómina del registro de árbitros financieros (D.O. de 22 de octubre de 2015).
Resolución 1875 EXENTA de 2015	Resolución 1875 EXENTA de 31 de diciembre de 2015 (Ministerio de Economía, Fomento y Turismo, Servicio Nacional del Consumidor), aprueba normas de aplicación general de participación ciudadana en el ámbito de competencia del Servicio Nacional del Consumidor y deja sin efecto Resolución que indica (D.O. de 12 de enero de 2016).
Resolución 408 EXENTA de 2016	Resolución 408 EXENTA de 2 de mayo de 2016 (Ministerio de Salud), aprueba listado de sustancias peligrosas (D.O. de 11 de mayo de 2016).

Resolución 959 EXENTA de 2016	Resolución 1034 EXENTA de 4 de agosto de 2016 (Ministerio de Economía, Fomento y Turismo, Servicio Nacional del Consumidor), nombra árbitros financieros y actualiza nómina del registro de árbitros financieros (D.O. de 11 de agosto de 2016).
Resolución 960 EXENTA de 2016	Resolución 1034 EXENTA de 4 de agosto de 2016 (Ministerio de Economía, Fomento y Turismo, Servicio Nacional del Consumidor), nombra mediador financiero y actualiza nómina del registro correspondiente (D.O. de 11 de agosto de 2016).
Resolución 1452 EXENTA de 2017	Resolución 1452 EXENTA de 28 de diciembre de 2017 (Ministerio de Economía, Fomento y Turismo, Servicio Nacional del Consumidor), nombra mediador financiero y actualiza nómina del registro correspondiente (D.O. de 22 de febrero de 2018).
Resolución 163 EXENTA de 2018	Resolución 163 EXENTA de 7 de marzo de 2018 (Ministerio de Economía, Fomento y Turismo, Servicio Nacional del Consumidor), nombra mediador financiero y actualiza nómina del registro correspondiente (D.O. de 29 de marzo de 2018).
Resolución 1 EXENTA de 2019	Resolución 1 EXENTA de 3 de enero de 2019 (Ministerio de Economía, Fomento y Turismo, Servicio Nacional del Consumidor), nombra mediador financiero, elimina y actualiza nómina del registro de mediadores financieros (D.O. de 23 de enero de 2019).
Resolución 2 EXENTA de 2019	Resolución 2 EXENTA de 3 de enero de 2019 (Ministerio de Economía, Fomento y Turismo, Servicio Nacional del Consumidor), nombra árbitro financiero, elimina y actualiza nómina del registro de árbitros financieros (D.O. de 23 de enero de 2019).
Resolución 184 EXENTA de 2019	Resolución 184 EXENTA de 21 de marzo de 2019 (Ministerio de Economía, Fomento y Turismo, Servicio Nacional del Consumidor), Circular interpretativa sobre buenas prácticas en comercio electrónico.

Resolución 185 EXENTA de 2019	Resolución 185 EXENTA de 21 de marzo de 2019 (Ministerio de Economía, Fomento y Turismo, Servicio Nacional del Consumidor), Circular interpretativa sobre supermercados y almacenes.
Resolución 186 EXENTA de 2019	Resolución 186 EXENTA de 21 de marzo de 2019 (Ministerio de Economía, Fomento y Turismo, Servicio Nacional del Consumidor), Circular interpretativa sobre ticketeras y productoras.
Resolución 187 EXENTA de 2019	Resolución 187 EXENTA de 21 de marzo de 2019 (Ministerio de Economía, Fomento y Turismo, Servicio Nacional del Consumidor), Circular interpretativa sobre publicidad y prácticas comerciales.
Resolución 188 EXENTA de 2019	Resolución 188 EXENTA de 21 de marzo de 2019 (Ministerio de Economía, Fomento y Turismo, Servicio Nacional del Consumidor), Circular interpretativa sobre ventas atadas y ventas conjuntas.
Resolución 189 EXENTA de 2019	Resolución 189 EXENTA de 21 de marzo de 2019 (Ministerio de Economía, Fomento y Turismo, Servicio Nacional del Consumidor), Circular interpretativa sobre procedimientos aerolíneas y agencias de viaje.
Resolución 190 EXENTA de 2019	Resolución 190 EXENTA de 21 de marzo de 2019 (Ministerio de Economía, Fomento y Turismo, Servicio Nacional del Consumidor), Circular interpretativa sobre el derecho a la calidad e idoneidad: régimen de garantías.
Resolución 191 EXENTA de 2019	Resolución 192 EXENTA de 21 de marzo de 2019 (Ministerio de Economía, Fomento y Turismo, Servicio Nacional del Consumidor), Circular interpretativa sobre el derecho a la oportuna liberación de garantías.
Resolución 192 EXENTA de 2019	Resolución 192 EXENTA de 21 de marzo de 2019 (Ministerio de Economía, Fomento y Turismo, Servicio Nacional del Consumidor), Circular interpretativa sobre gestiones de cobranza extrajudicial y judicial.

Resolución 221 EXENTA de 2019	Resolución 221 EXENTA de 4 de abril de 2019 (Ministerio de Economía, Fomento y Turismo, Servicio Nacional del Consumidor), solicita registro o actualización de datos antes el Servicio Nacional del Consumidor (D.O. de 8 de mayo de 2019).
Resolución 331 EXENTA de 2019	Resolución 331 EXENTA de 17 de mayo de 2019 (Ministerio de Economía, Fomento y Turismo, Servicio Nacional del Consumidor), delega facultad de firma en funcionarios del Servicio Nacional del Consumidor (D.O. de 20 de junio de 2019).
Resolución 432 EXENTA de 2019	Resolución 432 EXENTA de 27 de junio de 2019 (Ministerio de Economía, Fomento y Turismo, Servicio Nacional del Consumidor), Circular interpretativa sobre procedimientos voluntarios para la protección del interés colectivo o difuso de los consumidores.
Resolución 547 EXENTA de 2019	Resolución 547 EXENTA de 5 de agosto de 2019 (Ministerio de Economía, Fomento y Turismo, Servicio Nacional del Consumidor), Circular interpretativa sobre el sentido del artículo 25 A de la Ley 19.496 y priorización de casos que comprometan el interés colectivo o difuso de los consumidores respecto de ese precepto.
Resolución 932 EXENTA de 2019	Resolución 932 EXENTA de 22 de noviembre 2019 (Ministerio de Economía, Fomento y Turismo, Servicio Nacional del Consumidor), Circular interpretativa sobre el interés general de los consumidores y su ejercicio en sede judicial.
Resolución 946 EXENTA de 2019	Resolución n. 946 EXENTA, de 27 de noviembre de 2019 (Ministerio de Economía, Fomento y Turismo, Servicio Nacional del Consumidor), Circular interpretativa sobre relacionamiento institucional con empresas y actores claves.
Resolución 947 EXENTA de 2019	Resolución n. 947 EXENTA, de 27 de noviembre de 2019 (Ministerio de Economía, Fomento y Turismo, Servicio Nacional del Consumidor), Circular interpretativa sobre ofrecimiento de proveedores, de productos o servicios, cuyo pago se hace en cuotas y a plazo.

Resolución 950 EXENTA de 2019	Resolución n. 950 EXENTA, de 29 de noviembre de 2019 (Ministerio de Economía, Fomento y Turismo, Servicio Nacional del Consumidor), Circular interpretativa sobre continuidad de servicios ante eventos excepcionales.
Resolución 471 EXENTA de 2019	Resolución 471 EXENTA de 12 de julio de 2019 (Ministerio de Economía, Fomento y Turismo, Servicio Nacional del Consumidor), nombra árbitro financiero y actualiza nómina del registro de árbitros financieros (D.O. de 23 de julio de 2019).
Resolución 472 EXENTA de 2019	Resolución 472 EXENTA de 12 de julio de 2019 (Ministerio de Economía, Fomento y Turismo, Servicio Nacional del Consumidor), nombra mediador financiero, elimina y actualiza nómina del registro de mediadores financieros (D.O. de 23 de julio de 2019).
Resolución 1054 EXENTA de 2019	Resolución 1054 EXENTA de 30 de diciembre de 2019 (Ministerio de Economía, Fomento y Turismo, Servicio Nacional del Consumidor), nombra árbitro financiero, elimina y actualiza nómina del registro de árbitros financieros (D.O. de 9 de enero de 2020).
Resolución 1055 EXENTA de 2019	Resolución 1055 EXENTA de 30 de diciembre de 2019 (Ministerio de Economía, Fomento y Turismo, Servicio Nacional del Consumidor), elimina y actualiza nómina del registro de mediadores financieros (D.O. de 9 de enero de 2020).
Resolución 89 EXENTA de 2020	Resolución 89 EXENTA de 31 de enero de 2020 (Ministerio de Economía, Fomento y Turismo, Servicio Nacional del Consumidor), Circular interpretativa sobre el alcance y contenido de los planes de cumplimiento en normas sobre protección de los derechos de los consumidores.
Resolución 326 EXENTA de 2020	Resolución 326 EXENTA de 6 de abril de 2020 (Ministerio de Economía, Fomento y Turismo, Servicio Nacional del Consumidor), Circular interpretativa sobre contratación a distancia durante la pandemia provocada por el coronavirus (Covid-19).

Resolución 340 EXENTA de 2020	Resolución 340 EXENTA de 9 de abril de 2020 (Ministerio de Economía, Fomento y Turismo, Servicio Nacional del Consumidor), Circular interpretativa sobre suspensión de plazos de las garantías legales, voluntarias y de satisfacción durante la crisis sanitaria derivada de Covid-19.
Resolución 359 EXENTA de 2020	Resolución 359 EXENTA de 17 de abril de 2020 (Ministerio de Economía, Fomento y Turismo, Servicio Nacional del Consumidor), modifica temporalmente Circular sobre procedimiento voluntario colectivo del Servicio Nacional del Consumidor.
Resolución 360 EXENTA de 2020	Resolución 360 EXENTA de 20 de abril de 2020 (Ministerio de Economía, Fomento y Turismo, Servicio Nacional del Consumidor), Circular interpretativa sobre buenas prácticas de los proveedores frente a la pandemia provocada por el coronavirus (Covid-19).
Resolución 371 EXENTA de 2020	Resolución 371 EXENTA de 23 de abril de 2020 (Ministerio de Economía, Fomento y Turismo, Servicio Nacional del Consumidor), Circular interpretativa sobre resguardo de la salud de los consumidores y de medidas alternativas de cumplimiento, suspensión y extinción de las prestaciones frente a la pandemia provocada por coronavirus (Covid-19).
Resolución 637 EXENTA de 2020	Resolución n. 627 EXENTA, de 11 de septiembre de 2020 (Ministerio de Economía, Fomento y Turismo, Servicio Nacional del Consumidor), Circular interpretativa sobre aplicación económica del art. 25 A.
Resolución 759 EXENTA de 2020	Resolución n. 759 EXENTA, de 6 de noviembre de 2020 (Ministerio de Economía, Fomento y Turismo, Servicio Nacional del Consumidor), Circular interpretativa sobre mecanismos alternativos de distribución de indemnizaciones, de reparaciones, devoluciones y compensaciones por afectaciones a los intereses difusos.

Resolución 813 EXENTA de 2020	Resolución n. 813 EXENTA, de 9 de diciembre de 2020 (Ministerio de Economía, Fomento y Turismo, Servicio Nacional del Consumidor), Circular interpretativa sobre procedimiento de aprobación de planes de cumplimiento del art. 24 inciso cuarto letra C de la Ley 19.496.
Resolución 71 EXENTA de 2021	Resolución n. 71 EXENTA, de 5 de febrero de 2021 (Ministerio de Economía, Fomento y Turismo, Servicio Nacional del Consumidor), Circular interpretativa sobre deberes legales y buenas prácticas para las partes litigantes durante la tramitación de procedimientos para defensa del interés colectivo difuso de los consumidores.
Resolución 83 EXENTA de 2021	Resolución n. 83 EXENTA, de 5 de febrero de 2021 (Ministerio de Economía, Fomento y Turismo, Servicio Nacional del Consumidor), delega facultades en el subdirector del Servicio nacional del consumidor que indica.
Resolución 228 EXENTA de 2021	Resolución n. 228 EXENTA, de 25 de marzo de 2021 (Ministerio de Economía, Fomento y Turismo, Servicio Nacional del Consumidor), delega facultades en funcionarios del Servicio nacional del consumidor que indica.
Resolución 689 EXENTA de 2021	Resolución n. 689 EXENTA, de 10 de septiembre de 2021 (Ministerio de Economía, Fomento y Turismo, Servicio Nacional del Consumidor), Circular interpretativa sobre el alcance, contenido, procedimiento de aprobación y presentación de los planes de cumplimiento de los artículos 24 inciso cuarto, letra C) y 54 P de la Ley N. 19.496.
Resolución 713 EXENTA de 2021	Resolución n. 713 EXENTA, de 9 de octubre de 2021 (Ministerio de Economía, Fomento y Turismo, Servicio Nacional del Consumidor), Circular interpretativa sobre criterios de validez o eficacia de cláusulas de vencimiento anticipado.

Resolución 782 EXENTA de 2021	Resolución n. 782 EXENTA, de 18 de octubre de 2021 (Ministerio de Economía, Fomento y Turismo, Servicio Nacional del Consumidor), Circular interpretativa sobre las atribuciones del Servicio Nacional del Consumidor para requerir información a los proveedores y Manual de Requerimiento de Información de conformidad con la facultad del art. 58 inciso 5º y 6º de la Ley N. 19.496
SBIF sobre contratos bancarios	Superintendencia de Bancos e Instituciones Financiera. Recopilación actualizada de normas (así como modificada por las varias circulares).

Nota preliminar

I. ESTRUCTURA DE LA OBRA

La que tiene ahora mismo en sus manos no es sencillamente la Ley Nº 19.496, de 1997, también conocida como la Ley sobre protección de los derechos de los consumidores. Se trata de una obra estructurada en tres partes para contextualizar, de manera sistemática, este texto normativo no solamente en relación con su contenido, sino también dentro del reciente panorama legislativo que afecta al consumidor.

En la primera parte se encontrará el texto de la Ley Nº 19.496 y sus concordancias.

De manera sintética, al final de cada disposición, se encontrarán las temáticas principales que aquella aborda y sus concordancias con otros artículos de la misma Ley y de los principales textos normativos del Derecho nacional. Además, se podrá ver, esquemáticamente, si la disposición ha sufrido modificaciones y, de ser así, cuales son las leyes que la han modificada. Las modificaciones operadas por la Ley *Pro consumidor* vienen resaltadas en el mismo texto de las disposiciones para una mejor comprensión.

En la segunda parte, la obra proporciona otros dos textos legislativos, las dos principales reformas de 2020. La primera, es la Ley sobre la responsabilidad para titulares o usuarios de tarjetas de pago y transacciones electrónicas en caso de extravío, hurto, robo o fraude (Ley Nº 20.009, reformada en su integridad por la Ley Nº 21.234). La segunda, la Ley N° 21.236, sobre portabilidad financiera y relativo reglamento. Estos textos permiten completar la Ley Nº 19.496 con un instrumento complementario y operacional.

En la tercera parte, el lector encontrará algunas herramientas prácticas que facilitarán el análisis de la Ley Nº 19.496. Por ello, se han predispuesto algunos cuadros sinópticos relativos a las infracciones y multas (también en comparación con la situación anterior a la reforma operada por la Ley Nº 21.081 de 2018).

La presencia de otras tablas tiene la finalidad de proporcionar una fácil lectura trasversal del texto en función de lo que concretamente se está buscando. Así, por ejemplo, aquella que identifica las normativas chilenas citadas expresamente por cada artículo de la Ley Nº 19.496.

Para no perder de vista el recorrido que la Ley ha tenido, además, se proporciona el texto íntegro de la Ley 19.496, en su versión original (1997), y el de su precursora, la Ley Nº 18.223, de 1983.

Finalmente se encontrará el índice analítico de la actual Ley Nº 19.496, este facilitará la guía de lectura por voces, evidenciando los principales tópicos que trata la Ley y asociándolo a los correlativos grupos de disposiciones que los analizan.

Todo esto permitirá tener un útil instrumento práctico para el estudioso, el jurista, el juez y el abogado.

II. EL RECORRIDO HACIA LA LEY Nº 19.496

Mucha agua ha pasado debajo del puente después de que la Ley Nº 18.223, de 1983, y los artículos 4° y 5° de la Ley Nº 18.959, de 1990, implantaron las bases para una regulación moderna sobre el consumo.

Es al inicio de los años 80 que puede decirse que nace la normativa moderna que mira a la protección del consumidor en un panorama ya más consolidado de competencia perfecta de mercado. Así en el año 1983, la Ley Nº 18.223 procedía a borrar definitivamente aquel apéndice —identificable con el D.L. 280 de 1974 dictado después del golpe de estado de 1973— que era un retaje de un derecho de Consumo que se había desarrollado bajo una perspectiva histórico económica diferente y que había sufrido de varios altibajos.

El rasgo característico de la normativa de consumo chilena es relacionable con un derecho administrativo que, todavía hoy, sigue imperando y que tiene sus orígenes en las primeras imposiciones regulatorias y en la creación de instituciones estatales para controlar los abusos contra los consumidores.

Así, se han visto gravitar en este sector, primero, al Comisariato General de Subsistencia y Precios, creado después de la crisis del año

1929 (D.L. 520 de 1932) en un contexto de creciente intervención estatal en la economía. Así que hubo un período caracterizado de fuerte actividad estatal también en control de determinados precios al público que indirectamente podía conllevar determinadas facultades represivas hacia las empresas que no siguieran las directrices. Luego, desde los años cincuenta, es reemplazado por la Superintendencia de Abastecimientos y Precios (DFL 173 de 1953) y, desde el 1960, aquella da paso a la Dirección de Industria y Comercio o DIRINCO (DFL 242 de 1960). Dicha Dirección gradualmente empieza a convivir con un nuevo panorama económico que propugna una economía moderna más ajena a monopolios, oligopolios y precios controlados. Ello hace que sus funciones fiscalizadoras, lentamente, vayan menguando (D.L. 3.511 de 1980) a favor de un mercado en evolución y que requiere ser además más trasparente y que por ello tiene una nueva exigencia de información y educación de los consumidores. Por ello se han abierto las puertas a nuevos tiempos y tipologías de control estatal, plasmados en la creación del actual Servicio Nacional del Consumidor (SERNAC), creado en 1990 (Ley N° 18.959), de allí el inicio, con el Mensaje de 21 de agosto de 1991 (Boletín N° 446-03), de un lento proceso que condujo a la Ley 19.496 de 1997.

III. LAS PRINCIPALES REFORMAS DE LA LEY 19.496

De una Ley totalmente infraccional —la Ley N° 18.223 y sus 13 disposiciones— se pasa a la Ley 19.496, en su versión original (1997), que introduce un texto legislativo más estructurado que quiere identificar también los principales derechos básicos de los consumidores (posteriormente ampliados en las reformas posteriores) y proporcionar determinadas tutelas. Esto se produce, en otras cosas, con una introducción de los contratos de adhesión, con la regulación del crédito al consumo y la regulación de la información para el consumidor. También se introduce una normativa sobre la garantía legal, prácticamente inmutada en las 17 reformas de la Ley (la primera en el año 1999), y que recién ha sido modificada con la Ley pro consumidor de 2021 en su parte sustantiva, sobre todo en relación con la garantía convencional.

El año 2021 viene caracterizado también por una reforma sobre las cobranzas extrajudiciales (Ley N° 21.062), cobranzas introducidas con una reforma del año 2004 (Ley N° 19.955), reforma esta última que introdujo también aspectos hasta el momento intrascendentes, como el sello Sernac.

La Ley Pro consumidor de 2021 (L. 21.398) compensa la reforma del año 2018 (Ley N° 21.081), que se había caracterizado esencialmente por una reforma de naturaleza administrativa y procedimental, pero no sustancial, produciéndose un masivo aumento en el importe de las sanciones.

Así la Ley Pro consumidor introduce algunos aspectos relevantes relativos a la relación entre garantía convencional y legal, aumentado además el plazo relativa a esta última (de 3 a 6 meses). La reforma toma conciencia también de la importancia de la economía circular y de la importancia de proporcionar una reparación del bien y servicio técnico efectivos. Además, por ejemplo, deben destacarse las discusiones sobre los datos personales (cf. art. 15 bis), los medios de pago asociados con descuentos (art. 17 H), y el guiño que el legislador hace a los derechos de los pasajeros en caso de denegación de embarque (art. 23 bis junto a las modificaciones operadas en el código aeronáutico); a las tutelas en relación con los productos financieros (art. 17 D, 17 H y 17 N, 37) y universitarios (art. 3 quater) y las modificaciones de algunos aspectos relativos a la información y a la contratación electrónica.

Debe constatarse, además, que a lo largo de estás décadas otras reformas han tocado la Ley como la reforma del año 2001 sobre el procedimiento aplicable para la protección del interés colectivo y difuso (Ley N° 20.543), produciéndose también la modificación de su ámbito subjetivo y de aplicación (Ley Nº 19.955, de 2004). Las modificaciones en estos años han tocado también algunos aspectos de los créditos caucionados con hipoteca (Ley 20.855). Asimismo, se han perfeccionado aspectos de libre competencia (Ley 20.945), entre otras cuestiones. A tener en consideración son la introducción de atribuciones en materias financieras al Sernac (L. 20.555) y la fiscalizadora (Ley Nº 21.081). Importante es las prohibiciones de ventas atadas (L. 20.555, con el relativo debate sobre los limites de descuentos aplicables a tenor de la reciente reforma activado por la Ley pro consumidor) y la perseverante modificación de un artículo, el art. 37 en materia de consumidor financiero y cobranzas judiciales que no solamente se relaciona con las ventas atadas, sino que ha dado mucho que hablar, puesto que a lo largo de su vida ha sido modificado seis veces (L. 19.955, L. 19.659, L. 20.715, L. 21.062, L. 21.320, L. 21.398).

IV. UNA LEY POLI SEMÁNTICA, DESCUIDADA Y CAÓTICA

Es indudablemente loable el esfuerzo del legislador de haberse preocupado de reformar la Ley a lo largo de estos años; sin embargo, las recientes reformas no deben ilusionarnos demasiado ya que, al día de hoy, la Ley Nº 19.496 se caracteriza por ser polisemántica; poco atenta y caótica.

La redacción de la Ley se carácteriza por múltiples lagunas de técnica legislativa. Algunas disposiciones, por su extensión, son verdaderas "leyes independientes" insertadas dentro del mismo cuerpo normativo, como cajas chinas que impiden la comprensión en un ciudadano común y que tampoco facilitan su apropiada comprensión a los profesionales del derecho.

Además, las modificaciones obradas a lo largo de estas décadas tampoco han contribuido a perfeccionar su pulcritud y coherencia. Así, la tecnica legislativa —que tanto era apreciada y valorada por Andrés Bello— se vuelve etérea. Así, existen disposiciones que se han posteriormente introducidos según criterios legislativos incoherentes, no complementándose entre sí. Por ejemplo, se aprecia una doble técnica legislativa —según un expreso protocolo redaccional— para intercalar nuevos artículos, una caracterizada por letras (A, B, etc.), y otra según el sistema más bien clásico (bis, ter, etc.). Por todos es ejemplificativa la presencia de un art. 15, un art. 15 A y un art. 15 bis.

La heterogeneidad de los criterios a adoptar se observa incluso en la elección de una incorrecta armonía semántica. Así, por ejemplo, la "reposición" es un "derecho" (17 D, 19, 20, 21) y, al mismo tiempo, un recurso (51, 52, 53, 54 E, 54 Q); la "oferta", desde el texto originario, se concibe desde el punto de vista definitorio como un concepto meramente económico de una determinada práctica comercial (art. 1.8, 35) para luego, a lo largo de las modificaciones de la Ley, concebirse como algo relacionado íntimamente con la formación del contrato (3 bis, 12 A, 12 B, 17 D, 32), para luego mudarse también en una oferta "de avenimiento" (53 B). Lo mismo la rebaja del precio, que no está expresamente presente como derecho del consumidor (no siendo aquí la sede para debatir si pudiera o no ser incluida en la "devolución del precio" del art. 20), pero sí como el descuento coloquialmente entendido (art. 18).

Incluso, hay utilización de terminologías que requerían un más preciso acotamiento definitorio (*v.gr.* la referencia al término "cobranza extrajudicial" del art. 37) o la efectiva comprensión de lo que se ha decidido plasmar en el texto (la referencia al término "principios" del art. 37).

En definitiva, nos encontramos frente a un legislador poco atento y falto de técnica hasta, en algunas ocasiones, totalmente descuidado. Esto conduce a situaciones casi imperdonables puesto que, después varias posibilidades de reforma, además de seguir las incongruencias semánticas arribas señaladas, se le deben añadir otras más bien normativas. Así, aparecen explícitas referencias a normativa derogada (art. 56 B: en relación con arts. 202, 211 CPC), refundida (como la referencia del art. 58 al D.L. 211 de 1973) o casos en que la correspondencia originaria de la norma a la que se hace referencia no se corresponde con la actual (art. 56 B: en relación con art. 200; art. 5 DT CPR de 1980: en relación con art. 82 Nº 1 CPR).

El último ejemplo de la asincrónica política del legislador chileno es el texto refundido de la Ley Nº 19.496 que nace ya viejo. Efectivamente este es el D.F.L. 3 de 2019 (publicado en el mayo 2021) que ya "nace", sin las modificaciones operadas por las Ley N° Ley 21.236 y la Ley N° 21.320

V. EL IMPORTANTE ROL DEL SERNAC Y DE LAS ASOCIACIONES DE CONSUMIDORES

La reforma de 2018 (Ley N° 21.081) otorga un rol más amplio a las asociaciones, con lo que estas y el SERNAC van a cumplir, junto a su función fiscalizadoras, determinadas acciones de información y educación del consumidor. A esto debe añadirse el considerable esfuerzo del SERNAC que, a lo largo de estos años, se ha posicionado como un actor clave en la tutela del consumidor. Además, se ha esforzado en interpretar con constancia y frecuencia, desde la reforma de 2018, la Ley N° 19.496, a través de sus circulares que, aunque de alcance jurídico limitado, son indudablemente útiles para ver como la normativa se mueve en los circuitos jurídicos.

VI. EL FUTURO CÓDIGO DE CONSUMO

Las reformas e introducciones de las normativas operadas en Chile en el ámbito de consumo preanuncian un cambio radical de paradigma que muy probablemente conducirá a la creación, dentro de la próxima década, de un verdadero código de consumo. Para esto, sin embargo, no sólo es necesario rectificar, afinar y perfeccionar las imprecisiones de fondo y forma de la actual Ley N° 19.496, sino también regular oportunamente los múltiples aspectos que quedan pendientes en las relaciones de consumo. Si el legislador tomara conciencia de esto, y se apoyará sobre técnicos y juristas, este proceso sería aún más rápido y efectivo. Ya son maduros los tiempos para percibir los matices de un derecho de consumo más amplio que debe tener en consideración el sujeto débil bajo varias acepciones y que se exteriorice no solo mediante una oportuna protección del consumidor sino también dentro de una perfecta interacción con un derecho regulatorio eficiente, *in primis* relativo a las contrataciones electrónicas, ya que los recientes cambios (remodelación de la Ley N° 20.009, el Decreto N° 6 de 2020 y algunos retoques operados por la Ley Pro consumidor) no son por si solo suficientes. Seguramente la futura consolidación de una nueva clase media en Chile contribuirá a la necesidad de una regulación más sólida que aboga a un derecho del Consumo y del Consumidor más sofisticado sediento de normas concretas de tutela efectiva más que normas administrativas o programáticas.

No quisiera extenderme más en esta nota que sólo pretende introducirlos en la lectura de esta obra.

Buena lectura, estudio y análisis.

Pavía, Diciembre 2021

Alfredo Ferrante
Professore Associato di Diritto Privato Comparato
Universitá degli Studi di Pavia, Italia

LEY DE PROTECCIÓN DE LOS DERECHOS DE LOS CONSUMIDORES

De conformidad a lo dispuesto en la Ley Nº 19.496,
de 7 febrero de 1997 (Diario Oficial de 7 de marzo)
Actualizada al 24 diciembre de 2021

TÍTULO I. ÁMBITO DE APLICACIÓN Y DEFINICIONES BÁSICAS

Art. 1º. La presente ley tiene por objeto normar las relaciones entre proveedores y consumidores, establecer las infracciones en perjuicio del consumidor y señalar el procedimiento aplicable en estas materias.

Para los efectos de esta ley se entenderá por:

1.- Consumidores o usuarios: las personas naturales o jurídicas que, en virtud de cualquier acto jurídico oneroso, adquieren, utilizan, o disfrutan, como destinatarios finales, bienes o servicios. En ningún caso podrán ser considerados consumidores los que de acuerdo al número siguiente deban entenderse como proveedores.

2.- Proveedores: las personas naturales o jurídicas, de carácter público o privado, que habitualmente desarrollen actividades de producción, fabricación, importación, construcción, distribución o comercialización de bienes o de prestación de servicios a consumidores, por las que se cobre precio o tarifa.

No se considerará proveedores a las personas que posean un título profesional y ejerzan su actividad en forma independiente.

3.- Información básica comercial: los datos, instructivos, antecedentes o indicaciones que el proveedor debe suministrar obligatoriamente al público consumidor, en cumplimiento de una norma jurídica.

Tratándose de proveedores que reciban bienes en consignación para su venta, éstos deberán agregar a la información básica comercial los antecedentes relativos a su situación financiera, incluidos los estados financieros cuando corresponda.

En la venta de bienes y prestación de servicios, se considerará información comercial básica, además de lo que dispongan otras normas legales o reglamentarias, la identificación del bien o servicio que se ofrece al consumidor, así como también los instructivos de uso y los términos de la garantía cuando procedan. Se exceptuarán de lo dispuesto en este inciso los bienes ofrecidos a granel.

La información comercial básica deberá ser suministrada al público por medios que aseguren un acceso claro, expedito y oportuno. Respecto de los instructivos de uso de los bienes y servicios cuyo uso normal represente un riesgo para la integridad y seguridad de las personas, será obligatoria su entrega al consumidor conjuntamente con los bienes y servicios a que acceden. En el caso de venta de bienes durables se considerará, además, información básica comercial la duración del bien en condiciones previsibles de uso, incluido el plazo en que el proveedor se obliga a disponer de repuestos y servicio técnico para su reparación.

Tratándose de la prestación de servicios de despacho, el proveedor deberá indicar claramente, antes del perfeccionamiento del contrato, el costo total y periodo de tiempo que tarde dicho servicio.

4.- Publicidad: la comunicación que el proveedor dirige al público por cualquier medio idóneo al efecto, para informarlo y motivarlo a adquirir o contratar un bien o servicio, entendiéndose incorporadas al contrato las condiciones objetivas contenidas en la publicidad hasta el momento de celebrar el contrato. Son condiciones objetivas aquellas señaladas en el artículo 28.

5.- Anunciante: el proveedor de bienes, prestador de servicios o entidad que, por medio de la publicidad, se propone ilustrar al público acerca de la naturaleza, características, propiedades o atributos de los bienes o servicios cuya producción, intermediación o prestación constituye el objeto de su actividad, o motivarlo a su adquisición.

6.- Contrato de adhesión: aquel cuyas cláusulas han sido propuestas unilateralmente por el proveedor sin que el consumidor, para celebrarlo, pueda alterar su contenido.

7.- Promociones: las prácticas comerciales, cualquiera sea la forma que se utilice en su difusión, consistentes en el ofrecimiento al público en general de bienes y servicios en condiciones más favorables que las habituales, con excepción de aquellas que consistan en una simple rebaja de precio.

8.- Oferta: práctica comercial consistente en el ofrecimiento al público de bienes o servicios a precios rebajados en forma transitoria, en relación con los habituales del respectivo establecimiento.

> *Conc.:*
> – L. 19.496 *Cláusulas en contrato de adhesión*: 16-17 E; *Contrato de adhesión en general*: 1.6, 55,55 A, 55 B, 55 C, 55 D, 56, 62; *Información*: 3, 3 bis; *Información básica comercial*: 3, 32,58; *Promoción y oferta*: 17 B a), 28 B, 35, 36; *Publicidad*: 7 C, 9 e), 20 C, 24, 28-34, 49 bis. *Servicio técnico*: 12 C, 20, 40,41, disposición transitoria segunda; *Reparaciones*: 12 C, 20, 21, 40 41.
> – L. 20.416 *Consumidor y pequeña y mediana empresa*: art. 9°
> – L. 18.223: *plazo relativo al servicio técnico y repuestos*: 5.
> – Decreto 229 de 2002 (Reglamento información precio unitario).
> – Decreto 42 de 2012 (Reglamento información en créditos hipotecarios).
> – Resolución 221 EXENTA de 2019 *Solicita registro o actualizaciones datos de proveedores antes el Sernac*.
> – Decreto 248 de 2014 *Información requisitos mínimos de rotulación sobre cemento*: en particular 13 y 14.
> – Decreto 6 de 2020 *Comercio electrónico*: art. 3.
>
> *Modif.*: L. 19.955. L. 20.416. L. 21.398.

Art. 2°. Quedan sujetos a las disposiciones de esta ley:

a) Los actos jurídicos que, de conformidad a lo preceptuado en el Código de Comercio u otras disposiciones legales, tengan el carácter de mercantiles para el proveedor y civiles para el consumidor;

b) Los actos de comercialización de sepulcros o sepulturas;

c) Los actos o contratos en que el proveedor se obligue a suministrar al consumidor o usuario el uso o goce de un inmueble por períodos determinados, continuos o discontinuos, no superiores a tres meses, siempre que lo sean amoblados y para fines de descanso o turismo;

d) Los contratos de educación de la enseñanza básica, media, técnico profesional y universitaria, sólo respecto del Párrafo 4° del Título

II; de los Párrafos 1º y 2º del Título III; de los artículos 18, 24, 26, 27 y 39 C, y respecto de la facultad del o de los usuarios para recurrir ante los tribunales correspondientes, conforme a los procedimientos que esta ley establece, para hacer efectivos los derechos que dichos Párrafos y artículos les confieren.

No quedará sujeto a esta ley el derecho a recurrir ante los tribunales de justicia por la calidad de la educación o por las condiciones académicas fijadas en los reglamentos internos vigentes a la época del ingreso a la carrera o programa respectivo, los cuales no podrán ser alterados sustancialmente, en forma arbitraria, sin perjuicio de las obligaciones de dar fiel cumplimiento a los términos, condiciones y modalidades ofrecidas por las entidades de educación;

e) Los contratos de venta de viviendas realizados por empresas constructoras, inmobiliarias y por los Servicios de Vivienda y Urbanización, en lo que no diga relación con las normas sobre calidad contenidas en la ley Nº 19.472, y

f) Los actos celebrados o ejecutados con ocasión de la contratación de servicios en el ámbito de la salud, con exclusión de las prestaciones de salud; de las materias relativas a la calidad de éstas y su financiamiento a través de fondos o seguros de salud; de la acreditación y certificación de los prestadores, sean éstos públicos o privados, individuales o institucionales y, en general, de cualquiera otra materia que se encuentre regulada en leyes especiales.

> Conc.:
> – L. 19.496 *Ámbito de aplicación*: 2 bis: *Contratos de educación*: 3 ter, 3 quáter, 17 N; *Contrato de servicio en ámbito de salud*: 2, 3, 15 B; *Contratos de vivienda*: 58.
> – Ley Nº 19.472 (en relación con contratos de venta de viviendas).
> – DFL Nº 2, de 1959 (Ministerio de Hacienda) *Vivienda habitacional*: 1.
> – D.L. Nº 1.101, de 3 de junio de 1960, (Ministerio de Obras Públicas) *Plan habitacional y vivienda habitacional* 1 y ss.
>
> *Modif.:* L. 19.955. L. 21.081.

Art. 2º bis. No obstante lo prescrito en el artículo anterior, las normas de esta ley no serán aplicables a las actividades de producción, fabricación, importación, construcción, distribución y comercialización de bienes o de prestación de servicios reguladas por leyes especiales, salvo:

a) En las materias que estas últimas no prevean;

b) En lo relativo al procedimiento en las causas en que esté comprometido el interés colectivo o difuso de los consumidores o usuarios, y el derecho a solicitar indemnización mediante dicho procedimiento, y

c) En lo relativo al derecho del consumidor o usuario para recurrir en forma individual, conforme al procedimiento que esta ley establece, ante el tribunal correspondiente, a fin de ser indemnizado de todo perjuicio originado en el incumplimiento de una obligación contraída por los proveedores, siempre que no existan procedimientos indemnizatorios en dichas leyes especiales.

Conc.:
– L. 19.496 *Ámbito de aplicación*: 2; *Competencia interés colectivo difuso tribunal ordinario*: 50 A; *Interés colectivo o difuso*: 8, 24A, 50, 50B-50 G, 51, 53A-53C, 54, 54A, 54 D, 54 E; *Perjuicios*: 3 e), 50, 50 E, 50 H, 51; *Funciones y competencia Sernac*: 15 bis, 58, 58 bis.

Introducido: L. 19.955.

Art. 2º ter. Las normas contenidas en esta ley se interpretarán siempre en favor de los consumidores, de acuerdo al principio pro consumidor, y, de manera complementaria, según las reglas contenidas en el párrafo 4° del Título Preliminar del Código Civil.

Conc.:
– L. 19.496 *Principios pro consumidor*: 16C, 37;
– CC: *Coordinación entra normas*: Titulo Preliminar.

Introducido: L. 21.398.

TÍTULO II. DISPOSICIONES GENERALES

§ 1º Los derechos y deberes del consumidor

Art. 3º. Son derechos y deberes básicos del consumidor:

a) La libre elección del bien o servicio. El silencio no constituye aceptación en los actos de consumo;

b) El derecho a una información veraz y oportuna sobre los bienes y servicios ofrecidos, su precio, condiciones de contratación y otras características relevantes de los mismos, y el deber de informarse responsablemente de ellos;

c) El no ser discriminado arbitrariamente por parte de proveedores de bienes y servicios;

d) La seguridad en el consumo de bienes o servicios, la protección de la salud y el medio ambiente y el deber de evitar los riesgos que puedan afectarles;

e) El derecho a la reparación e indemnización adecuada y oportuna de todos los daños materiales y morales en caso de incumplimiento de cualquiera de las obligaciones contraídas por el proveedor, y el deber de accionar de acuerdo a los medios que la ley le franquea, y

f) La educación para un consumo responsable, y el deber de celebrar operaciones de consumo con el comercio establecido.

Son derechos del consumidor de productos o servicios financieros:

a) Recibir la información del costo total del producto o servicio, lo que comprende conocer la carga anual equivalente a que se refiere el artículo 17 G, y ser informado por escrito de las razones del rechazo a la contratación del servicio financiero, las que deberán fundarse en condiciones objetivas.

b) Conocer las condiciones objetivas que el proveedor establece previa y públicamente para acceder al crédito y para otras operaciones financieras.

c) La oportuna liberación de las garantías constituidas para asegurar el cumplimiento de sus obligaciones, una vez extinguidas éstas.

d) Elegir al tasador de los bienes ofrecidos en garantía, entre las alternativas que le presente la institución financiera.

e) Conocer la liquidación total del crédito, a su solo requerimiento.

f) Los consagrados en la Ley que regula la Portabilidad Financiera.

g) Acudir siempre ante el tribunal competente conforme a las disposiciones establecidas en esta ley. El proveedor debe informar al consumidor de este derecho al celebrar el contrato y en el momento de surgir cualquier controversia, queja o reclamación. Toda estipulación en contrario constituye una infracción y se tendrá por no escrita.

Solo una vez surgido el conflicto, las partes podrán someterlo a mediación, conciliación o arbitraje. Los proveedores deben informar la naturaleza de cada uno de los mecanismos ofrecidos, los cuales serán gratuitos y solo se iniciarán por voluntad expresa del consumidor, la que deberá constar por escrito. Un reglamento dictado por el Ministerio de Economía, Fomento y Turismo establecerá las normas que sean necesarias para la adecuada aplicación de los mecanismos a que se refiere este párrafo.

Los proveedores financieros y no financieros podrán adscribir y ofrecer libremente el Sistema de Solución de Controversias dispuesto en los artículos 56 A y siguientes de esta ley, lo que deberá ser informado previamente al consumidor. Este Sistema podrá llevarse a cabo por medios electrónicos.

h) Los demás derechos establecidos en las leyes referidas a derechos de los consumidores, en especial, aquéllos consagrados en la ley N° 18.010, que establece normas para las operaciones de crédito y otras obligaciones de dinero que indica.

Será aplicable a las operaciones financieras regidas por esta ley lo dispuesto en los incisos segundo y siguientes del artículo 10 de la señalada ley N° 18.010, con independencia del monto del capital adeudado."

Asimismo, son derechos de todo consumidor los consagrados en leyes y reglamentos y demás normativas que contengan disposiciones relativas a la protección de sus derechos.

> *Conc.*:
> – L. 19.496 *Árbitro financiero, mediador*: 17 H, 55, 56 A-56H; *Contrato de servicio en ámbito de salud*: 2, 15 B; *Derechos consumidor financiero*: art. 17 D; *Educación al consumidor*: 5, 58; *Información al consumidor*: 3 bis; *Información básica comercial*:1.3, 32, 58; *Perjuicios*: 2 bis, 4, 8, 17 D, 17 E, 17 I, 25A, 50, 50 E, 50 H, 50 I, 51, 54 C 54 E, 54 F; *Precio*: 17 G, 18, 28; *Producto financiero*: 17 B, 17 C, 17 D, 17 E, 17 F, 17 G, 17 H, 17 J, 17 L, 17 K; *Sistemas de resolución de controversias*: 56A.

– Decreto 248 de 2014 *Información requisitos mínimos de rotulación sobre cemento*: en particular 13 y 14.
– L. 18.010 *Derechos*: 2, 6 bis, 16, 20, 22, 26, 30, *Operaciones financieras*: 10.
– L. 20.096 *Obligación informativa relativa a producto que deteriora ozono*: 16, 19, 20.
– L. 21.236 *Derechos del consumidor*: 1 y ss.
– Resolución 5576 EXENTA de 2011 *Información en mensajería telefónica móvil*: 5.

Modif.: L. 19.955. L. 20.555, L. 21.236, L. 21.398.

Art. 3º bis. El consumidor podrá poner término unilateralmente al contrato, sin expresión de causa, en el plazo de 10 días contados desde la recepción del producto o desde la contratación del servicio y antes de la prestación del mismo, en los siguientes casos:

a) En la compra de bienes y contratación de servicios realizadas en reuniones convocadas o concertadas con dicho objetivo por el proveedor, en que el consumidor deba expresar su aceptación dentro del mismo día de la reunión.

El ejercicio de este derecho se hará valer mediante carta certificada enviada al proveedor, al domicilio que señala el contrato, expedida dentro del plazo indicado en el encabezamiento;

b) En los contratos celebrados por medios electrónicos, y en aquéllos en que se aceptare una oferta realizada a través de catálogos, avisos o cualquier otra forma de comunicación a distancia.

Solo en el caso de la contratación de servicios, el proveedor podrá disponer lo contrario, debiendo informar al consumidor sobre dicha exclusión, de manera inequívoca, destacada y fácilmente accesible, en forma previa a la suscripción del contrato y pago del precio del servicio.

En los bienes o productos, excepcionalmente no podrá ejercerse este derecho en el caso de bienes que, por su naturaleza, no puedan ser devueltos o puedan deteriorarse o caducar con rapidez; o hubieran sido confeccionados conforme a las especificaciones del consumidor; o se trate de bienes de uso personal.

Los proveedores deberán informar al consumidor la existencia del derecho a que se refiere este artículo, de manera inequívoca, destacada y fácilmente accesible, en forma previa a la suscripción del contrato y pago del precio del producto, y en caso que proceda, su exclusión. Un reglamento expedido a través del Ministerio de Economía, Fomento y Turismo regulará la forma y condiciones en que el proveedor deberá comunicar la exclusión del derecho a retracto cuando corresponda, así como los bienes en que excepcionalmente y por su naturaleza procederá tal exclusión.

Para poner término unilateralmente al contrato de conformidad a este artículo, el consumidor podrá utilizar los mismos medios que empleó para celebrar el contrato. En este caso, el plazo para ejercer el derecho de retracto se contará desde la fecha de recepción del bien o desde la celebración del contrato en el caso de servicios, siempre que el proveedor haya cumplido con la obligación de remitir la confirmación escrita señalada en el artículo 12 A. De no ser así, el plazo se extenderá a noventa días. No podrá ejercerse el derecho de retracto cuando el bien materia del contrato se haya deteriorado por hecho imputable al consumidor.

c) Las compras presenciales en que el consumidor no tuvo acceso directo al bien.

> *Conc.:*
> – L. 19.496 *Contratos celebrados por medio electrónico:* 12 A, 32; *Terminación unilateral:* 3 ter 16 a).
> – L. 21.236 *No aplica el derecho de retracto en un proceso de portabilidad:* 10.
> – Decreto 6 de 2020 *Comercio electrónico y derecho de retracto:* art. 14.
>
> *Introducido:* L. 19.955.
> *Modif.:* L. 21.398.

Art. 3° ter. En el caso de prestaciones de servicios educacionales de nivel superior, proporcionadas por centros de formación técnica, institutos profesionales y universidades, se faculta al alumno o a quién efectúe el pago en su representación para que, dentro del plazo de diez días contados desde aquél en que se complete la primera publicación de los resultados de las postulaciones a las universidades pertenecientes al Consejo de Rectores de las Universidades Chilenas, deje sin efecto el contrato con la respectiva institución, sin pago alguno por los servicios educacionales no prestados.

Para hacer efectivo el retracto a que se refiere este artículo, se requerirá ser alumno de primer año de una carrera o programa de pregrado y acreditar, ante la institución respecto de la cual se ejerce esta facultad, encontrarse matriculado en otra entidad de educación superior.

En ningún caso la institución educacional podrá retener con posterioridad a este retracto los dineros pagados ni los documentos de pago o crédito otorgados en respaldo del período educacional respectivo, debiendo devolverlos todos en el plazo de 10 días desde que se ejerza el derecho a retracto. En el evento de haberse otorgado mandato general para hacer futuros cobros, éste quedará revocado por el solo ministerio de la ley desde la fecha de la renuncia efectiva del alumno al servicio educacional. El prestador del servicio se abstendrá de negociar o endosar los documentos recibidos, antes del plazo señalado en el inciso primero.

No obstante lo dispuesto en el inciso anterior, la institución de educación superior estará facultada para retener, por concepto de costos de administración, un monto de la matrícula, que no podrá exceder al uno por ciento del arancel anual del programa o carrera.

Conc.:
– L. 19.496 *Contratos de educación*: 2, 3 quáter, 17 N; *Terminación unilateral*: 3 bis, 16 a).

Introducido: L. 19.955.

Art. 3º Quáter. En Los establecimientos de educación superior, institutos profesionales y de formación técnica deberán otorgar gratuitamente los certificados de estudios, de notas, de estado de deuda u otros análogos, a solicitud del alumno, exalumno o de aquel que haya suspendido sus estudios o se encuentre moroso en la respectiva institución educacional.

Dichos certificados podrán ser solicitados hasta por dos veces en un año y deberán ser emitidos dentro del plazo de diez días hábiles contado desde la presentación de la respectiva solicitud.

La emisión de los mencionados certificados podrá ser realizada a través de medios electrónicos y deberá serlo en papel en los casos en que el establecimiento no cuente con medios electrónicos o así sea solicitado expresamente.

> *Conc.:*
> – L. 19.496 *Contratos de educación*: 2, 3 ter, 17 N.
> *Introducido:* L. 21.398.

Art. 4º. Los derechos establecidos por la presente ley son irrenunciables anticipadamente por los consumidores.

> *Conc.:*
> – L. 19.496 *Derechos básicos*: 3.
> *Ninguna modif.*

§ 2º De las organizaciones para la defensa de los derechos de los consumidores

Art. 5º. Se entenderá por Asociación de Consumidores la organización constituida por personas naturales o jurídicas, independientes de todo interés económico, comercial o político, cuyo objetivo sea proteger, informar y educar a los consumidores y asumir la representación y defensa de los derechos de sus afiliados y de los consumidores que así lo soliciten, todo ello con independencia de cualquier otro interés.

> *Conc.:*
> – L. 19.496 *Asociaciones de consumidores*: 1.1, 1.2, 6-11 ter, 51, 54 A, 54 H, 54 I, 54 N, 56 C, 59, art. 3 disposiciones transitorias; *Educación al consumidor*: 3 f), 58; *Información al consumidor*: 8.
> *Modif.:* L. 19.955.

Art. 6º. Las asociaciones de consumidores se regirán por lo dispuesto en esta ley, y en lo no previsto en ella por el decreto ley Nº 2.757, de 1979, del Ministerio del Trabajo, exclusivamente respecto de su constitución, su disolución y lo preceptuado en los artículos 16, 21,

22 y 23 de dicho cuerpo legal. En lo demás, se regirán subsidiariamente por las normas contenidas en el Título II de la Ley Nº 20.500 y serán consideradas como organizaciones de interés público en los términos que dispone el artículo 15 de la precitada ley.

Conc.:
– L. 19.496 *Asociaciones de consumidores*: 5, 7-11 ter, 51, 54 A, 54 H, 54 I, 54 N, 56 C, 59, art. 3 disposiciones transitorias.
– D.L. Nº 2757 de 1979 (Ministerio de Trabajo) *v.gr. Constitución*: 5; *Disolución*: 18, 19; *Reglas sobre financiamiento, contabilidad y transparencia*:16; *Fiscalización*: 21. *Multas y sanciones*: 22 y 23.
– Ley Nº 20.500 *Organizaciones de interés publico y fondo de fortalecimiento*: 15-20.
– Resolución 1875 EXENTA de 2015 *Normas de participación ciudadana*.
Modif.: L. 19.955. L. 21081.

Art. 7º. Además de las causales de disolución indicadas en el artículo 18 del decreto ley Nº 2.757, de 1979, las organizaciones de consumidores pueden ser disueltas por sentencia judicial o por disposición de la ley, a pesar de la voluntad de sus miembros.

En caso de que el juez, dentro del plazo de tres años, declare temerarias dos o más demandas colectivas interpuestas por una misma Asociación de Consumidores, podrá, a petición de parte, en casos graves y calificados, decretar la disolución de la asociación, por sentencia fundada.

Los directores de las Asociaciones de Consumidores disueltas por sentencia judicial quedarán inhabilitados para formar parte, en calidad de tales, de otras asociaciones de consumidores, durante el período de dos años.

Conc.:
– L. 19.496 *Asociaciones de consumidores*: 5-6, 8-11 ter, 51, 54 A, 54 H, 54 I, 54 N, 56 C, 59, art. 3 disposiciones transitorias.
– D.L. Nº 2757 de 1979 (Ministerio de Trabajo) *Causales de disolución*: 18.
Modif.: L. 19.955.

Art. 8º. Las organizaciones a que se refiere el presente párrafo sólo podrán realizar las siguientes actividades:

a) Difundir el conocimiento de las disposiciones de esta ley y sus regulaciones complementarias;

b) Informar, orientar y educar a los consumidores para el adecuado ejercicio de sus derechos y brindarles asesoría cuando la requieran;

c) Estudiar y proponer medidas encaminadas a la protección de los derechos de los consumidores y efectuar o apoyar investigaciones en el área del consumo;

d) Representar a sus miembros y ejercer las acciones a que se refiere esta ley en defensa de aquellos consumidores que le otorguen el respectivo mandato;

e) Representar tanto el interés individual, como el interés colectivo y difuso de los consumidores ante las autoridades jurisdiccionales o administrativas, mediante el ejercicio de las acciones y recursos que procedan.

El ejercicio de esta actividad incluye la representación individual de los consumidores en las causas que ante los tribunales de justicia se inicien para la determinación de la indemnización de perjuicios;

f) Participar en los procesos de fijación de tarifas de los servicios básicos domiciliarios, conforme a las leyes y reglamentos que los regulen;

g) Ejecutar y celebrar actos y contratos civiles y mercantiles para cumplir sus objetivos, y destinar los frutos de dichos actos y contratos al financiamiento de sus actividades propias, con las limitaciones señaladas en el artículo 9;

h) Realizar, a solicitud de un consumidor, mediaciones individuales, e

i) Efectuar, de conformidad a esta ley, cualquier otra actividad destinada a proteger, informar y educar a los consumidores.

Conc.:
– L. 19.496 *Asociaciones de consumidores*: 5-7, 9-11 ter, 51, 54 A, 54 H, 54 I, 54 N, 56 C, 59, art. 3 disposiciones transitorias; *Información al consumidor*: 5; *Interés colectivo o difuso*: 2 bis, 24A, 50, 50B-50 G, 51, 53A-53C, 54, 54 A, 54 D, 54 E.
– CC (en relación con la celebración de acto y contratos).
– C. Com (en relación con la celebración de acto y contratos).

Ley N° 19.496
Tít. II: Disposiciones generales

– Decreto 98 de 2019 (Reglamento Fondo concursable y Asociaciones Nacionales).

Modif.: L. 19.955. L. 21081.

Art. 9º. Las organizaciones de que trata este párrafo en ningún caso podrán:

a) Constituirse u operar con la finalidad de redistribuir sus fondos a sus miembros fundadores, directores, socios o personas relacionadas con los anteriores en los términos del artículo 100 de la ley N° 18.045.

b) Repartir costas procesales y personales, excedentes, utilidades o beneficios pecuniarios de sus actividades entre sus miembros fundadores, directores, socios, personas relacionadas con los anteriores de conformidad con el artículo 100 de la ley N° 18.045, o trabajadores, sin perjuicio de las gratificaciones legales que le correspondan. Los ingresos que obtengan con sus actividades servirán exclusivamente para su financiamiento desarrollo institucional, investigación, estudios o para el apoyo de sus objetivos.

Lo dispuesto en el párrafo anterior es sin perjuicio de la remuneración de sus trabajadores y de la facultad del directorio para fijar una retribución adecuada a su representante legal, a sus miembros fundadores, socios o personas relacionadas con los anteriores de conformidad con el artículo 100 de la ley N° 18.045, por los servicios que prestaren a la asociación. Asimismo, las personas enumeradas en el párrafo anterior tendrán derecho a ser reembolsadas de los gastos, autorizados por el directorio, que justificaren haber efectuado en el ejercicio de su función;

c) Incluir como asociados a personas jurídicas que se dediquen a actividades empresariales;

d) Percibir ayudas o subvenciones de empresas o agrupaciones de empresas que suministren bienes o servicios a los consumidores;

e) Realizar publicidad o difundir comunicaciones no meramente informativas sobre bienes o servicios, ni

f) Dedicarse a actividades distintas de las señaladas en el artículo anterior.

La infracción grave y reiterada de las normas contenidas en el presente artículo será sancionada con la cancelación de la personalidad jurídica de la organización, por sentencia judicial, a petición de cualquier persona, sin perjuicio de las responsabilidades penales o civiles en que incurran quienes las cometan.

> *Conc.:*
> – L. 19.496 *Asociaciones de consumidores*: 5-9, 10-11 ter, 51, 54 A, 54 H, 54 I, 54 N, 56 C, 59, art. 3 disposiciones transitorias; *Publicidad*: 1.4, 1.5, 17 C, 20 C, 24, 28-34.
> – L. 18.045 *Personas relacionadas con la sociedad*: 100.
>
> *Modif.:* L. 19.955. L. 21.081.

Art. 10. No podrán ser integrantes del consejo directivo de una organización de consumidores:

a) El que hubiere sido condenado por delitos concursales contenidos en el Código Penal;

b) El que hubiere sido condenado por delito contra la propiedad o por delito sancionado con pena aflictiva, por el tiempo que dure la condena;

c) El que hubiere sido sancionado como reincidente de denuncia temeraria o por denuncias temerarias reiteradas.

> *Conc.:*
> – L. 19.496 *Asociaciones de consumidores*: 5-9, 11-11 ter, 51, 54 A, 54 H, 54 I, 54 N, 56 C, 59, art. 3 disposiciones transitorias; *Integración comité directivo*: 11.
> – CP *Delitos de propiedad y delito sancionado con pena aflictiva*: *v.gr.* 37, 10 7°, 296-298, 432 y ss., 446 y ss.
> – L. 20.931 (en relación con delitos de propiedad).
>
> *Modif.:* L. 19.955. L. 20.720.

Art. 11. Tampoco podrán ser integrantes del consejo directivo de una organización de consumidores quienes ejerzan cargos de elección popular ni los consejeros regionales.

Los directivos de una organización de consumidores que sean a la vez dueños, accionistas propietarios de más de un 10% del interés social, directivos o ejecutivos de empresas o sociedades que tengan por objeto la producción, distribución o comercialización de bienes o prestación de servicios a consumidores, deberán abstenerse de intervenir en la adopción de acuerdos relativos a materias en que tengan interés comprometido en su condición de propietarios o ejecutivos de dichas empresas. La contravención a esta prohibición será sancionada con la pérdida del cargo directivo en la organización de consumidores, sin perjuicio de las eventuales responsabilidades penales o civiles que se configuren.

Los directores responderán personal y solidariamente por las multas y sanciones que se apliquen a la asociación por actuaciones calificadas por el juez como temerarias, cuando éstas hayan sido ejecutadas sin previo acuerdo de la asamblea.

Conc.:
– L. 19.496 *Asociaciones de consumidores*: 5-10, 11 bis-11 ter, 51, 54 A, 54 H, 54 I, 54 N, 56 C, 59, art. 3 disposiciones transitorias; 10 *Integración comité directivo*: 10.

Modif.: L. 19.955.

Art. 11 bis. Créase un Fondo Concursable, destinado al financiamiento de iniciativas que las Asociaciones de Consumidores constituidas según lo dispuesto en la presente ley desarrollen en el cumplimiento de sus objetivos.

Dicho Fondo estará compuesto por los aportes que cada año se contemplen en el presupuesto del Servicio Nacional del Consumidor, por las donaciones que realicen para dicho efecto organizaciones sin fines de lucro nacionales o internacionales y por los remanentes no transferidos ni reclamados provenientes de soluciones alcanzadas a través de mediaciones o en el contexto de juicios colectivos, de conformidad a lo establecido en los artículos 53 B, 53 C y 54 P.

Un reglamento suscrito por el Ministro de Economía, Fomento y Turismo establecerá la constitución y composición del Consejo de Administración del Fondo, preservando la autonomía de las asociaciones de consumidores y de la gestión del Fondo. La Secretaría Ejecutiva de dicho Consejo estará radicada en el Ministerio de Economía, Fomento y Turismo de acuerdo a lo que se disponga en dicho reglamento.

Las bases de los concursos que se lleven a efecto para asignar dichos fondos especificarán los medios de verificación del cumplimiento de las normas de este párrafo 2°.

El reglamento establecerá los plazos, condiciones y modalidades conforme a las cuales se destinarán recursos del Fondo a aquellas Asociaciones de Consumidores que ejerzan las funciones señaladas en las letras d) y e) del artículo 8 de la ley.

> *Conc.*:
> – L. 19.496 *Asociaciones de consumidores*: 5-11, 11 ter, 51, 54 A, 54 H, 54 I, 54 N, 56 C, 59, art. 3 disposiciones transitorias; *Fondo concursable*: 8, 11 ter, 53 B, 53 C, 54 P.
> – Decreto 98 de 2019 (Reglamento Fondo concursable y Asociaciones Nacionales).
> *Introducido*: L. 19.955. *Modif.*: L. 21.081.

Art. 11 ter. Se reconocerá el carácter de asociación nacional de consumidores a aquellas asociaciones que operen en ocho o más regiones del país, lo que deberá ser debidamente acreditado ante el Ministerio de Economía, Fomento y Turismo conforme al procedimiento que establezca el reglamento. El Fondo concursable al que se refiere el artículo anterior considerará una línea especial de financiamiento permanente a dichas asociaciones para el desarrollo de sus funciones.

> *Conc.*:
> – L. 19.496 *Asociaciones de consumidores*: 5-11 ter, 51, 54 A, 54 H, 54 I, 54 N, 56 C, 59, art. 3 disposiciones transitorias; *Fondo concursable*: 8, 11 bis, 53 B, 53 C, 54 P.
> – Decreto 98 de 2019 (Reglamento Fondo concursable y Asociaciones Nacionales).
> *Introducido*: L. 21.081

§ 3° Obligaciones del proveedor

Art. 12. Todo proveedor de bienes o servicios estará obligado a respetar los términos, condiciones y modalidades conforme a las cuales se hubiere ofrecido o convenido con el consumidor la entrega del bien o la prestación del servicio.

Conc.:
– L. 19.496 *v.gr.* 3, 16-17 L, 18-26, 35-36, 40-49 bis.
Ninguna modif.

Art. 12 A. En los contratos celebrados por medios electrónicos, y en aquéllos en que se aceptare una oferta realizada a través de catálogos, avisos o cualquiera otra forma de comunicación a distancia, el consentimiento no se entenderá formado si el consumidor no ha tenido previamente un acceso claro, comprensible e inequívoco de las condiciones generales del mismo y la posibilidad de almacenarlos o imprimirlos.

La sola visita del sitio de Internet en el cual se ofrece el acceso a determinados servicios, no impone al consumidor obligación alguna, a menos que haya aceptado en forma inequívoca las condiciones ofrecidas por el proveedor.

Una vez perfeccionado el contrato, el proveedor estará obligado a enviar confirmación escrita del mismo. Ésta podrá ser enviada por vía electrónica o por cualquier medio de comunicación que garantice el debido y oportuno conocimiento del consumidor, el que se le indicará previamente. Dicha confirmación deberá contener una copia íntegra, clara y legible del contrato.

Conc.:
– L. 19.496 *Contratos celebrados por medio electrónico*: 3 bis b), 32.
Introducido: L. 19.955

Art. 12 B. Los proveedores de servicios de telecomunicaciones que realicen ofertas conjuntas deberán ofrecer individualmente cada uno de los servicios y planes que componen las mismas. De esta forma, no podrán atar, ligar o supeditar, bajo ningún modo o condición, la contratación de un servicio cualquiera a la contratación de otro.

Conc.:
– L. 19.496 *Servicios de telecomunicaciones*: 25, 25 A.
Introducido: L. 21.081.

Art. 12 C. Los proveedores de vehículos motorizados nuevos deberán informar al consumidor, de manera clara e inequívoca, antes del perfeccionamiento del contrato de compraventa o de arrendamiento con opción de compra, aquellas exigencias obligatorias justificadas para mantener vigente la garantía voluntaria del vehículo. En el caso que se exijan mantenciones obligatorias, se deberá informar el listado de todas éstas, incluyendo sus valores estimados, así como también una nómina de todos los talleres o establecimientos de servicio técnico autorizados donde se podrán realizar dichas mantenciones.

Los fabricantes, importadores y proveedores de vehículos motorizados nuevos no podrán limitar la libre elección de servicios técnicos destinados a la mantención del bien, salvo que se trate de mantenciones que, por sus características técnicas específicas justificadas, deban ser realizadas por talleres o establecimientos de servicio técnico expresamente autorizados.

El proveedor deberá proporcionar al consumidor otro vehículo de similares características mientras dure la reparación de un vehículo motorizado, cuando el ejercicio de la garantía legal o voluntaria conlleve privarlo de su uso por un término superior a cinco días hábiles.

> *Conc.:*
> – L. 19.496 *Garantía legal*: 19-23; *Garantía convencional*: 20, 21; *Reparaciones*: 1.3, 20, 21, 40 41; *Servicio técnico*: 1.3, 20, 40, 41, disposición transitoria segunda.
> – L. 18.223 *En concordancia con infracción servicio técnico*: 5.
> *Introducido*: L. 21.398.

Art. 13. Los proveedores no podrán negar injustificadamente la venta de bienes o la prestación de servicios comprendidos en sus respectivos giros en las condiciones ofrecidas.

> *Conc.:*
> – L. 19.496 12.
> *Ninguna modif.*

Art. 14. Cuando con conocimiento del proveedor se expendan productos con alguna deficiencia, usados o refaccionados o cuando se ofrezcan productos en cuya fabricación o elaboración se hayan utilizado partes o piezas usadas, se deberán informar de manera expresa las circunstancias antes mencionadas al consumidor, antes de que éste decida la operación de compra. Será bastante constancia el usar en los propios artículos, en sus envoltorios, en avisos o carteles visibles en sus locales de atención al público las expresiones "segunda selección", "hecho con materiales usados" u otras equivalentes.

El cumplimiento de lo dispuesto en el inciso anterior eximirá al proveedor de las obligaciones derivadas del derecho de opción que se establece en los artículos 19 y 20, sin perjuicio de aquellas que hubiera contraído el proveedor en virtud de la garantía otorgada al producto.

> *Conc.:*
> – L. 19.496 *Garantía legal*: 12, 19-21; *Obligación informativa*: 3 letra b); *Pieza refaccionada*: 40.
>
> *Modif.*: L. 19.955.

Art. 15. Los sistemas de seguridad y vigilancia que, en conformidad a las leyes que los regulan, mantengan los establecimientos comerciales están especialmente obligados a respetar la dignidad y derechos de las personas.

En caso que se sorprenda a un consumidor en la comisión flagrante de un delito los gerentes, funcionarios o empleados del establecimiento se limitarán, bajo su responsabilidad, a poner sin demora al presunto infractor a disposición de las autoridades competentes.

Cuando la contravención a lo dispuesto en los incisos anteriores no fuere constitutiva de delito, ella será sancionada en conformidad al artículo 24.

> *Conc.:*
> – L. 19.496 *Seguridad y vigilancia*: 15 A, 24.
> – CP (comisión en flagrancia de un delito).
> – L. 21.156 *Sistemas de seguridad y vigilancia e incorporación de desfibriladores en estacionamientos comerciales*: art. único.
>
> *Ninguna modif.*

Art. 15 Bis. Las disposiciones contenidas en los artículos 2 bis letra b), 58 y 58 bis serán aplicables respecto de los datos personales de los consumidores, en el marco de las relaciones de consumo, salvo que las facultades contenidas en dichos artículos se encuentren en el ámbito de las competencias legales de otro órgano.

> *Conc.:*
> – L. 19.496 *Funciones y competencia Sernac:* 2 bis, 58, 58 bis; *Tratamientos de datos personales:* 37.
> – Ley N° 19.628 *Tratamientos de datos personales:* 2-11.
>
> *Introducido:* L. 21.398.

Art. 15 A. Los proveedores que ofrezcan servicios de estacionamiento de acceso al público general, cualquiera sea el medio de pago utilizado, se regirán por las siguientes reglas:

1. El cobro de uso del servicio de estacionamiento por períodos inferiores a veinticuatro horas, se podrá efectuar optando por alguna de las siguientes modalidades:

a) Cobro por minuto efectivo de uso del servicio, quedando prohibido el cargo por períodos, rangos o tramos de tiempo.

b) Cobro por tramo de tiempo vencido, no pudiendo establecer un período inicial inferior a media hora. Los siguientes tramos o períodos no podrán ser inferiores a diez minutos cada uno.

2. Cualquiera sea la modalidad de cobro que utilice el proveedor del servicio de estacionamientos, no podrá, bajo circunstancia alguna, redondear o aproximar la tarifa al alza.

3. Los proveedores de servicio de estacionamiento podrán fijar un periodo de uso del servicio sin cobro, de acuerdo a sus políticas comerciales o a las condiciones de uso de dicho servicio.

4. En caso de pérdida del comprobante de ingreso por parte del consumidor, corresponderá al proveedor consultar sus registros con el fin de determinar de manera fehaciente el tiempo efectivo de utilización del servicio, debiendo cobrar, en tal caso, el precio o tarifa correspondiente a éste, quedando prohibido cobrar una tarifa prefijada, multas o recargos. En este caso, el proveedor deberá solicitar al

consumidor cualquier antecedente que permita acreditar o identificar al propietario del vehículo.

5. Si, con ocasión del servicio y como consecuencia de la falta de medidas de seguridad adecuadas en la prestación de éste, se producen hurtos o robos de vehículos, o daño en éstos, el proveedor del servicio será civilmente responsable de los perjuicios causados al consumidor, no obstante la responsabilidad infraccional que corresponda de acuerdo a las reglas generales de esta ley.

Cualquier declaración del proveedor en orden a eximir o a limitar su responsabilidad por hurtos, robos o daños ocurridos con ocasión del servicio no producirá efecto alguno y se considerará como inexistente.

6. El proveedor deberá exhibir de forma visible y clara, en los puntos donde se realice el pago del estacionamiento, y en los ingresos del recinto, el listado de los derechos y obligaciones establecidos en la ley, haciendo mención del derecho del consumidor de acudir al Servicio Nacional del Consumidor o al juzgado de policía local competente, en caso de infracción.

> *Conc.*:
> – L. 19.496 *Cargos y comisiones*: 16, 17 A, 17 B, 17 D, 17 G, 17 H, 37, 40, 51, 56 A; *Competencia Juez Policía Local*: 50H; *Perjuicios*: 1,3, 3 b); *Seguridad y vigilancia*: 15; *Servicios de estacionamientos*: 15 B-15 C.
>
> *Introducido*: L. 20.967.

Art. 15 B. Los prestadores institucionales de salud, sean éstos de carácter público o privado, no podrán realizar cobro alguno por los servicios de estacionamiento cuando éstos sean utilizados con ocasión de servicios de urgencia o emergencia, y durante el tiempo que duren éstas, o por pacientes que presenten dificultad física permanente o transitoria para su desplazamiento, circunstancia que deberá ser acreditada por el profesional a cargo del tratamiento o atención de salud.

> *Conc.*:
> – L. 19.496 *Contrato de servicio en ámbito de salud*: 2, 3; *Servicios de estacionamientos*: 15 A, 15 C.
>
> *Introducido*: L. 20.967

Art. 15 C. A quien administre el servicio de estacionamiento en la vía pública sólo le será aplicable lo dispuesto en los números 1, 2 y 3 del artículo 15 A.

> *Conc.:*
> – L. 19.496 *Servicios de estacionamientos*: 15 A, 15 B.
>
> *Introducido*: L. 20.967.

§ 4º Normas de equidad en las estipulaciones y en el cumplimiento de los contratos de adhesión

> *Conc.*: (en relación con todo el § 4, art. 16-17L)
> – Circular emisores 17 de 2006 *Contratos del emisor con el titular de la tarjeta de crédito (normas de equidad y contratos de adhesión)*: 7; *Gastos de cobranza*: 14.3.5.
> – Decreto 42 de 2012 (Reglamento información en créditos hipotecarios).
> – Decreto 43 de 2012 (Reglamento información de crédito al consumo).
> – Decreto 44 de 2012 (Reglamento tarjetas de crédito).
> – SBIF sobre contratos bancarios *Contenido contratos bancarios con titulares tarjetas de crédito*: capítulo 8-3.

Art. 16. No producirán efecto alguno en los contratos de adhesión las cláusulas o estipulaciones que:

a) Otorguen a una de las partes la facultad de dejar sin efecto o modificar a su solo arbitrio el contrato o de suspender unilateralmente su ejecución, salvo cuando ella se conceda al comprador en las modalidades de venta por correo, a domicilio, por muestrario, usando medios audiovisuales, u otras análogas, y sin perjuicio de las excepciones que las leyes contemplen;

b) Establezcan incrementos de precio por servicios, accesorios, financiamiento o recargos, salvo que dichos incrementos correspondan a prestaciones adicionales que sean susceptibles de ser aceptadas o rechazadas en cada caso y estén consignadas por separado en forma específica;

c) Pongan de cargo del consumidor los efectos de deficiencias, omisiones o errores administrativos, cuando ellos no le sean imputables;

d) Inviertan la carga de la prueba en perjuicio del consumidor;

e) Contengan limitaciones absolutas de responsabilidad frente al consumidor que puedan privar a éste de su derecho a resarcimiento frente a deficiencias que afecten la utilidad o finalidad esencial del producto o servicio;

f) Incluyan espacios en blanco, que no hayan sido llenados o inutilizados antes de que se suscriba el contrato;

g) En contra de las exigencias de la buena fe, atendiendo para estos efectos a parámetros objetivos, causen en perjuicio del consumidor, un desequilibrio importante en los derechos y obligaciones que para las partes se deriven del contrato. Para ello se atenderá a la finalidad del contrato y a las disposiciones especiales o generales que lo rigen. Se presumirá que dichas cláusulas se encuentran ajustadas a exigencias de la buena fe, si los contratos a que pertenecen han sido revisados y autorizados por un órgano administrativo en ejecución de sus facultades legales, y

h) Limiten los medios a través de los cuales los consumidores puedan ejercer sus derechos, en conformidad con las leyes".

~~Si en estos contratos se designa árbitro, el consumidor podrá recusarlo sin necesidad de expresar causa y solicitar que se nombre otro por el juez letrado competente. Si se hubiese designado más de un árbitro, para actuar uno en subsidio de otro, podrá ejercer este derecho respecto de todos o parcialmente respecto de algunos. Todo ello de conformidad a las reglas del Código Orgánico de Tribunales.~~

~~En todo contrato de adhesión en que se designe un árbitro, será obligatorio incluir una cláusula que informe al consumidor de su derecho a recusarlo, conforme a lo establecido en el inciso anterior. Lo que se entiende sin perjuicio del derecho que tiene el consumidor de recurrir siempre ante el tribunal competente.~~

Conc.:
– L. 19.496 *Cláusulas en contrato de adhesión*: 1.6, 12, 16A-17 E; *Competencia Juez Policía Local*: 50H; *Cargos y comisiones*: 15 A, 17 A, 17 B, 17 D, 17 G, 17 H, 37, 40, 51, 56 A; *Denuncia de interés de carácter individual*: 50 A; *Terminación unilateral*: 3 bis, 3 ter.
– L. 20.009 *Cláusula abusiva por extravío, hurto, robo o fraude en tarjetas*: 3.

– L. 21.236 *Cláusula abusiva por portabilidad financiera*: 2.
– Resolución 713 EXENTA de 2021 *Cláusulas vencimiento anticipado*.
Modif.: L. 19.955. L. 21.081, L. 21.398.

Art. 16 A. Declarada la nulidad de una o varias cláusulas o estipulaciones de un contrato de adhesión, por aplicación de alguna de las normas del artículo 16, éste subsistirá con las restantes cláusulas, a menos que por la naturaleza misma del contrato, o atendida la intención original de los contratantes, ello no fuere posible. En este último caso, el juez deberá declarar nulo, en su integridad, el acto o contrato sobre el que recae la declaración.

Conc.:
– L. 19.496 *Cláusulas en contrato de adhesión*: 1.6, 16, 16 C, 17-17 E; *Denuncia de interés de carácter individual*: 50 A.

Introducido: L. 19.955.

Art. 16 B. El procedimiento a que se sujetará la tramitación de las acciones tendientes a obtener la declaración de nulidad de cláusulas contenidas en contratos de adhesión, será el contemplado en el Título IV de la presente ley.

Conc.:
– L. 19.496 *Cláusulas en contrato de adhesión*: 1.6, 16- 16 A, 16 C, 17-17 E; *Denuncia de interés de carácter individual*: 50 A; *Procedimiento*: 50-54S.

Introducido: L. 20.967.

Art. 16 C. Las cláusulas ambiguas de los contratos de adhesión se interpretarán en favor del consumidor.
Cuando existan cláusulas contradictorias entre sí, prevalecerá aquella cláusula o parte de ella que sea más favorable al consumidor.

Conc.:
– L. 19.496 *Cláusulas en contrato de adhesión*: 1.6, 16, 16 B-17 E; *Principios pro consumidor*: 2 ter, 37.
– CC: *Interpretación del contrato*: 1566.

Introducido: L. 21.398.

Art. 17. Los contratos de adhesión relativos a las actividades regidas por la presente ley deberán estar escritos de modo claramente legible, con un tamaño de letra no inferior a 2,5 milímetros y en idioma castellano, salvo aquellas palabras de otro idioma que el uso haya incorporado al léxico. Asimismo, los contratos a que se refiere este artículo deberán adaptarse con el fin de garantizar su comprensión a las personas con discapacidad visual o auditiva. Las cláusulas que no cumplan con dichos requisitos no producirán efecto alguno respecto del consumidor.

Sin perjuicio de lo dispuesto en el inciso anterior, en los contratos impresos en formularios prevalecerán las cláusulas que se agreguen por sobre las del formulario cuando sean incompatibles entre sí.

No obstante lo previsto en el inciso primero, tendrán validez los contratos redactados en idioma distinto del castellano cuando el consumidor lo acepte expresamente, mediante su firma en un documento escrito en idioma castellano anexo al contrato, y quede en su poder un ejemplar del contrato en castellano, al que se estará, en caso de dudas, para todos los efectos legales.

Tan pronto el consumidor firme el contrato, el proveedor deberá entregarle un ejemplar íntegro suscrito por todas las partes. Si no fuese posible hacerlo en el acto por carecer de alguna firma, entregará de inmediato una copia al consumidor con la constancia de ser fiel al original suscrito por éste. La copia así entregada se tendrá por el texto fidedigno de lo pactado, para todos los efectos legales.

Los contratos de adhesión deberán ser proporcionados por los proveedores de productos y servicios al organismo fiscalizador competente.

> *Conc.:*
> – L. 19.496 *Cláusulas en contrato de adhesión*: 1.6, 16-16 B, 17 A-17 E.
> *Modif.:* L. 19.955, L. 21.398.

Art. 17 A. Los proveedores de bienes y servicios cuyas condiciones estén expresadas en contratos de adhesión deberán informar en términos simples el cobro de bienes y servicios ya prestados, entendiendo por ello que la presentación de esta información debe permitir al consumidor verificar si el cobro efectuado se ajusta a las condiciones y a los precios, cargos, costos, tarifas y comisiones descritos en el contrato. Además, toda promoción de dichos bienes y servicios indicará siempre el costo total de la misma. Estos proveedores deberán informar, además, en términos simples, los medios físicos y tecnológicos a través de los cuales los consumidores podrán ejercer sus derechos y la forma de término del contrato, cuando corresponda, según lo establecido en el mismo y en la normativa aplicable.

En caso de que los proveedores de bienes y servicios incumplan lo dispuesto en el inciso anterior, el consumidor sólo quedará obligado a aquello que se le informó en el contrato de adhesión en el momento de aceptar los términos y condiciones de los bienes o servicios contratados.

En el momento de la celebración del contrato, deberán informar los mecanismos y condiciones para que el consumidor pueda darle término. Los proveedores no podrán condicionar el término del contrato al pago de montos adeudados o a restituciones de bienes y, en ningún caso, establecer condiciones más gravosas que aquellas exigidas para su celebración. Todo pacto en contrario se tendrá por no escrito. Lo anterior, sin perjuicio de lo dispuesto en el inciso octavo del artículo 17 D sobre productos o servicios financieros, en relación al monto a pagar para poner término anticipado al contrato.

> *Conc.*:
> – L. 19.496 *Cargos y comisiones*: 15 A, 16, 17 B, 17 D, 17 G, 17 H, 37, 40, 51, 56 A; *Cláusulas en contrato de adhesión*: 1.6, 16-17 C, 17 B-17 E; *Información en contrato de adhesión*: 1.3, 3bis, 17 D, 17 G, 17 L; *Portabilidad financiera*: 17.
> – L. 21.236 *Portabilidad financiera*: reenvío general a ley y reglamento. Circular Cooperativas 108 de 2003: *Información sobre tarifas y cobros asociados y garantías*: 12.
>
> *Introducido*: L. 20.555; L. 21.398.

Art. 17 B. Los contratos de adhesión de servicios crediticios, de seguros y, en general, de cualquier producto financiero, elaborados por bancos e instituciones financieras o por sociedades de apoyo a su giro, establecimientos comerciales, compañías de seguros, cajas de compensación, cooperativas de ahorro y crédito, y toda persona natural o jurídica proveedora de dichos servicios o productos, deberán especificar como mínimo, con el objeto de promover su simplicidad y transparencia, lo siguiente:

a) Un desglose pormenorizado de todos los cargos, comisiones, costos y tarifas que expliquen el valor efectivo de los servicios prestados, incluso aquellos cargos, comisiones, costos y tarifas asociados que no forman parte directamente del precio o que corresponden a otros productos contratados simultáneamente y, en su caso, las exenciones de cobro que correspondan a promociones o incentivos por uso de los servicios y productos financieros.

b) Las causales que darán lugar al término anticipado del contrato por parte del prestador, el plazo razonable en que se hará efectivo dicho término y el medio por el cual se comunicará al consumidor.

c) La duración del contrato o su carácter de indefinido o renovable automáticamente, las causales, si las hubiere, que pudieren dar lugar a su término anticipado por la sola voluntad del consumidor, con sus respectivos plazos de aviso previo y cualquier costo por término o pago anticipado total o parcial que ello le represente.

d) Sin perjuicio de lo establecido en el inciso primero del artículo 17 H, en el caso de que se contraten varios productos o servicios simultáneamente, o que el producto o servicio principal conlleve la contratación de otros productos o servicios conexos, deberá insertarse un anexo en que se identifiquen cada uno de los productos o servicios, estipulándose claramente cuáles son obligatorios por ley y cuáles voluntarios, debiendo ser aprobados expresa y separadamente cada uno de dichos productos y servicios conexos por el consumidor mediante su firma en el mismo.

e) Si la institución cuenta con un servicio de atención al cliente que atienda las consultas y reclamos de los consumidores y señalar en un anexo los requisitos y procedimientos para acceder a dichos servicios.

f) Si el contrato cuenta o no con sello SERNAC vigente conforme a lo establecido en el artículo 55 de esta ley.

g) La existencia de mandatos otorgados en virtud del contrato o a consecuencia de éste, sus finalidades y los mecanismos mediante los cuales se rendirá cuenta de su gestión al consumidor. Se prohíben los mandatos en blanco y los que no admitan su revocación por el consumidor.

Los contratos que consideren cargos, comisiones, costos o tarifas por uso, mantención u otros fines deberán especificar claramente sus montos, periodicidad y mecanismos de reajuste. Estos últimos deberán basarse siempre en condiciones objetivas que no dependan del solo criterio del proveedor y que sean directamente verificables por el consumidor. De cualquier forma, los valores aplicables deberán ser comunicados al consumidor con treinta días hábiles de anticipación, al menos, respecto de su entrada en vigencia.

> *Conc.:*
> – L. 19.496 *Cargos y comisiones*: 15 A, 16, 17 A, 17 D, 17 G, 17 H, 37, 40, 51, 56 A; *Cláusulas en contrato de adhesión*: 1.6, 16-17 A, 17 C-17 E; *Producto financiero*: 3, 17 C, 17 D, 17 E, 17 F, 17 G, 17 H, 17 J, 17 L, 17 K; *Promoción y oferta*: 1.7, 1.8, 17 A, 28 B, 35, 36; *Sello SERNAC*: 17 H, 55-56, 56 H, 62.
> – L. 21.236 *En relación con el anexo de la letra d, véase Certificado de liquidación*: 3, 5, 17.
> – Circular Cooperativas 108 de 2003: *Información sobre tarifas y cobros asociados y garantías*: 12.
>
> *Introducido:* L. 20.555

Art. 17 C. Los contratos de adhesión de productos y servicios financieros deberán contener al inicio una hoja con un resumen estandarizado de sus principales cláusulas y los proveedores deberán incluir esta hoja en sus cotizaciones, para facilitar su comparación por los consumidores. Los reglamentos que se dicten de conformidad con esta ley deberán establecer el formato, el contenido y las demás características que esta hoja resumen deberá contener, los que podrán diferir entre las distintas categorías de productos y servicios financieros.

Conc.:
– L. 19.496 Cláusulas en contrato de adhesión: 1.6, 16-17 B, 17 D-17 E; Producto financiero: 3, 17 B, 17 D, 17 E, 17 F, 17 G, 17 H, 17 J, 17 L, 17 K.
– Decreto 42 de 2012 (Reglamento información en créditos hipotecarios).
Introducido: L. 20.555.

Art. 17 D. Los proveedores de productos o servicios financieros pactados por contratos de adhesión deberán comunicar periódicamente, y dentro del plazo máximo de tres días hábiles cuando lo solicite el consumidor, la información referente al servicio prestado que le permita conocer: el precio total ya cobrado por los servicios contratados, el costo total que implica poner término al contrato antes de la fecha de expiración originalmente pactada, el valor total del servicio, la carga anual equivalente, si corresponde, y demás información relevante que determine el reglamento sobre las condiciones del servicio contratado. El contenido y la presentación de dicha información se determinarán en los reglamentos que se dicten de acuerdo al artículo 62.

Los mencionados proveedores deberán entregar al respectivo consumidor un certificado de liquidación para término anticipado, dentro del plazo de cinco días hábiles contado desde que éste lo solicite. El consumidor podrá solicitar el certificado presencialmente o de manera remota al respectivo proveedor de productos o servicios financieros, y requerirle que se le entregue de manera física o virtual. Sin perjuicio de lo anterior, el consumidor podrá solicitar el referido certificado respecto de solo un producto o servicio financiero determinado. En dicho caso, el certificado deberá ser entregado dentro de tres días hábiles desde la respectiva solicitud.

Este certificado será gratuito y deberá contener a lo menos la siguiente información relativa a cada uno de los productos o servicios financieros vigentes, según corresponda:

a) Plazo o vigencia.

b) Valor total del producto o servicio.

c) Indicación de si corresponde a deuda rotativa.

d) Monto de crédito disponible y efectivamente utilizado.

e) Tipo y tasa de interés.

f) Carga anual equivalente.

g) Valor de última cuota vencida.

h) Garantías reales otorgadas, especificando su otorgante, datos de inscripción, datos de escritura pública o de instrumento privado protocolizado, en caso de haber sido otorgada por tales medios, y si contienen cláusulas de garantía general.

i) Monto total a pagar para poner término al producto o servicio financiero según la fecha de pago, incluyendo la respectiva comisión de prepago, si corresponde.

j) Si el crédito se encuentra en etapa de cobranza judicial.

k) La demás información que determine el reglamento.

En caso de existir una garantía real con cláusula de garantía general, el certificado de liquidación también deberá especificar el monto a pagar para ponerle término a todas las obligaciones vigentes que el consumidor tenga con el proveedor que no provengan de productos o servicios financieros.

Adicionalmente, el certificado deberá contener el monto total a pagar para ponerle término a la totalidad de los productos o servicios financieros y las obligaciones referidas, según la fecha de pago, incluyendo la respectiva comisión de prepago, si corresponde, la fecha de emisión y de vigencia del certificado, la que no podrá ser menor a treinta días corridos, la forma en que el proveedor desea ser notificado y la información necesaria para realizar el pago en caso de iniciarse un proceso de portabilidad financiera o refinanciamiento. El contenido, los requisitos y la presentación de dicho certificado se determinarán en los reglamentos que se dicten de acuerdo al artículo 62.

El consumidor podrá requerir al proveedor de productos o servicios financieros, en el momento de solicitar el certificado de liquidación para término anticipado, que bloquee los productos o servicios financieros con créditos disponibles no desembolsados o créditos rotativos, tales como líneas de crédito asociadas a cuentas corrientes o tarjetas de crédito, durante el tiempo de vigencia del certificado, de manera que la información contenida en el certificado de liquidación no se vea modificada durante su vigencia. El certificado deberá señalar expresamente los productos o servicios financieros que han sido bloqueados. Dicho bloqueo será sin costo para el cliente.

Los proveedores no podrán efectuar cambios en los precios, tasas, cargos, comisiones, costos y tarifas de un producto o servicio financiero, con ocasión de la renovación, restitución o reposición del soporte físico necesario para el uso del producto o servicio cuyo contrato se encuentre vigente. En ningún caso dichas renovación, restitución o reposición podrán condicionarse a la celebración de un nuevo contrato.

Los consumidores tendrán derecho a poner término anticipado a uno o más servicios financieros por su sola voluntad y siempre que extingan totalmente las obligaciones con el proveedor asociadas al o los servicios específicos que el consumidor decide terminar, incluido el costo por término o pago anticipado determinado en el contrato de adhesión. Sin perjuicio de lo anterior, los consumidores podrán solicitar, sin expresión de causa, el bloqueo permanente de las tarjetas de pago a las que se refiere el artículo 1° de la ley N° 20.009, mediante aviso a través de los canales o servicios de comunicaciones establecidos en el artículo 2° de la referida ley. A contar del bloqueo permanente, el proveedor no podrá cobrar los costos de administración, operación y/o mantención.

Los proveedores de productos o servicios financieros no podrán retrasar el término de los productos o servicios financieros, su pago anticipado o cualquier otra gestión solicitada por el consumidor que tenga por objeto poner fin a la relación contractual entre éste y la entidad que provee dichos productos o servicios financieros. Se considerará retraso cualquier demora superior a cinco días hábiles una vez extinguidas totalmente las obligaciones con el proveedor asociadas al o los servicios específicos que el consumidor decide terminar, incluido el costo por término o pago anticipado determinado en el contrato de adhesión. Asimismo, los proveedores deberán entregar a los consumidores que lo soliciten, dentro de los plazos señalados en el inciso segundo, los certificados y antecedentes que sean necesarios para renegociar los créditos de tipo alguno[1]. En caso de incumplimiento de dicha obligación dentro del mencionado plazo, la deuda no generará interés ni reajustes de ningún tipo mientras no se verifique dicha entrega por parte del proveedor.

En caso de cobro de intereses o reajustes indebidos, éstos deberán ser devueltos en el plazo de cinco días contado desde el momento del cobro. En caso contrario, el consumidor podrá recurrir a la Comisión para el Mercado Financiero con el fin de solicitar el reembolso de los intereses y reajustes mal cobrados, así como el cobro del costo por término o pago anticipado.

En el caso de los créditos hipotecarios, en cualquiera de sus modalidades, no podrá incluirse en el contrato de mutuo otra hipoteca que no sea la que cauciona el crédito que se contrata, salvo solicitud escrita del deudor efectuada por cualquier medio físico o tecnológico.

En el caso de créditos caucionados con hipoteca específica, una vez extinguida totalmente la obligación garantizada, el proveedor del crédito deberá, a su cargo y costo, otorgar la escritura pública de alzamiento de la referida hipoteca y de los demás gravámenes y prohibiciones que se hayan constituido al efecto e ingresarla para su inscripción en el Conservador de Bienes Raíces respectivo, dentro de un plazo que no podrá exceder de cuarenta y cinco días contado desde la extinción total de la deuda. De tal circunstancia y de la realización de los señalados trámites, el proveedor deberá informar por escrito al deudor, a través de cualquier medio físico o tecnológico idóneo, al último domicilio registrado por el deudor con el proveedor, dentro de los treinta días siguientes de practicada la cancelación correspondiente por el Conservador de Bienes Raíces respectivo. Los comprobantes de pago emitidos por el proveedor de un crédito caucionado con hipoteca específica, correspondientes a las tres últimas cuotas pactadas, harán presumir el pago íntegro del crédito caucionado con dicha garantía,

---

[1]   La versión inicial ponía "sin costo alguno".

debiendo seguirse respecto de su alzamiento y cancelación lo dispuesto precedentemente.

En el caso de créditos caucionados con hipoteca general, una vez pagadas íntegramente las deudas garantizadas, tanto en calidad de deudor principal como en calidad de avalista, fiador o codeudor solidario respecto de las cuales dicha caución subsista, el proveedor deberá informar por escrito al deudor tal circunstancia, en el plazo de hasta veinte días corridos, a través de cualquier medio físico o tecnológico idóneo, al último domicilio registrado por el deudor con el proveedor, de conformidad a lo dispuesto en el Título IV del decreto supremo Nº 42, de 2012, del Ministerio de Economía, Fomento y Turismo, que contiene el Reglamento sobre Información al Consumidor de Créditos Hipotecarios. Efectuada dicha comunicación por parte del proveedor, el deudor podrá requerir, por cualquier medio físico o tecnológico idóneo, el otorgamiento de la escritura pública de alzamiento de la referida hipoteca y de los demás gravámenes y prohibiciones que se hayan constituido al efecto, y su ingreso para inscripción en el Conservador de Bienes Raíces respectivo, gestiones que serán de cargo y costo del proveedor y que éste deberá efectuar dentro de un plazo que no podrá exceder de cuarenta y cinco días, contado desde la solicitud del deudor. El proveedor deberá informar por escrito al deudor, a través de cualquier medio físico o tecnológico idóneo, al último domicilio registrado por el deudor con el proveedor, del alzamiento y cancelación de la hipoteca con cláusula de garantía general y de todo otro gravamen o prohibición constituido en su favor, dentro de los treinta días siguientes de practicada la respectiva cancelación por el Conservador de Bienes Raíces respectivo.

Si no existieren obligaciones pendientes para con el proveedor caucionadas con hipoteca general, el deudor no estará obligado a mantener en favor de éste la vigencia de una hipoteca con cláusula de garantía general ni de otros gravámenes o prohibiciones ya constituidos para los efectos de obtener un nuevo crédito, y podrá en todo momento, y sin esperar la comunicación del proveedor de que trata el inciso precedente, solicitar el respectivo alzamiento por cualquier medio físico o tecnológico idóneo, el cual se efectuará en la misma forma y plazo previstos en dicho inciso. Sin perjuicio de lo anterior, el deudor podrá conservar la vigencia de esta garantía general y los demás gravámenes y prohibiciones asociados, a su sola voluntad.

Los alzamientos de hipotecas y de cualquier otro gravamen o prohibición constituidos en favor de un proveedor de servicios financieros podrán efectuarse por el respectivo acreedor de forma masiva. Para tales efectos, bastará otorgar una escritura pública que contenga un listado o nómina de gravámenes o prohibiciones, individualizando la foja, número, año, registro y el Conservador de Bienes Raíces a cargo del mismo, sea que tales gravámenes o prohibiciones se refieran a uno o más deudores. En caso de que una o más de las solicitudes no pudieren cursarse, dicha situación no impedirá la tramitación de las restantes, y el o los deudores interesados podrán resolver las insuficiencias o errores que fundaron el rechazo del Conservador de Bienes Raíces y concluir su tramitación. La cancelación de los gravámenes o prohibiciones solicitada deberá ser practicada e inscrita por el Conservador correspondiente en un plazo que no podrá exceder de diez días, contado desde el ingreso a su oficio de la escritura respectiva.

Los notarios y Conservadores de Bienes Raíces no podrán oponerse, en su caso, a autorizar y otorgar las escrituras públicas o practicar las cancelaciones que correspondan, tratándose de alzamientos otorgados de forma masiva, sin perjuicio de percibir los respectivos honorarios determinados de acuerdo a la ley N° 16.250 y sus modificaciones.

Si el acreedor hipotecario se negare a efectuar los respectivos alzamientos de conformidad al presente artículo, el deudor podrá solicitar judicialmente tales alzamientos ante el tribunal competente, sin perjuicio de las sanciones e indemnizaciones que procedan de conformidad a la presente ley.

Los proveedores de créditos que soliciten una tasación o estudio de títulos de un bien sobre el cual se constituirá una garantía en su beneficio deberán entregar al consumidor que solicitó el crédito los respectivos informes de tasación y estudio de títulos del bien, según corresponda. La entrega de dicha documentación deberá realizarse de manera física o virtual, conforme a lo solicitado por el consumidor. Asimismo, el consumidor podrá realizar la referida solicitud de manera presencial o remota.

Lo dispuesto en los incisos precedentes se aplicará a los cesionarios de los créditos hipotecarios, cuando proceda.

Los proveedores de créditos que ofrezcan la modalidad de pago automático de cuenta o de transferencia electrónica no podrán restringir esta oferta a que dicho medio electrónico o automático sea de su misma institución, debiendo permitir que el convenio de pago automático o transferencia pueda ser realizado también por una institución distinta.

> *Conc.*:
> – L. 19.496 *Avalista*: 17 J; *Cargos y comisiones*: 15 A, 16, 17 A, 17 B, 17 G, 17 H, 37, 40, 51, 56; *Cláusulas en contrato de adhesión*: 1.6, 16-17 C, 17 E; *Competencia Juez Policía Local*: 50H; *Crédito hipotecario*: 3, 17 B, 17 C, 17 F, 55, 62; *Derechos consumidor financiero*: 3; *Información en contrato de adhesión*: 1.3, 3bis, 17 A, 17 G, 17 L (i); *Perjuicios*: 3 e); *Producto financiero*: 3, 17 B, 17 C, 17 E, 17 F, 17 G, 17 H, 17 J, 17 L.
> – L. 20.009 *Bloqueo permanente de las tarjetas de pago*: 1, 2.
> – L. 21.236 *Portabilidad financiera*: reenvío general; *Certificado de liquidación*: 3, 5, 17.
> – Decreto 42 de 2012 *Información durante crédito hipotecario*:22-33.
> – L. 16.250 *Aranceles notarios y CBR*: 54.
>
> *V.gr.*:
> – Decreto 587 de 1998 Arancel de los notarios públicos.
> – Decreto 588 de 1998 Arancel de los Conservadores de Bienes Raíces y de comercio.
> – Decreto 589 de 1998 Arancel de los Conservadores de Minas.
> – Decreto 1154 de 2020, Reglamento *Portabilidad Financiera*.
> – Circular Bancos 3531 de 2012 *Pago anticipado de los créditos*: 2 DT.
>
> *Introducido*: L. 20.555. *Modif.*: L. 20.855, L. 21.236, L. 21.398.

Art. 17 E. El consumidor afectado podrá solicitar la nulidad de una o varias cláusulas o estipulaciones que infrinjan el artículo 17 B. Esta nulidad podrá declararse por el juez en caso de que el contrato pueda subsistir con las restantes cláusulas o, en su defecto, el juez podrá ordenar la adecuación de las cláusulas correspondientes, sin perjuicio de la indemnización que pudiere determinar a favor del consumidor.

Esta nulidad sólo podrá invocarse por el consumidor afectado, de manera que el proveedor no podrá invocarla para eximirse o retardar el cumplimiento parcial o total de las obligaciones que le imponen los respectivos contratos a favor del consumidor.

> *Conc.:*
> – L. 19.496 *Cláusulas en contrato de adhesión*: 1.6, 16-17 D; *Perjuicios*: 3 e); *Producto financiero*: 3, 17 B, 17 C, 17 D, 17 E, 17 F, 17 G, 17 H, 17 J, 17 L, 17 K.
>
> *Introducido*: L. 20.555.

Art. 17 F. Los proveedores de servicios o productos financieros y de seguros al público en general, no podrán enviar productos o contratos representativos de ellos que no hayan sido solicitados, al domicilio o lugar de trabajo del consumidor.

> *Conc.:*
> – L. 19.496 *Producto financiero*: 3, 17 B, 17 C, 17 D, 17 E, 17 G, 17 H, 17 J, 17 L, 17 K.
>
> *Introducido*: L. 20.555.

Art. 17 G. Los proveedores deberán informar la carga anual equivalente en toda publicidad de operaciones de crédito en que se informe una cuota o tasa de interés de referencia y que se realice por cualquier medio masivo o individual. En todo caso, deberán otorgar a la publicidad de la carga anual un tratamiento similar a la de la cuota o tasa de interés de referencia, en cuanto a tipografía de la gráfica, extensión, ubicación, duración, dicción, repeticiones y nivel de audición.

Con todo, las cotizaciones no podrán tener una vigencia menor a siete días hábiles a contar de su comunicación al público, según determine el reglamento de acuerdo a la naturaleza de cada contrato.

Asimismo, deberán informar en toda cotización de crédito todos los precios, tasas, cargos, comisiones, costos, tarifas, condiciones y vigencia de los productos ofrecidos conjuntamente. También deberán informar las comparaciones con esos mismos valores y condiciones en el caso de que se contraten separadamente. Esta información deberá tener un tratamiento similar a la de la cuota o tasa de interés de referencia, en cuanto a tipografía de la gráfica, extensión y ubicación.

> *Conc.*:
> – L. 19.496 *Cargos y comisiones*: 15 A, 16, 17 A, 17 B, 17 D, 17 H, 37, 40, 51, 56 A; *Información en contrato de adhesión*: 1.3, 3 bis, 17 A, 17 D, 17 L; *Intereses*: 17 H, 37, 38, 39, 54 F; *Producto financiero*: 3, 17 B, 17 C, 17 D, 17 E, 17 F, 17 H, 17 J, 17 L, 17 K.
> – Circular Cooperativas 108 de 2003: *Información sobre tarifas y cobros asociados y garantías*: 12.
>
> *Introducido*: L. 20.555.

Art. 17 H. Los proveedores de productos o servicios financieros no podrán ofrecer o vender productos o servicios de manera atada. Se entiende que un producto o servicio financiero es vendido en forma atada si el proveedor:

a) Impone o condiciona al consumidor la contratación de otros productos o servicios adicionales, especiales o conexos, y

b) No lo tiene disponible para ser contratado en forma separada cuando se puede contratar de esa manera con otros proveedores, o teniéndolos disponibles de esta forma, esto signifique adquirirlo en condiciones arbitrariamente discriminatorias.

Los proveedores no podrán efectuar aumentos en los precios, tasas de interés, cargos, comisiones, costos o tarifas de un producto o servicio financiero que dependa de la mantención de otro, ante el cierre o resolución de este último por parte del consumidor, cuando ello no obedece a causas imputables al consumidor.

Tratándose de aquellos contratos con el sello al que se refiere el artículo 55 de esta ley, si el servicio de atención al cliente, el mediador o el árbitro financiero acoge un reclamo interpuesto por el consumidor por incumplimiento del inciso anterior, el proveedor deberá dejar sin efecto el cambio y devolver al consumidor los montos cobrados en exceso.

El proveedor de productos o servicios financieros no podrá restringir o condicionar que la compra de bienes o servicios de consumo se realice exclusivamente con un medio de pago administrado u operado por el mismo proveedor, por una empresa relacionada o por una sociedad de apoyo al giro.

De igual forma, no podrá ofrecer descuentos asociados exclusivamente a un medio de pago administrado u operado por el mismo proveedor o por una empresa relacionada, cuando el acceso a dicho descuento se condicione a la celebración de una operación de crédito de dinero en más de una cuota. Además, cuando estos proveedores ofrezcan descuentos asociados exclusivamente al mencionado medio de pago, deberán informar previamente al consumidor el costo total del crédito, en caso de que éste opte libremente por dicha alternativa crediticia en más de una cuota.

Adicionalmente, se deberá expresar en todo tipo de publicidad el precio al contado del bien o servicio de que se trate, en tamaño, visibilidad y contraste igual o mayor que el precio de la oferta o promoción a que se refiere el inciso anterior.

> *Conc.:*
> – L. 19.496 *Cargos y comisiones*: 15 A, 16, 17 A, 17 B, 17 D, 17 G, 37, 40, 51, 56 A; *Intereses*: 17 G, 37,38,39, 54 F; *Producto financiero*: 3, 17 B, 17 C, 17 D, 17 E, 17 F, 17 G, 17 J, 17 L, 17 K; *Sello SERNAC*: 17 B, 55-56, 56 H, 62.
> – Resolución 1173 EXENTA de 2012 (*Creación registro de árbitros*).
> – Resolución 1174 EXENTA de 2012 (*Creación registro de mediadores*).
> – Circular Cooperativas 108 de 2003: *Información sobre tarifas y cobros asociados y garantías*: 12.
>
> *Introducido:* L. 20.555. *Modif.:* L. 21.398.

Art. 17 I. Cuando el consumidor haya otorgado un mandato, una autorización o cualquier otro acto jurídico para que se pague automáticamente el todo o parte del saldo de su cuenta, su crédito o su tarjeta de crédito, podrá dejar sin efecto dicho mandato, autorización o acto jurídico en cualquier tiempo, sin más formalidades que aquellas que haya debido cumplir para otorgar el acto jurídico que está revocando.

En todo caso, la revocación sólo surtirá efecto a contar del período subsiguiente de pago o abono que corresponda en la obligación concernida.

La inejecución de la revocación informada al proveedor del producto o servicio dará lugar a la indemnización de todos los perjuicios y hará presumir la infracción a este artículo.

En ningún caso será eximente de la responsabilidad del proveedor la circunstancia de que la revocación deba ser ejecutada por un tercero.

> *Conc.*:
> – L. 19.496 *Perjuicios*: 3 e); *Tarjeta de crédito*: 55, 62.
> – Decreto 44 de 2012 (Reglamento tarjetas de crédito).
> *Introducido*: L. 20.555.

Art. 17 J. Los proveedores de productos o servicios financieros deberán elaborar y disponer, para cada persona natural que se obliga como avalista o como fiador o codeudor solidario de un consumidor, un documento o ficha explicativa sobre el rol de avalista, fiador o codeudor solidario, según sea el caso, que deberá ser firmado por ella. Este folleto deberá explicar en forma simple:

a) Los deberes y responsabilidades en que está incurriendo el avalista, fiador o codeudor solidario, según corresponda, incluyendo el monto que debería pagar.

b) Los medios de cobranza que se utilizarán para requerirle el pago, en su caso.

c) Los fundamentos y las consecuencias de las autorizaciones o mandatos que otorgue a la entidad financiera.

> *Conc.*:
> – L. 19.496 *Avalista*: 17 D; *Producto financiero*: 3, 17 B, 17 C, 17 D, 17 E, 17 F, 17 G, 17 H, 17 K, 17 L.
> *Introducido*: L. 20.555.

Art. 17 K. El incumplimiento por parte de un proveedor de lo dispuesto en los artículos 17 B a 17 J, en el art. 17 M, y de los reglamentos dictados para la ejecución de estas normas, que afecte a uno o más consumidores, será sancionado como una sola infracción, con multa de hasta mil quinientas unidades tributarias mensuales.

> *Conc.:*
> – L. 19.496 *Producto financiero:* 3, 17 B, 17 C, 17 D, 17 E, 17 F, 17 G, 17 H, 17 J, 17 L.
> – L. 21.236 *Las sanciones del 17 K se aplican a las infracciones sobre portabilidad financiera:* 19, 27.
> – Decreto 44 de 2012 (Reglamento tarjetas de crédito).
> *Introducido:* L. 20.555. *Modif.:* L. 21.081, L. 21.236.

Art. 17 L. Los proveedores de servicios o productos financieros que entreguen la información que se exige en esta ley de manera que induzca a error al consumidor o mediante publicidad engañosa, sin la cual no se hubiere contratado el servicio o producto, serán sancionados con las multas previstas en el artículo 24 en sus respectivos casos, sin perjuicio de las indemnizaciones que pueda determinar el juez competente de acuerdo a la presente ley.

> *Conc.:*
> – L. 19.496 *Competencia Juez Policía Local:* 50H; *Información en contrato de adhesión:* 1.3, 3bis, 17 A, 17 D, 17 G; *Publicidad:* 1.4, 1.5, 9 e), 20 C, 24, 28-34.
> *Introducido:* L. 20.555.

Art. 17 M. Los proveedores de productos o servicios financieros pactados por contrato de adhesión garantizados por cualquier tipo de garantía estarán obligados a conservar, a lo menos de manera digital, y durante el tiempo de existencia de la garantía en su favor, todos los documentos en que consten dichas garantías.

> *Conc.:*
> – L. 19.496 *Certificado de liquidación:* 17 D; *Infracciones:* 17 K.
> – L 21.236 *Portabilidad financiera:* 1 y ss.
> *Introducido:* L. 21.236.

Art. 17 N. Antes de la celebración de una operación de crédito de dinero, los proveedores deberán analizar la solvencia económica del consumidor para poder cumplir las obligaciones que de ella se originen, sobre la base de información suficiente obtenida a través de medios oficiales a tal fin, y deberán informarle el resultado de dicho análisis. Asimismo, el proveedor deberá entregar al consumidor la información específica de la operación de que se trate. Con todo, en las instituciones de educación superior no podrá ofrecerse la celebración de contratos de operación de crédito de dinero, que no tengan relación con el financiamiento de contratos de prestación de servicios educacionales.

Los proveedores que incumplan lo dispuesto en el inciso anterior, serán sancionados en conformidad a lo dispuesto en el artículo 17 K.

Un reglamento dictado por el Ministerio de Economía, Fomento y Turismo, suscrito además por el Ministro de Hacienda, determinará la forma y condiciones que deberán observarse para dar cumplimiento a las obligaciones precedentes.

> *Conc.:*
> – L. 19.496 *Contratos de educación*: 2, 3 ter, 3 quáter; *Sanción*: 17 K.
> *Introducido*: L. 21.398.

§ 5º Responsabilidad por incumplimiento

Art. 18. Constituye infracción a las normas de la presente ley el cobro de un precio superior al exhibido, informado o publicitado.

> *Conc.:*
> – L. 19.496 *Infracción*: 24, 28; *Precio*: 3, 28.
> *Ninguna modif.*

Art. 19. El consumidor tendrá derecho a la reposición del producto o, en su defecto, a optar por la bonificación de su valor en la compra de otro o por la devolución del precio que haya pagado en exceso, cuando la cantidad o el contenido neto de un producto sea inferior al indicado en el envase o empaque.

> *Conc.:*
> – L. 19.496 *Garantía legal*: 12 C, 20-23.
> *Ninguna modif.*

Art. 20. En los casos que a continuación se señalan, el consumidor tiene el derecho irrenunciable a optar, a su arbitrio, entre la reparación gratuita del bien o, previa restitución, su reposición o la devolución de la cantidad pagada, sin perjuicio de la indemnización por los daños ocasionados. Este derecho deberá ser comunicado por el proveedor del producto o servicio en cada uno de sus locales, tiendas, páginas webs u otros.

a) Cuando los productos sujetos a normas de seguridad o calidad de cumplimiento obligatorio no cumplan las especificaciones correspondientes;

b) Cuando los materiales, partes, piezas, elementos, sustancias o ingredientes que constituyan o integren los productos no correspondan a las especificaciones que ostenten o a las menciones del rotulado;

c) Cuando cualquier producto, por deficiencias de fabricación, elaboración, materiales, partes, piezas, elementos, sustancias, ingredientes, estructura, calidad o condiciones sanitarias, en su caso, no sea enteramente apto para el uso o consumo al que está destinado o al que el proveedor hubiese señalado en su publicidad;

d) Cuando el proveedor y consumidor hubieren convenido que los productos objeto del contrato deban reunir determinadas especificaciones y esto no ocurra;

e) Cuando después de la primera vez de haberse hecho efectiva la garantía y prestado el servicio técnico correspondiente, subsistieren las deficiencias que hagan al bien inapto para el uso o consumo a que se refiere la letra c). Sin perjuicio de lo anterior, no será necesario hacer efectivas las garantías otorgadas por el proveedor para ejercer el derecho establecido en este artículo. Este derecho subsistirá para el evento de presentarse una deficiencia distinta a la que fue objeto del servicio técnico, o volviere a presentarse la misma, dentro de los plazos a que se refiere el artículo siguiente;

f) Cuando la cosa objeto del contrato tenga defectos o vicios ocultos que imposibiliten el uso a que habitualmente se destine;

g) Cuando la ley de los metales en los artículos de orfebrería, joyería y otros sea inferior a la que en ellos se indique.

Para los efectos del presente artículo se considerará que es un solo bien aquel que se ha vendido como un todo, aunque esté conformado por distintas unidades, partes, piezas o módulos, no obstante que éstas puedan o no prestar una utilidad en forma independiente unas de otras. Sin perjuicio de ello, tratándose de su reposición, ésta se podrá efectuar respecto de una unidad, parte, pieza o módulo, siempre que sea por otra igual a la que se restituye.

Conc.:
– L. 19.496 *Garantía legal*: 12 C, 19, 21-23; *Garantía convencional*: 12 C, 21; *Publicidad*: 1.4, 1.5, 9 e), 17 L, 24, 28-34; *Servicio técnico*: 1.3, 12 C, 40, 41, disposición transitoria segunda; *Reparaciones*: 1.3, 12 C, 21, 40 41.
– L. 18.223 *En concordancia con infracción servicio técnico*: 5.

Modif.: L. 21.398.

Art. 21. El ejercicio de los derechos que contemplan los artículos 19 y 20 deberá hacerse efectivo ante el vendedor dentro de los seis meses siguientes a la fecha en que se haya recibido el producto, siempre que éste no se hubiere deteriorado por hecho imputable al consumidor. Si el producto se hubiere vendido con determinada garantía, prevalecerá el plazo por el cual ésta se extendió, si fuere mayor.

El consumidor que, en el ejercicio de los derechos que contempla el artículo 20, opte por la reparación, podrá dirigirse, indistinta o conjuntamente, al vendedor, al fabricante o al importador. En caso de que, prestado el servicio de reparación, subsistieren las deficiencias que hagan al bien inapto para el uso o consumo a que se refiere la letra c) del señalado artículo, el consumidor podrá optar entre su reposición o la devolución de la cantidad pagada. Hecha la opción, el requerido no podrá derivar el reclamo.

Serán solidariamente responsables por los perjuicios ocasionados al consumidor, el proveedor que haya comercializado el bien o producto y el importador que lo haya vendido o suministrado.

En caso de que el consumidor solicite la reparación sólo al vendedor, éste gozará del derecho de resarcimiento señalado en el artículo 22.

Las acciones a que se refiere el inciso primero podrán hacerse valer, asimismo, indistintamente en contra del fabricante o el importador, en caso de ausencia del vendedor por haber sido sometido a un procedimiento concursal de liquidación, término de giro u otra circunstancia semejante. Tratándose de la devolución de la cantidad pagada, la acción no podrá intentarse sino respecto del vendedor.

El vendedor, fabricante o importador, en su caso, deberá responder al ejercicio de los derechos a que se refieren los artículos 19 y 20 en el mismo local donde se efectuó la venta o en las oficinas o locales en que habitualmente atiende a sus clientes, no pudiendo condicionar el ejercicio de los referidos derechos a efectuarse en otros lugares o en condiciones menos cómodas para el consumidor que las que se le ofreció para efectuar la venta, salvo que éste consienta en ello.

En el caso de productos perecibles o que por su naturaleza estén destinados a ser usados o consumidos en plazos breves, el término a que se refiere el inciso primero será el impreso en el producto o su envoltorio o, en su defecto, el término máximo de siete días.

El consumidor podrá optar por ejercer la garantía o los derechos establecidos en los artículos 19 y 20 de esta ley, a libre elección. El plazo que contemple la póliza de garantía otorgada por el proveedor y aquel a que se refiere el inciso primero de este artículo, se suspenderán durante el tiempo en que esté siendo ejercida cualquiera de las garantías.

La garantía otorgada por el proveedor no afectará el ejercicio de los derechos del consumidor establecidos en los artículos 19 y 20 de esta ley, respecto de los bienes amparados por ella. El proveedor estará impedido de ofrecer a los consumidores la contratación de productos, servicios o pólizas cuya cobertura corresponda a obligaciones que el proveedor deba asumir en conformidad a la garantía establecida en la ley.

La póliza de garantía a que se refiere el inciso anterior producirá plena prueba si ha sido fechada y timbrada al momento de la entrega del bien. Igual efecto tendrá la referida póliza aunque no haya sido fechada ni timbrada al momento de la entrega del bien, siempre que se exhiba con la correspondiente factura o boleta de venta. Tratándose de la devolución de la cantidad pagada, el plazo para ejercer la acción se contará desde la fecha de la correspondiente factura o boleta y no se suspenderá en caso alguno. Si tal devolución se acordare una vez expirado el plazo a que se refiere el artículo 70 del decreto Ley N° 825, de 1974, el consumidor sólo tendrá derecho a recuperar el precio neto del bien, excluidos los impuestos correspondientes.

Para ejercer estas acciones, el consumidor deberá acreditar el acto o contrato con la documentación respectiva, salvo en casos en que el proveedor tribute bajo el régimen de renta presunta, en los cuales el acto o contrato podrá ser acreditado mediante todos los medios de prueba que sean conducentes.

Conc.:
– L. 19.496 *Garantía legal*: 12 C, 19-20, 22-23; *Garantía convencional*: 12 C, 20; *Reparaciones*: 1.3, 12 C, 20, 40 41.

Modif.: L. 19.955. L. 20.720, L. 21.398.

Art. 22. Los productos que los proveedores, siendo éstos distribuidores o comerciantes, hubieren debido reponer a los consumidores y aquellos por los que devolvieron la cantidad recibida en pago, deberán serles restituidos, contra su entrega, por la persona de quien los adquirieron o por el fabricante o importador, siendo asimismo de cargo de estos últimos el resarcimiento, en su caso, de los costos de restitución o de devolución y de las indemnizaciones que se hayan debido pagar en virtud de sentencia condenatoria, siempre que el defecto que dio lugar a una u otra les fuere imputable.

Conc.:
– L. 19.496 *Garantía legal*: 12 C, 19-21, 23.

Ninguna modif.

Art. 23. Comete infracción a las disposiciones de la presente ley el proveedor que, en la venta de un bien o en la prestación de un servicio, actuando con negligencia, causa menoscabo al consumidor debido a fallas o deficiencias en la calidad, cantidad, identidad, sustancia, procedencia, seguridad, peso o medida del respectivo bien o servicio.

Serán sancionados con multa de hasta 2.250 unidades tributarias mensuales, los organizadores de espectáculos públicos, incluidos los artísticos y deportivos, que pongan en venta una cantidad de localidades que supere la capacidad del respectivo recinto. Igual sanción se aplicará a la venta de sobrecupos en los servicios de transporte de pasajeros, con excepción del transporte aéreo.

> *Conc.:*
> – L. 19.496 *Garantía legal*: 12 C, 19-22, *Perjuicios*: 3 e), 26, 50 H, 50 I; *Trasporte aéreo*: 23 bis.
> – L. 20.009 *Medidas de seguridad tarjetas y transacciones electrónicas*: 6.
> *Modif.*: L. 21.081.

Art. 23 Bis. En caso de denegación de embarque por sobreventa de pasajes aéreos, los proveedores deberán informar por escrito a los consumidores, en el mismo momento de la denegación y antes de adoptar una medida compensatoria:

a) Los derechos del pasajero afectado por la denegación y las razones objetivas que justifican la adopción de dicha medida.

b) Las indemnizaciones, compensaciones y mitigaciones que consagran las leyes para tales efectos y la forma en que el proveedor cumplirá con estos deberes.

c) Los mecanismos de denuncias y reclamos de que disponen los consumidores frente a los incumplimientos de estos deberes, ante la empresa y ante el Servicio Nacional del Consumidor, así como los tribunales competentes donde ejercer las acciones judiciales que correspondan.

d) Las multas por las infracciones de esta disposición.

e) Todas aquellas medidas y derechos que los proveedores consideren oportuno y adecuado informar.

En caso de que el consumidor opte por la restitución del dinero, o que se deba pagar multas o compensaciones, se procederá al pago en la forma más expedita posible, en un plazo máximo de diez días hábiles contado desde la denegación del embarque. El consumidor siempre

PARTE PRIMERA
Ley Nº 19.496

tendrá la opción de recibir dichos montos a lo menos en dinero efectivo o por medio de transferencia bancaria electrónica.

Conc.:
– L. 19.496 *Trasporte aéreo*: 23.
– L 18.916 *Compensación por denegación de embarque*: 133, 133 A, 133 B, 133 C; *Derecho a informar*: 131; *Derecho a rehusar el trasporte*: 132; *Restitución importe pagado*: 126; *Responsabilidad*: 100, 102, 111, 141, 142.
– CM: *Responsabilidad y cláusulas exonerativas*: 26, 46.
– CV: *Responsabilidad y cláusulas exonerativas*: 23.

Introducido: L. 21.398.

Art. 24. Las infracciones a lo dispuesto en esta ley serán sancionadas con multa de hasta 300 unidades tributarias mensuales, si no tuvieren señalada una sanción diferente.

La publicidad falsa o engañosa difundida por medios de comunicación social, en relación a cualquiera de los elementos indicados en el artículo 28, hará incurrir al infractor en una multa de hasta 1500 unidades tributarias mensuales. En caso de que incida en las cualidades de productos o servicios que afecten la salud o la seguridad de la población o el medio ambiente, hará incurrir al anunciante infractor en una multa de hasta 2250 unidades tributarias mensuales.

Para la determinación del monto de las multas señaladas en esta ley, el tribunal correspondiente deberá aplicar las reglas señaladas en los incisos siguientes, sin perjuicio de las reglas especiales establecidas para determinadas infracciones.

Se considerarán circunstancias atenuantes:

a) Haber adoptado medidas de mitigación sustantivas, tales como la reparación efectiva del daño causado al consumidor, antes de dictarse la resolución o sentencia sancionatoria, según corresponda, lo que deberá ser debidamente acreditado.

b) La autodenuncia, debiendo proporcionarse antecedentes precisos, veraces y comprobables que permitan el inicio de un procedimiento sancionatorio.

c) La colaboración sustancial que el infractor haya prestado al Servicio Nacional del Consumidor antes o durante el procedimiento sancionatorio administrativo o aquella que haya prestado en el procedimiento judicial. Se entenderá que existe colaboración sustancial si el proveedor contare con un plan de cumplimiento específico en las materias a que se refiere la infracción respectiva, que haya sido previamente aprobado por el Servicio y se acredite su efectiva implementación y seguimiento.

d) No haber sido sancionado anteriormente por la misma infracción durante los últimos treinta y seis meses, contados desde que esté ejecutoriada la resolución o sentencia sancionatoria. En caso de tratarse de una micro o pequeña empresa en los términos del inciso segundo del artículo segundo de la ley N° 20.416, no haber sido sancionada por la misma infracción durante los últimos dieciocho meses contados de la misma manera.

Se considerarán circunstancias agravantes:

a) Haber sido sancionado con anterioridad por la misma infracción durante los últimos veinticuatro meses, contados desde que esté ejecutoriada la resolución o sentencia sancionatoria. En caso de tratarse de una micro o pequeña empresa en los términos del inciso segundo del artículo segundo de la ley N° 20.416, si ha sido sancionada por la misma infracción durante los últimos doce meses contados de la misma manera.

b) Haber causado un daño patrimonial grave a los consumidores.

c) Haber dañado la integridad física o psíquica de los consumidores o, en forma grave, su dignidad.

d) Haber puesto en riesgo la seguridad de los consumidores o de la comunidad, aun no habiéndose causado daño.

El Servicio o tribunal, según corresponda, deberá ponderar racionalmente cada una de las atenuantes y agravantes a fin de que se aplique al caso concreto una multa proporcional a la intensidad de la afectación provocada en los derechos del consumidor.

Efectuada dicha ponderación y para establecer el monto de la multa, se considerarán prudencialmente los siguientes criterios: la gravedad de la conducta, los parámetros objetivos que definan el deber de profesionalidad del proveedor, el grado de asimetría de información existente entre el infractor y la víctima; el beneficio económico obtenido con motivo de la infracción, en caso de que lo hubiere; la duración de la conducta y la capacidad económica del infractor.

Cuando la circunstancia contemplada en la letra a) del inciso cuarto consista en la reparación efectiva del daño causado al consumidor antes de dictarse la resolución o sentencia que imponga sanción, se considerará como una atenuante calificada para efectos de la imposición de la multa que corresponda.

La resolución o sentencia, según corresponda, señalará los fundamentos que sirvan de base para la determinación de la multa.

Conc.:
– L. 19.496 *Infracción*: 18, 23, 28, 28 A, 50 E; *Publicidad*: 1.4, 1.5, 9 e), 17 L, 20 C 28-34.
– L. 20.416 *Definición microempresa y Pyme como consumidora*: 2 inciso segundo, 9.
– Decreto 9 de 202 *Las sanciones del art. 24 se le aplican*: art. 22.

Modif.: L. 19.955. L. 21.081.

Véase: Sentencia Tribunal Constitucional 18.12.2018 (Rol N. 4232-18)

Art. 24 A. Tratándose de infracciones que afecten el interés colectivo o difuso de los consumidores, el tribunal graduará la multa de acuerdo a lo señalado en el artículo precedente y al número de consumidores afectados.

El tribunal podrá, alternativamente, aplicar una multa por cada uno de los consumidores afectados, siempre que se tratare de infracciones que, por su naturaleza, se produzcan respecto de cada uno de ellos. No procederá esta opción en los casos en que conste en el proceso que el proveedor ha reparado de manera íntegra y efectiva el daño causado a todos los consumidores afectados, supuesto en el cual se aplicará, por concepto de multa, un monto global, conforme a lo señalado en el inciso anterior.

Con todo, el total de las multas que se impusieren en estos casos no podrá exceder el 30% de las ventas de la línea de producto o servicio objeto de la infracción, efectuadas durante el período en que ésta se haya prolongado, o el doble del beneficio económico obtenido como resultado de la infracción.

En caso de tratarse de un proveedor que pertenezca a alguna de las categorías contenidas en el inciso segundo del artículo segundo de la ley N° 20.416, el total de las multas no podrá exceder el 10% de las ventas de la línea de producto o servicio objeto de la infracción, efectuadas durante el período en que ésta se haya prolongado, o el doble del beneficio económico obtenido como resultado de la infracción.

El monto de la multa a que se refieren los dos incisos anteriores se determinará tomando en consideración el número de consumidores afectados y los criterios a que se refiere el inciso séptimo del artículo precedente y no podrá exceder de 45.000 unidades tributarias anuales.

> *Conc.*:
> – L. 19.496 *Interés colectivo o difuso*: 2 bis, 8, 50, 50B-50 G, 51, 53A-53C, 54, 54 A, 54 D, 54 E.
> – Ley N° 20.416 *Definición microempresa y Pyme como consumidora*: 2 inciso segundo, 9.
> – L. 21.236 *Las sanciones del 24 A se aplican a las infracciones sobre portabilidad financiera*: 19, 27.
>
> *Introducido*: L. 21.081.

Art. 25. El que suspendiere, paralizare o no prestare, sin justificación, un servicio previamente contratado y por el cual se hubiere pagado derecho de conexión, de instalación, de incorporación o de mantención será castigado con multa de hasta 750 unidades tributarias mensuales.

Cuando el servicio de que trata el inciso anterior fuere de agua potable, gas, alcantarillado, energía eléctrica, telecomunicaciones, teléfono o recolección de basura, residuos o elementos tóxicos, los responsables serán sancionados con multa de hasta 1.500 unidades tributarias mensuales.

El proveedor no podrá efectuar cobro alguno por el servicio durante el tiempo en que se encuentre interrumpido y, en todo caso, estará obligado a descontar o reembolsar al consumidor el precio del servicio en la proporción que corresponda. Igualmente, el proveedor deberá identificar en las boletas de cobro por estos servicios el tiempo de la suspensión, paralización o no prestación del servicio.

Conc.:
– L. 19.496 *Servicios de telecomunicaciones*: 12 B, 25 A.

Modif.: L. 21.081, L. 21.398.

Art. 25 A. En los casos de suspensión, paralización o no prestación injustificada de uno de los servicios señalados en el inciso segundo del artículo 25, el proveedor deberá indemnizar de manera directa y automática al consumidor afectado, por cada día sin suministro, con un monto equivalente a diez veces el valor promedio diario de lo facturado en el estado de cuenta anterior al de la respectiva suspensión, paralización o no prestación del servicio. Dicho monto deberá descontarse del siguiente estado de cuenta.

Se entenderá como un día sin suministro cada vez que el servicio haya sido suspendido, paralizado o no prestado por cuatro horas continuas o más dentro de un período de veinticuatro horas contado a partir del inicio del evento. En los demás casos, el cálculo indicado en el inciso anterior se hará de manera proporcional al tiempo de la suspensión, paralización o no prestación del servicio.

La indemnización de que trata este artículo sólo tendrá lugar en aquellos casos en que las leyes especiales respectivas no contemplen una indemnización mínima legalmente tasada y se entenderá sin perjuicio del ejercicio por parte de los consumidores del derecho contenido en la letra e) del inciso primero del artículo 3.

Con todo, en la determinación de esto último se tomará en consideración lo obtenido por el consumidor por aplicación del presente artículo.

Conc.:
– L. 19.496 *Perjuicios*: 3 e); *Servicios de telecomunicaciones*: 12 B, 25.
– Resolución 547 EXENTA de 2019.
– Resolución 637 EXENTA de 2020.

Introducido: L. 21.081.

Art. 26. Las acciones que persigan la responsabilidad contravencional que se sanciona por la presente ley prescribirán en el plazo de dos años, contado desde que haya cesado en la infracción respectiva. Con todo, las acciones civiles prescribirán conforme a las normas establecidas en el Código Civil o leyes especiales.

El plazo contemplado en el inciso precedente se suspenderá cuando, dentro de éste, el consumidor interponga un reclamo ante el servicio de atención al cliente, el mediador o el Servicio Nacional del Consumidor, según sea el caso. Dicho plazo seguirá corriendo una vez concluida la tramitación del reclamo respectivo. Asimismo, dicho plazo se suspenderá por la intervención del Servicio, entendiendo por ésta la comunicación formal del acto a través del cual se efectúe el primer requerimiento referido a la infracción en cuestión, el que en todo caso deberá ser suscrito por el funcionario competente, por requerir el afectado la intervención del Servicio o por el inicio de oficio de un procedimiento administrativo sancionatorio.

Las multas impuestas por dichas contravenciones prescribirán en el término de un año, contado desde que hubiere quedado a firme la sentencia condenatoria.

> *Conc.*:
> – L. 19.496 3e), 23, 50 H, 50 I.
> – Código Civil: *Prescripción*: 1691, 2332, 2514, 2515.
> – Resolución 1173 EXENTA de 2012 (*Creación registro de árbitros*).
> – Resolución 1174 EXENTA de 2012 (*Creación registro de mediadores*).
>
> *Modif.*: L. 20.555. L. 21.081.
>
> Véase: Sentencia Tribunal Constitucional 18.12.2018 (Rol N°. 4232-18).

Art. 27. Las restituciones pecuniarias que las partes deban hacerse en conformidad a esta ley, serán devueltas con reajuste e intereses corrientes al día efectivo de restitución. Dicho reajuste se calculará según la variación experimentada por el Índice de Precios al Consumidor, determinado por el Instituto Nacional de Estadísticas, entre el mes anterior a la fecha en que se produjo la infracción y el precedente a aquél en que la restitución se haga efectiva.

Conc.:
– L. 18.010: *Interés corriente*: 6.
Modif.: L. 21.398.

TÍTULO III. DISPOSICIONES ESPECIALES

§ 1º Información y publicidad

Art. 28. Comete infracción a las disposiciones de esta ley el que, a sabiendas o debiendo saberlo y a través de cualquier tipo de mensaje publicitario induce a error o engaño respecto de:

a) Los componentes del producto y el porcentaje en que concurren;

b) la idoneidad del bien o servicio para los fines que se pretende satisfacer y que haya sido atribuida en forma explícita por el anunciante;

c) las características relevantes del bien o servicio destacadas por el anunciante o que deban ser proporcionadas de acuerdo a las normas de información comercial;

d) El precio del bien o la tarifa del servicio, su forma de pago y el costo del crédito en su caso, en conformidad a la normas vigentes;

e) Las condiciones en que opera la garantía, y

f) Su condición de no producir daño al medio ambiente, a la calidad de vida y de ser reciclable o reutilizable.

Conc.:
– L. 19.496 *Infracción*: 18, 24; *Publicidad*: 1.3, 1.4, 9 e), 17L, 20 C, 24, 28-33.
Modif.: L. 19.955.

Art. 28 A. Asimismo, comete infracción a la presente ley el que, a través de cualquier tipo de mensaje publicitario, produce confusión en los consumidores respecto de la identidad de empresas, actividades, productos, nombres, marcas u otros signos distintivos de los competidores.

Conc.:
– L. 19.496 *Publicidad*: 1.3, 1.4, 9 e), 17L, 20 C, 24, 28, 28 B-34.
Introducido: L. 19.955.

Art. 28 B. Toda comunicación promocional o publicitaria enviada por correo electrónico deberá indicar la materia o asunto sobre el que versa, la identidad del remitente y contener una dirección válida a la que el destinatario pueda solicitar la suspensión de los envíos, que quedarán desde entonces prohibidos.

Los proveedores que dirijan comunicaciones promocionales o publicitarias a los consumidores por medio de correo postal, fax, llamados o servicios de mensajería telefónicos, deberán indicar una forma expedita en que los destinatarios podrán solicitar la suspensión de las mismas. Solicitada ésta, el envío de nuevas comunicaciones quedará prohibido.

> *Conc.:*
> – L. 19.496 *Contenido y características información*: 30, 32, 33, 37, 62; *Promoción y oferta*: 1.7, 1.8, 17 A, 17 B a), 35, 36; *Publicidad*: 1.3, 1.4, 9 e), 17L, 20 C, 24, 28-28 A, 29-34.
> – Decreto 62 de 2019 (Reglamento no molestar, antispam).
> – Resolución 5576 EXENTA de 2011 *Información en mensajería telefónica móvil*: 1 y ss.
>
> *Introducido:* L. 19.955.

Art. 29. El que estando obligado a rotular los bienes o servicios que produzca, expenda o preste, no lo hiciere, o faltare a la verdad en la rotulación, la ocultare o alterare, será sancionado con multa de hasta 300 unidades tributarias mensuales.

> *Conc.:*
> – L. 19.496 *Publicidad*: 1.3, 1.4, 9 e), 17L, 20 C, 24, 28-28 B, 30-34.
> – Decreto 248 de 2014 *Información requisitos mínimos de rotulación sobre cemento.*
> – L. 20.096 *Obligación informativa relativa a producto que deteriora ozono*: 16, 19, 20.
>
> *Modif.:* L. 21.081.

Art. 30. Los proveedores deberán dar conocimiento al público de los precios de los bienes que expendan o de los servicios que ofrezcan, con excepción de los que por sus características deban regularse convencionalmente.

El precio deberá indicarse de un modo claramente visible que permita al consumidor, de manera efectiva, el ejercicio de su derecho a elección, antes de formalizar o perfeccionar el acto de consumo.

Igualmente se enunciarán las tarifas de los establecimientos de prestación de servicios.

Cuando se exhiban los bienes en vitrinas, anaqueles o estanterías, se deberá indicar allí sus respectivos precios. La misma información, además de las características y prestaciones esenciales de los productos o servicios, deberá ser indicada en los sitios de Internet en que los proveedores exhiban los bienes o servicios que ofrezcan y que cumplan con las condiciones que determine el reglamento.

El monto del precio deberá comprender el valor total del bien o servicio, incluidos los impuestos correspondientes.

Cuando el consumidor no pueda conocer por sí mismo el precio de los productos que desea adquirir, los establecimientos comerciales deberán mantener una lista de sus precios a disposición del público, de manera permanente y visible.

> *Conc.*:
> – L. 19.496 *Contenido y características información*: 28,32,33,37, 62; *Publicidad*:1.3, 1.4, 9 e), 17L, 20 C, 24, 28, 29, 31-34.
> – Decreto 229 de 2002 (Reglamento información precio unitario).
> – Circular Cooperativas 108 de 2003: *Información sobre tarifas y cobros asociados y garantías*: 12.
> – Decreto 6 de 2020 *(Comercio electrónico).*
>
> *Modif.*: L. 20.555.

Art. 31. En las denuncias que se formulen por publicidad falsa, el tribunal competente, de oficio o previa solicitud del Servicio o del particular afectado, podrá disponer la suspensión de las emisiones publicitarias cuando la gravedad de los hechos y los antecedentes acompañados lo ameriten. Podrá, asimismo, exigir al anunciante que, a su propia costa, realice la publicidad correctiva que resulte apropiada para enmendar errores o falsedades, dentro del plazo de diez días hábiles.

Antes que el tribunal competente, actuando de oficio o a petición de parte interesada o del Servicio, aplique la suspensión de una publicidad por ser denunciada como falsa, el denunciado tendrá la oportunidad de hacer valer sus alegaciones en una audiencia citada para tal efecto, dentro de tercero día.

En caso de que el denunciado no concurra a dicha audiencia y el tribunal acogiere la denuncia, la resolución que así lo determine será inapelable y se notificará por el estado diario. Si el tribunal la acogiere habiendo concurrido el denunciado a la audiencia, la resolución que así lo determine será apelable en el solo efecto devolutivo y se notificará de la misma forma.

Conc.:
– L. 19.496 *Competencia Juez Policía Local:* 50H; *Publicidad:* 1.3, 1.4, 9 e), 17L, 20 C, 24, 28-31, 32-34.

Modif.: L. 21.081.

Art. 32. La información básica comercial de los servicios y de los productos de fabricación nacional o de procedencia extranjera, así como su identificación, instructivos de uso y garantías, y la difusión que de ellos se haga, deberán efectuarse en idioma castellano, en términos comprensibles y legibles en moneda de curso legal, y conforme al sistema general de pesos y medidas aplicables en el país, sin perjuicio de que el proveedor o anunciante pueda incluir, adicionalmente, esos mismos datos en otro idioma, unidad monetaria o de medida.

Tratándose de contratos ofrecidos por medios electrónicos o de aquellos en que se aceptare una oferta realizada a través de catálogos, avisos o cualquier otra forma de comunicación a distancia, el proveedor deberá informar, de manera inequívoca y fácilmente accesible, los pasos que deben seguirse para celebrarlos, e informará, cuando corresponda, si el documento electrónico en que se formalice el contrato será archivado y si éste será accesible al consumidor. Indicará, además, su dirección de correo postal o electrónico y los medios técnicos que pone a disposición del consumidor para identificar y corregir errores en el envío o en sus datos.

Conc.:
– L. 19.496 *Contenido y características información:* 28, 30, 33, 37, 62; *Contratos celebrados por medio electrónico:* 3 bis b), 12 A; *Información*

básica comercial: 1.3,3,58; *Publicidad*: 1.3, 1.4, 9 e), 17L, 20 C, 24, 28-31, 33, 34.

Modif.: L. 19.955.

Art. 33. La información que se consigne en los productos, etiquetas, envases, empaques o en la publicidad y difusión de los bienes y servicios deberá ser susceptible de comprobación y no contendrá expresiones que induzcan a error o engaño al consumidor.

Expresiones tales como "garantizado" y "garantía", sólo podrán ser consignadas cuando se señale en qué consisten y la forma en que el consumidor pueda hacerlas efectivas.

> *Conc.*:
> – L. 19.496 *Contenido y características información*: 28, 30, 32, 37, 62; *Publicidad*: 1.3, 1.4, 9 e), 17L, 20 C, 24, 28-32, 34.
> – Decreto 248 de 2014 *Información requisitos mínimos de rotulación sobre cemento*.
> – L. 20.096 *Obligación informativa relativa a producto que deteriora ozono*: 16, 19, 20.
>
> *Ninguna modif.*

Art. 34. En los casos de publicidad falsa o engañosa, podrá el tribunal competente, de oficio o a solicitud del denunciante, exigir del respectivo medio de comunicación utilizado en la difusión de los anuncios o de la correspondiente agencia de publicidad, la identificación del anunciante, su representante legal o responsable de la emisión publicitaria en los términos del artículo 50 D, dentro del plazo de cuarenta y ocho horas contados desde el requerimiento formal.

> *Conc.*:
> – L. 19.496 *Competencia Juez Policía Local*: 50 H; *Publicidad*: 1.3, 1.4, 9 e), 17L, 20 C, 24, 28-33.
> – Decreto 6 de 2020 *Comercio electrónico*: art. 20.
>
> *Modif.*: L. 21.081.

§ 2º Promociones y ofertas

Art. 35. En toda promoción u oferta se deberá informar al consumidor sobre las bases de la misma y el tiempo o plazo de su duración.

No se entenderá cumplida esta obligación por el solo hecho de haberse depositado las bases en el oficio de un notario.

En caso de rehusarse el proveedor al cumplimiento de lo ofrecido en la promoción u oferta, el consumidor podrá requerir del juez competente que ordene su cumplimiento forzado, pudiendo éste disponer una prestación equivalente en caso de no ser posible el cumplimiento en especie de lo ofrecido.

Conc.:
– L. 19.496 *Competencia Juez Policía Local*: 50 H; *Promoción y oferta*: 1.7, 1.8, 17 A, 17 B a), 28 B, 35.
– Decreto 6 de 2020 *Comercio electrónico*: art. 20.
Modif.: L. 19.955.

Art. 36. Cuando se trate de promociones en que el incentivo consista en la participación en concursos o sorteos, el anunciante deberá informar al público sobre el monto o número de premios de aquéllos y el plazo en que se podrán reclamar. El anunciante estará obligado a difundir adecuadamente los resultados de los concursos o sorteos.

Conc.:
– L. 19.496 *Promoción y oferta*: 1.7, 1.8, 17 A, 17 B a), 28 B, 35.
Ninguna modif.

§ 3º Del crédito al consumidor

Conc.:
– Resolución 947 EXENTA de 2019.

Art. 37. En toda operación de consumo en que se conceda crédito directo al consumidor, el proveedor deberá informar oportunamente, de forma clara y entendible, lo siguiente:

a) El precio al contado del bien o servicio de que se trate, el que deberá expresarse en tamaño igual o mayor que la información acerca del monto de las cuotas a que se refiere la letra d);

b) La tasa de interés que se aplique sobre los saldos de precio correspondientes, la que deberá quedar registrada en la boleta o en el comprobante de cada transacción;

c) El monto de los siguientes importes, distintos a la tasa de interés:

1. Impuestos correspondientes a la respectiva operación de crédito.

2. Gastos notariales.

3. Gastos inherentes a los bienes recibidos en garantía.

4. Seguros expresamente aceptados por el consumidor.

5. Cualquier otro importe permitido por ley;

d) Las alternativas de monto y número de pagos a efectuar y su periodicidad;

e) El monto total a pagar por el consumidor en cada alternativa de crédito, correspondiendo dicho monto a la suma de cuotas a pagar, y

f) La tasa de interés moratorio en caso de incumplimiento y el sistema de cálculo de los gastos que genere la cobranza extrajudicial de los créditos impagos, incluidos los honorarios que correspondan, y las modalidades y procedimientos de dicha cobranza.

g) Los efectos del incumplimiento del crédito concedido y los efectos procesales del ejercicio de la acción ejecutiva en los casos que corresponda, tales como el embargo, el retiro y remate de bienes, entre otros, de conformidad al reglamento.

Sin perjuicio de lo anterior, cuando se exhiban los bienes en vitrinas, anaqueles o estanterías, se deberán indicar allí las informaciones referidas en las letras a) y b) del inciso anterior.

No podrá cobrarse, por concepto de gastos de cobranza extrajudicial, cualesquiera sean la naturaleza de las gestiones, el número, frecuencia y costos en que efectivamente se haya incurrido, incluidos honorarios de profesionales, cantidades que excedan de los porcentajes que a continuación se indican, aplicados sobre el monto de la deuda vencida a la fecha del atraso a cuyo cobro se procede, conforme a la siguiente escala progresiva: en obligaciones de hasta 10 unidades de fomento, 9%; por la parte que exceda de 10 y hasta 50 unidades de fomento, 6%, y por la parte que exceda de 50 unidades de fomento, 3%. Los porcentajes indicados se aplicarán transcurridos los primeros veinte días de atraso, y no corresponderá su imputación respecto de saldos de capital insoluto del monto moroso o de cuotas vencidas que ya hubieren sido objeto de la aplicación de los referidos porcentajes. En ningún caso los gastos de cobranza extrajudicial podrán devengar un interés superior al corriente ni se podrán capitalizar para los efectos de aumentar la cantidad permitida de gastos de cobranza.

El proveedor del crédito deberá realizar siempre a lo menos una gestión útil, sin cargo para el deudor, cuyo fin sea el debido y oportuno conocimiento del deudor sobre la mora o retraso en el cumplimiento de sus obligaciones, dentro de los primeros quince días siguientes a cada vencimiento impago. Si el proveedor no realizara oportunamente dicha gestión, la cantidad máxima que podrá cobrar por los gastos de cobranza extrajudicial efectivamente incurridos indicados en el inciso anterior, se reducirá en 0,2 unidades de fomento.

Entre las modalidades y procedimientos de la cobranza extrajudicial se indicará si el proveedor la realizará directamente o por medio de terceros y, en este último caso, se identificarán los encargados; los horarios en que se efectuará, y la eventual información sobre ella que podrá proporcionarse a terceros de conformidad a la ley Nº 19.628, sobre protección de los datos de carácter personal.

Se informará, asimismo, que tales modalidades y procedimientos de cobranza extrajudicial pueden ser cambiados anualmente en el caso de operaciones de consumo cuyo plazo de pago exceda de un año, en términos de que no resulte más gravoso ni oneroso para los consumidores ni se discrimine entre ellos, y siempre que de tales cambios se avise con una anticipación mínima de dos períodos de pago.

Las empresas que realicen cobranza extrajudicial, así como también los proveedores de créditos que efectúen procesos de cobro, al iniciar cualquier gestión destinada a la obtención del pago de la deuda, deberán informar al deudor lo siguiente:

1) Individualización de la persona, empresa mandante o proveedor del crédito, según corresponda;

2) Mención precisa del o de los contratos, de su fecha de suscripción, de la fecha en que debió pagarse la obligación adeudada o de aquella en que se incurrió en mora y del monto adeudado;

3) En el caso que se cobren intereses, la liquidación de los mismos, con mención expresa, clara y precisa de las tasas aplicadas, del tipo de interés y del período sobre el cual aquéllos recaen;

4) En el caso que sean aplicables costos o gastos de cobranza, la mención expresa de éstos, su monto, causa y origen de conformidad a la ley, así como también de los impuestos, de los gastos notariales, si los hubiere, y de cualquier otro importe permitido por la ley;

5) La posibilidad de pagar la obligación adeudada o las modalidades de pago que se ofrezcan, y

6) Los derechos que le asisten en conformidad a esta ley en materia de cobranza extrajudicial, en especial el requerir el envío por escrito de la información señalada en los numerales precedentes. En caso que el consumidor guarde silencio al respecto, y una vez transcurridos quince días desde que la información fue entregada, la empresa deberá enviársela por escrito.

7) El o los medios de contacto para que el consumidor pueda comunicarse, respecto de las actuaciones de cobranza extrajudicial.

En ningún caso la comunicación entregada podrá contener menciones a eventuales consecuencias de procedimientos judiciales que no se hayan iniciado o relacionadas a registros o bancos de datos de información de carácter económico, financiero o comercial, debiendo indicar expresamente que no se trata de un procedimiento que persiga la ejecución de los bienes del deudor.

El proveedor del crédito o la empresa de cobranza deberán resguardar que la información dispuesta en cumplimiento de los numerales precedentes sólo sea de conocimiento del deudor, evitando cualquier acción que haga pública esta información.

Las actuaciones de cobranza extrajudicial, cualquiera sea su naturaleza, medio de comunicación o momento en que se realicen, deberán ajustarse a los principios de proporcionalidad, razonabilidad, justificación, transparencia, veracidad, respeto a la dignidad y a la integridad física y psíquica del consumidor, y privacidad del hogar.

Se entenderá que no se da cumplimiento a los principios individualizados en el inciso precedente, cuando el proveedor del crédito o la empresa de cobranza efectúe más de un contacto telefónico o visita por semana, con el objeto de poner en conocimiento del deudor la información a que se refiere el inciso sexto. Del mismo modo, se entenderá que no se da cumplimiento a dichos principios cuando, respecto de otras actuaciones de cobranza extrajudicial realizadas a través de otros medios, tales como correspondencia por correo, mensajes de texto, correos electrónicos o aplicaciones de mensajería instantánea, se realicen más de dos gestiones por semana, las que deberán contar con una separación de, al menos, dos días.

Las actuaciones de cobranza extrajudicial no podrán considerar el envío al consumidor de ninguna clase de documento, mensaje o comunicación que sea, aparente ser o haga referencia a un escrito, resolución o actuación judicial de toda especie; comunicaciones a terceros ajenos a la obligación en las que se dé cuenta de la morosidad; visitas a la morada del deudor o llamados telefónicos durante días y horas que no sean los que declara hábiles el artículo 59 del Código de Procedimiento Civil, y, en general, conductas que afecten la privacidad del hogar, la convivencia normal de sus miembros ni la situación laboral del deudor.

Los proveedores o las empresas de cobranza deberán registrar, almacenar y mantener disponible el tipo y frecuencia de las gestiones que realicen por cada deudor por un plazo de al menos dos años, contado desde su realización.

Se deberá poner término inmediato a las actuaciones de cobranza extrajudicial una vez emplazado el consumidor en un juicio de cobro o iniciado a su respecto un procedimiento concursal.

En las denuncias, demandas o querellas que se formulen por infracción a las conductas prohibidas en este artículo, el tribunal competente, de oficio o previa solicitud del Servicio o del particular afectado, podrá disponer la suspensión inmediata de las actuaciones de cobranza extrajudicial, cuando los hechos y los antecedentes acompañados lo ameriten

Sin perjuicio de lo anterior, cuando se exhiban los bienes en vitrinas, anaqueles o estanterías, se deberán indicar allí las informaciones referidas en las letras a) y b).

Un reglamento determinará la forma, condiciones y requisitos que deberá reunir el cumplimiento de las obligaciones señaladas en los incisos precedentes.

> *Conc.:*
> – L. 19.496 *Cargos y comisiones*: 15 A, 16, 17 A, 17 B, 17 D, 17 G, 17 H, 40, 51, 56 A; *Cobranzas extrajudiciales*: 39 B, 39 C, 6ª disposición transitoria; *Contenido y características información*: 28, 30, 32, 33, 62; *Gastos de cobranza*: 37, 38, 39 B; *Intereses*: 17 G, 17 H, 38, 39, 54 F; *Principios pro consumidor*: 2 ter, 16 C; *Tratamientos de datos personales*: 15 bis.
> – Ley Nº 19.628 *Tratamientos de datos personales*: 2-11.
> – Decreto 43 de 2012 (Reglamento información de crédito al consumo).
> – D.S. 104 de 2020 (disposiciones COVID-19).
>
> *Modif.*: L. 19.955, L. 19.659, L. 20.715, L. 21.062, L. 21.320, L. 21.398.

Art. 38. Los intereses se aplicarán solamente sobre los saldos insolutos del crédito concedido y los pagos no podrán ser exigidos por adelantado, salvo acuerdo en contrario.

> *Conc.:*
> – L. 19.496 *Intereses*: 17 G, 17 H, 37, 39, 54 F.
>
> *Ninguna modif.*

Art. 39. Cometerán infracción a la presente ley, los proveedores que cobren intereses por sobre el interés máximo convencional a que se refiere la ley Nº 18.010, sin perjuicio de la sanción civil que se contempla en el artículo 8º de la misma ley, y la sanción penal que resulte pertinente.

> *Conc.:*
> – L. 19.496 *Intereses*: 17 G, 17 H, 37, 38, 39, 54 F.
> – Ley Nº 18.010 *Intereses*: 2,5, 6-9, 16, 19, 19 bis, 31, 36.
> – CP *Sanción para interés sobre el máximo convencional*: 472.
>
> *Modif.*: L. 20.715.

Art. 39 A.

> Artículo Derogado por L. 21.230.

Art. 39 B. Si se cobra extrajudicialmente créditos impagos del proveedor, el consumidor siempre podrá pagar directamente a éste el total de la deuda vencida o de las cuotas impagas, incluidos los gastos de cobranza que procedieren, aunque el proveedor haya conferido diputación para cobrar y recibir el pago, o ambos hayan designado una persona para estos efectos. Lo anterior no obsta a que las partes convengan en que el proveedor reciba por partes lo que se le deba.

En esos casos, por la recepción del pago terminará el mandato que hubiere conferido el proveedor, quien deberá dar aviso inmediato al mandatario para que se abstenga de proseguir en el cobro, sin perjuicio del cumplimiento de las obligaciones que establece el artículo 2158 del Código Civil.

Lo dispuesto en este artículo, en el inciso primero, letra f), y en los incisos tercero y siguientes del artículo 37, será aplicable, asimismo, a las operaciones de crédito de dinero en que intervengan las entidades fiscalizadas por la Comisión para el Mercado Financiero, sin perjuicio de las atribuciones de este organismo fiscalizador.

> *Conc.:*
> – L. 19.496 *Cobranzas extrajudiciales*: 37, 39 C, 6ª disposición transitoria; *Gastos de cobranza*: 37, 38.
> – Código Civil: *Obligaciones mandante*: 2158.
>
> *Introducido*: L. 19.659.
>
> *Modif.*: L. 21.230.

Art. 39 C. No obstante lo señalado en el epígrafe del presente párrafo 3º, se aplicará lo dispuesto en los incisos tercero y siguientes del artículo 37, y en los artículos 39 y 39 B, a todos los proveedores y a todas las operaciones de consumo regidas por esta ley, aun cuando no involucren el otorgamiento de un crédito al consumidor.".

> *Conc.:*
> – L. 19.496 *Cobranzas extrajudiciales*: 37, 39 C, 6ª disposición transitoria.
>
> *Introducido*: L. 19.761.
>
> *Sustituido.*: L. 21.230.

§ 4º Normas especiales en materia de prestación de servicios

Art. 40. En los contratos de prestación de servicios cuyo objeto sea la reparación, de cualquier tipo de bienes, se entenderá implícita la obligación del prestador del servicio de emplear en tal reparación componentes o repuestos adecuados al bien de que se trate, ya sean nuevos o refaccionados, siempre que se informe al consumidor de esta última circunstancia.

El incumplimiento de esta obligación dará lugar, además de las sanciones o indemnizaciones que procedan, a que se obligue al prestador del servicio a sustituir, sin cargo adicional alguno, los componentes o repuestos correspondientes al servicio contratado.

En todo caso, cuando el consumidor lo solicite, el proveedor deberá especificar, en la correspondiente boleta o factura, los repuestos empleados, el precio de los mismos y el valor de la obra de mano.

> *Conc.:*
> – L. 19.496 *Cargos y comisiones*: 15 A, 16, 17 A, 17 B, 17 D, 17 G, 17 H, 37, 51, 56 A; *Contrato de prestación de servicio*: 41-43; *Garantía legal*: 19-26. *Pieza refaccionada*: 14; *Reparaciones*: 1.3, 12 C, 20, 21, 41.
>
> *Ninguna modif.*

Art. 41. El prestador de un servicio, incluido el servicio de reparación, estará obligado a señalar por escrito en la boleta, recibo u otro documento, el plazo por el cual se hace responsable del servicio o reparación.

En todo caso, el consumidor podrá reclamar del desperfecto o daño ocasionado por el servicio defectuoso dentro del plazo de treinta días hábiles, contado desde la fecha en que hubiere terminado la prestación del servicio o, en su caso, se hubiere entregado el bien reparado. Si el tribunal estimare procedente el reclamo, dispondrá se preste nuevamente el servicio sin costo para el consumidor o, en su defecto, la devolución de lo pagado por éste al proveedor. Sin perjuicio de lo anterior, quedará subsistente la acción del consumidor para obtener la reparación de los perjuicios sufridos.

Para el ejercicio de los derechos a que se refiere el presente párrafo, deberá estarse a lo dispuesto en el inciso final del artículo 21 de esta ley.

> *Conc.*:
> – L. 19.496 *Contrato de prestación de servicio*: 40, 42-43; *Garantía legal*: 19-26; *Perjuicios*: 3 e), *Reparaciones*: 1.3, 12 C, 20, 21, 40.
> *Modif.*: L. 19.955.

Art. 42. Se entenderán abandonadas en favor del proveedor las especies que le sean entregadas en reparación, cuando no sean retiradas en el plazo de un año contado desde la fecha en que se haya otorgado y suscrito el correspondiente documento de recepción del trabajo.

> *Conc.*:
> – L. 19.496 *Contrato de prestación de servicio*: 40-41, 43; *Garantía legal*: 19-26.
> *Ninguna modif.*

Art. 43. El proveedor que actúe como intermediario en la prestación de un servicio responderá directamente frente al consumidor por el incumplimiento de las obligaciones contractuales, sin perjuicio de su derecho a repetir contra el prestador de los servicios o terceros que resulten responsables.

> *Conc.*:
> – L. 19.496 *Contrato de prestación de servicio*: 40-42; *Garantía legal*: 19-26.
> *Ninguna modif.*

§ 5° Disposiciones relativas a la seguridad de los productos y servicios

Art. 44. Las disposiciones del presente párrafo sólo se aplicarán en lo no previsto por las normas especiales que regulan la provisión de determinados bienes o servicios.

> *Conc.*:
> – L. 19.496 *Protección a la salud*: 3 letra d, 45-49.

– *V.gr.* art. 111 H y ss. L. 20.850; también véase Código Sanitario (DFL. 725, de 1968 y posteriores modificaciones), D.L. 3.557, de 1980, establece normas sobre protección agrícola, etc.

Ninguna modif.

Art. 45. Tratándose de productos cuyo uso resulte potencialmente peligroso para la salud o integridad física de los consumidores o para la seguridad de sus bienes, el proveedor deberá incorporar en los mismos, o en instructivos anexos en idioma español, las advertencias e indicaciones necesarias para que su empleo se efectúe con la mayor seguridad posible.

En lo que se refiere a la prestación de servicios riesgosos, deberán adoptarse por el proveedor las medidas que resulten necesarias para que aquélla se realice en adecuadas condiciones de seguridad, informando al usuario y a quienes pudieren verse afectados por tales riesgos de las providencias preventivas que deban observarse.

El incumplimiento de las obligaciones establecidas en los dos incisos precedentes será sancionado con multa de hasta 2.250 unidades tributarias mensuales.

Conc.:
– L. 19.496 *Producto peligroso a la integridad física*: 1.3, 3 d), 44, 46-49.
Modif.: L. 19.955. L. 21.081.

Art. 46. Todo fabricante, importador o distribuidor de bienes o prestador de servicios que, con posterioridad a la introducción de ellos en el mercado, se percate de la existencia de peligros o riesgos no previstos oportunamente, deberá ponerlos, sin demora, en conocimiento de la autoridad competente para que se adopten las medidas preventivas o correctivas que el caso amerite, sin perjuicio de cumplir con las obligaciones de advertencia a los consumidores señaladas en el artículo precedente.

Conc.:
– L. 19.496 *Producto peligroso a la integridad física*: 1.3, 3 d), 44-45, 47-49.
Ninguna modif.

Art. 47. Declarada judicialmente o determinada por la autoridad competente de acuerdo a las normas especiales a que se refiere el artículo 44, la peligrosidad de un producto o servicio, o su toxicidad en niveles considerados como nocivos para la salud o seguridad de las personas, los daños o perjuicios que de su consumo provengan serán de cargo, solidariamente, del productor, importador y primer distribuidor o del prestador del servicio, en su caso.

Con todo, se eximirá de la responsabilidad contemplada en el inciso anterior quien provea los bienes o preste los servicios cumpliendo con las medidas de prevención legal o reglamentariamente establecidas y los demás cuidados y diligencias que exija la naturaleza de aquéllos.

> *Conc.:*
> – L. 19.496 *Producto peligroso a la integridad física*: 1.3, 3 d) 44-46, 48-49.
>
> *v.gr.*
> – D.S. 298 de 1994 (*Trasporte cargas peligrosas*).
> – D.S. 148 de 2003 (*Manejos productos peligrosos*).
> – D.S. 43 de 2015 (*Almacenamiento de sustancias peligrosas*).
> – Resolución 408 EXENTA de 2016 (Listado Sustancias peligrosas).
>
> *Ninguna modif.*

Art. 48. En el supuesto a que se refiere el inciso primero del artículo anterior, el proveedor de la mercancía deberá, a su costa, cambiarla a los consumidores por otra inocua, de utilidad análoga y de valor equivalente. De no ser ello posible, deberá restituirles lo que hubieren pagado por el bien contra la devolución de éste en el estado en que se encuentre.

> *Conc.:*
> – L. 19.496 *Producto peligroso a la integridad física*: 1.3, 3 d), 44-47, 49.
>
> *Ninguna modif.*

Art. 49. El incumplimiento de las obligaciones contempladas en este párrafo sujetará al responsable a las sanciones contravencionales correspondientes y lo obligará al pago de las indemnizaciones por los daños y perjuicios que se ocasionen, no obstante la pena aplicable en caso de que los hechos sean constitutivos de delito.

El juez podrá, en todo caso, disponer el retiro del mercado de los bienes respectivos, siempre que conste en el proceso, por informes técnicos, que se trata de productos peligrosos para la salud o seguridad de las personas, u ordenar el decomiso de los mismos si sus características riesgosas o peligrosas no son subsanables.

> *Conc.:*
> – L. 19.496 *Perjuicios:* 3 e):*Producto peligroso a la integridad física:* 1.3, 3 d), 44-49.
> – *V.gr.* CP *Responsabilidad penal delitos de lesión:* 391, 399, 494 N° 5; *delitos de peligro:* 313 d, 314, 315.
>
> *Ninguna modif.*

Art. 49 bis. Los fabricantes e importadores de videojuegos deberán colocar en los envases, soportes o plataformas en que comercialicen dichos productos leyendas que señalen claramente el nivel de violencia contenida en el videojuego respectivo, según lo dispuesto en el presente artículo. En el caso de los envases, tal advertencia deberá ocupar, a lo menos, el 25% del espacio de ambas caras del envase o envoltorio del videojuego respectivo.

Los fabricantes, importadores, proveedores y comerciantes sólo podrán vender y arrendar videojuegos que fueren calificados como no recomendados para menores de una determinada edad, a quienes acrediten cumplir la edad requerida. En el caso de cada venta o arriendo por medios físicos se deberá exigir la cédula de identidad respectiva.

La infracción de las disposiciones del presente artículo será sancionada por el juez de policía local competente, con una multa de hasta 300 unidades tributarias mensuales y comiso de las especies materia de la infracción.

> Inciso Derogado.
>
> *Conc.:*
> – L. 19.496 *Competencia Juez Policía Local:* 50H, *Publicidad:* 1.4, 1.5.
> – Decreto 51 de 2015 (Reglamento contenido y leyenda videojuegos) Decreto 89 de 2017 (modifica Decreto 51).

Introducido: L. 20.756. *Modif.*: L. 21.081.

TÍTULO IV. DE LOS PROCEDIMIENTOS A QUE DA LUGAR LA APLICACIÓN DE ESTA LEY

§ 1º Normas generales

Título Sustituido: L. 19.955. *Modif.*: L. 21.081.
– L. 20.009: El procedimiento del § 1º L. 19.496 se aplica a la acción de su art. 5.

Art. 50. Las denuncias y acciones que derivan de esta ley se ejercerán frente a actos, omisiones o conductas que afecten el ejercicio de cualquiera de los derechos de los consumidores.

El incumplimiento de las normas contenidas en la presente ley dará lugar a las denuncias o acciones correspondientes, destinadas a sancionar al proveedor que incurra en infracción, a anular las cláusulas abusivas incorporadas en los contratos de adhesión, a obtener la prestación de la obligación incumplida, a hacer cesar el acto que afecte el ejercicio de los derechos de los consumidores, o a obtener la debida indemnización de perjuicios o la reparación que corresponda.

El ejercicio de las denuncias puede realizarse a título individual. El ejercicio de las acciones puede efectuarse tanto a título individual como en beneficio del interés colectivo o difuso de los consumidores.

Se considerarán de interés individual a las denuncias o acciones que se promueven exclusivamente en defensa de los derechos del consumidor afectado.

Se considerarán de interés colectivo a las acciones que se promueven en defensa de derechos comunes a un conjunto determinado o determinable de consumidores, ligados con un proveedor por un vínculo contractual. Son de interés difuso las acciones que se promueven en defensa de un conjunto indeterminado de consumidores afectados en sus derechos.

Para los efectos de determinar las indemnizaciones o reparaciones que procedan con motivo de denuncias y acciones será necesario acreditar el daño. Asimismo, en el caso de acciones de interés colectivo se deberá acreditar el vínculo contractual que liga al infractor y a los consumidores afectados.

Conc.:
– L. 19.496 *Ejercicio judicial*: 50A-50I; *Interés colectivo o difuso*: 2 bis, 8, 24 A, 50B-50G, 51, 53A-53C, 54, 54 A, 54 D, 54 E; *Perjuicios*: 2 bis, 3 e) 50 E, 50 H, 51.

Modif.: L. 21.081.

Art. 50 A. Las denuncias presentadas en defensa del interés individual podrán interponerse, a elección del consumidor, ante el juzgado de policía local correspondiente a su domicilio o al domicilio del proveedor. Se prohíbe la prórroga de competencia por vía Contractual.

Lo dispuesto en el inciso anterior no se aplicará a las acciones mencionadas en la letra b) del artículo 2 bis, emanadas de esta ley o de leyes especiales, incluidas las acciones de interés colectivo o difuso derivadas de los artículos 16, 16 A y 16 B de la presente ley, en que serán competentes los tribunales ordinarios de justicia, de acuerdo a las reglas generales.

Conc.:
– L. 19.496 *Ejercicio judicial*: 50, 50B-50 I; *Denuncia de interés de carácter individual*: 2 bis letra b), 16, 16 A, 16 B; *Interés colectivo y difuso*: art. 2 bis letra b.

Introducido: L. 19.955 *Disposición remplazada*: L. 21.081.

Art. 50 B. En lo no previsto por el procedimiento establecido en el párrafo 2° de este Título, se estará a lo dispuesto en las leyes N°s. 18.287 y 15.231 y, en subsidio, a lo dispuesto en las normas contenidas en el Código de Procedimiento Civil. En el caso del procedimiento contemplado en el párrafo 3° de este Título, en lo no previsto se estará a lo dispuesto en las normas del Código de Procedimiento Civil.

Conc.:
– L. 19.496 *Ejercicio judicial*: 50-50A, 50C-50I; *Interés colectivo o difuso*: 2 bis, 8, 24 A, 50, 50C-50G, 51, 53A-53C, 54, 54 A, 54 D, 54 E.
– L. 18.287: *v.gr. Contestación demanda*: 10; *Conciliación*: 11; *Testigos*: 12, 13; *Diligencias probatorias*:15 y ss.; *Notificación*: 18.
– Decreto 307 (Ministerio de Justicia, Texto refundido de la L. 15.231) Véase ampliamente *Normas de procedimiento*; *Prescripción*: 54.

– CPC Véase ampliamente *Normas de procedimiento*; *v.gr. Notificación*: 18; *Testigos*: 380.

Introducido: L. 19.955 *Disposición remplazada*: L. 21.081

Art. 50 C. La denuncia, querella o demanda ante el juzgado de policía local no requerirán de patrocinio de abogado habilitado. Las partes o interesados podrán comparecer personalmente, sin intervención de letrado. Tratándose del procedimiento contemplado en el párrafo 4° del presente Título, las partes deberán comparecer representadas por abogado habilitado, sin perjuicio de la comparecencia de los consumidores interesados en las instancias que correspondan, en cuyo caso podrán comparecer personalmente. En caso de que el consumidor no cuente con los medios para costear su defensa, será asistido por la Corporación de Asistencia Judicial correspondiente. Asimismo, podrá ser asistido por cualquier institución pública o privada, entre ellas, las asociaciones de consumidores que desarrollen programas de asistencia judicial gratuita.

Las partes podrán realizar todas las gestiones destinadas a acreditar la infracción y a probar su derecho, pudiendo valerse de cualquier medio de prueba admisible en derecho.

Para los efectos previstos en esta ley, se presume que representa al proveedor la persona que ejerce habitualmente funciones de dirección o administración por cuenta o representación del proveedor a que se refiere el artículo 50 D.

La prueba se apreciará siempre conforme a las reglas de la sana crítica.

Conc.:
– L. 19.496 *Ejercicio judicial*: 50-50B, 50D-50I; *Derecho a comparecer personalmente*: 53, 54 B, 54 Q, 56 E; *Interés colectivo o difuso*: 2 bis, 8, 24 A, 50, 50B, 50D-50G, 51, 53A-53C, 54, 54 A, 54 D, 54 E.

Introducido: L. 19.955 *Disposición remplazada*: L. 21.081

Art. 50 D. En aquellos casos en los que en virtud de esta ley se interponga demanda en contra de una persona jurídica, su notificación se efectuará al representante legal de ésta o bien al jefe del local donde se compró el producto o se prestó el servicio. Será obligación de todos los proveedores exhibir en un lugar visible del local la individualización completa de quien cumpla la función de jefe del local, indicándose al menos el nombre completo y su domicilio.

Conc.:
– L. 19.496 *Ejercicio judicial*: 50-50C, 50E-50I, *Interés colectivo o difuso*: 2 bis, 8, 24 A, 50, 50B-50C, 50E-50G, 51, 53A-53C, 54, 54 A, 54 D, 54 E.

Introducido: L. 19.955 *Modif*: L. 21.081

Art. 50 E. En aquellos casos en los que, en virtud de esta ley, se interponga ante tribunales una denuncia o demanda que carezca de fundamento plausible, el juez, en la sentencia y a petición de parte, podrá declararla como temeraria. Realizada tal declaración, los responsables serán sancionados en la forma que señala el artículo 24 de esta ley, salvo que se trate de acciones iniciadas de conformidad a lo señalado en el Nº 1 del artículo 51. En este último caso, la multa podrá ascender hasta 200 unidades tributarias mensuales, pudiendo el juez, además, sancionar al abogado, conforme a las facultades disciplinarias contenidas en los artículos 530 y siguientes del Código Orgánico de Tribunales.

Lo dispuesto en el inciso anterior se entenderá sin perjuicio de las responsabilidades penal y civil solidaria de los autores por los daños que hubieren producido.

Conc.:
– L. 19.496 *Ejercicio judicial*: 50-50D, 50I; *Infracción*: 24, 51 Nº1; *Interés colectivo o difuso*: 2 bis, 8, 24 A, 50, 50B-50D, 50F-50G, 51, 53A-53C, 54, 54 A, 54 D, 54 E; *Perjuicios*: 2 bis, 3 e), 50, 50 H, 51.
– Código Orgánico de Tribunales *Facultades disciplinarias*: 530 y ss.

Introducido: L. 19.955 *Modif*: L. 21.081

Art. 50 F. Si durante un procedimiento el juez que conoce del mismo tomare conocimiento de la existencia de bienes susceptibles de causar daño, ordenará su custodia en dependencias del Servicio Nacional del Consumidor, del tribunal, o en algún otro lugar que señale al efecto, si lo estimare necesario. En caso de que ello no fuere factible, atendida la naturaleza y características de los bienes, el juez ordenará las pericias que permitan acreditar el estado, la calidad y la aptitud de causar daño y dispondrá las medidas que fueren necesarias para la seguridad de las personas o de los bienes.

Tratándose de servicios susceptibles de causar grave daño, el juez podrá ordenar la suspensión de su prestación a los consumidores.

> *Conc.*:
> – L. 19.496 5 *Ejercicio judicial*: 0-50E, 50G, 50I; *Interés colectivo o difuso*: 2 bis, 8, 24A, 50, 50B-50E, 50G, 51, 53A-53C, 54, 54 A, 54 D, 54 E.
>
> *Introducido*: L. 19.955 *Disposición remplazada*: L. 21.081

Art. 50 G. Las causas cuya cuantía, de acuerdo al monto de lo pedido, no exceda de diez unidades tributarias mensuales, se tramitarán conforme a las normas de este Párrafo, como procedimiento de única instancia, por lo que todas las resoluciones que se dicten en él serán inapelables.

En las causas que se sustancien de acuerdo a este procedimiento de única instancia, la multa impuesta por el juez no podrá superar el monto de lo otorgado por la sentencia definitiva.

> *Conc.*:
> – L. 19.496 *Ejercicio judicial*: 50-50I; *Interés colectivo o difuso*: 2 bis, 8, 24 A, 50, 50B-50F, 51, 53A-53C, 54, 54 A, 54 D, 54 E.
>
> *Introducido*: L. 19.955

§ 2° Del Procedimiento ante los Juzgados de Policía Local
> § *Introducido*: L. 21.081

Art. 50 H. El conocimiento de la acción ejercida a título individual para obtener la debida indemnización de los perjuicios que tuvieren lugar por infracción a esta ley corresponderá a los juzgados de policía local, siendo competente aquel que corresponda al domicilio del consumidor o del proveedor, a elección del primero, sin que sea admisible la prórroga de competencia por la vía contractual.

El procedimiento se iniciará por demanda del consumidor, la que deberá presentarse por escrito.

En los casos en que no resulte posible practicar la primera notificación personalmente, por no ser habida la persona a quien se debe notificar, y siempre que el ministro de fe encargado de la diligencia deje constancia de cuál es su habitación o el lugar donde habitualmente ejerce su industria, profesión o empleo y éste se encuentre en el lugar del juicio, se procederá a su notificación en el mismo acto y sin necesidad de nueva orden del tribunal, en la forma señalada en los incisos segundo y tercero del artículo 44 del Código de Procedimiento Civil. El ministro de fe dará aviso de esta notificación a ambas partes el mismo día en que se efectúe o a más tardar el día hábil siguiente, dirigiéndoles carta certificada. La omisión en el envío de la carta no invalidará la notificación, pero hará responsable al infractor de los daños y perjuicios que se originen y el tribunal, previa audiencia del afectado, deberá imponerle alguna de las medidas que se señalan en los números 2), 3) y 4) del inciso tercero del artículo 532 del Código Orgánico de Tribunales.

En este procedimiento no será admisible la reconvención del proveedor demandado. Las excepciones que se hayan opuesto se tramitarán conjuntamente y se fallarán en la sentencia definitiva. En su comparecencia, las partes podrán realizar todas las gestiones procesales destinadas a acreditar la infracción y probar su derecho, incluidas la presentación y el examen de testigos, cuya lista podrá presentarse hasta el inicio de la audiencia de contestación, conciliación y prueba.

En el aludido comparendo, el tribunal podrá distribuir la carga de la prueba conforme a la disponibilidad y facilidad probatoria que posea cada una de las partes en el litigio, lo que comunicará a ellas para que asuman las consecuencias que les pueda generar la ausencia o insuficiencia de material probatorio que hayan debido aportar o el no rendir la prueba correspondiente de que dispongan en su poder. Para efectos de rendir la prueba ordenada conforme a este inciso, el juez citará a una nueva audiencia con ese único fin, la que deberá ser citada a la brevedad posible.

Los incidentes deberán promoverse y tramitarse en la misma audiencia, conjuntamente con la cuestión principal y sin paralizar su curso, cualquiera sea la naturaleza de la cuestión que en ellos se plantee. El tribunal deberá dictar sentencia definitiva dentro de los treinta días siguientes a la última audiencia, a menos que exista un plazo pendiente para realizar diligencias.

Las causas cuya cuantía no exceda de veinticinco unidades tributarias mensuales se tramitarán como procedimiento de única instancia, por lo que todas las resoluciones que se dicten en él serán inapelables. La cuantía se determinará de acuerdo al monto de lo denunciado o demandado por el consumidor, sin considerar para estos efectos el monto de la multa aplicable. Las causas que versen sobre materias que no tienen una determinada apreciación pecuniaria se considerarán para estos efectos de cuantía superior a veinticinco unidades tributarias mensuales.

> *Conc.:*
> – L. 19.496 *Ejercicio judicial*: 50-50G, 50I; *Perjuicios*: 2 bis, 3 e), 50, 50 E, 51.
> – CPC 44.
> – Código orgánico de Tribunales *Medidas aplicables*: 532.
>
> *Introducido*: L. 21.081

Art. 50 I. El mismo procedimiento señalado en el artículo precedente se aplicará en caso de que el consumidor escoja perseguir la responsabilidad contravencional del proveedor ante el juzgado de policía local competente, de conformidad a lo dispuesto en el inciso primero del artículo 50 A.

> *Conc.:*
> – L. 19.496 *Ejercicio judicial*: 50-50H; *Competencia Juez Policía Local*: 50H; *Perjuicios*: 3 e), 23, 26, 50 H.
>
> *Introducido*: L. 21.081

§ 3º Del Procedimiento Especial para la Protección del Interés Colectivo o Difuso de los Consumidores

> *Conc.:*
> – Resolución 932 EXENTA de 2019 *(interés general de los consumidores)*.
> – Resolución 71 EXENTA de 2021 *(buenas prácticas, interés colectivo o difuso)*.

§ *Modif*: L. 21.081

Art. 51. El procedimiento señalado en este párrafo se aplicará cuando se vea afectado el interés colectivo o difuso de los consumidores. En este procedimiento especial la prueba se apreciará de acuerdo a las reglas de la sana crítica y se ajustará a las siguientes normas:

1.- Se iniciará por demanda presentada por:

a) El Servicio Nacional del Consumidor;

b) Una Asociación de Consumidores constituida, a lo menos, con seis meses de anterioridad a la presentación de la acción, y que cuente con la debida autorización de su directorio para hacerlo, o

c) Un grupo de consumidores afectados en un mismo interés, en número no inferior a 50 personas, debidamente individualizados.

El tribunal ordenará la notificación al demandado y, para los efectos de lo señalado en el N° 9, al Servicio Nacional del Consumidor, cuando éste no hubiera iniciado el procedimiento.

2.- Sin perjuicio de los requisitos generales de la demanda, en lo que respecta a las peticiones relativas a perjuicios, bastará señalar el daño sufrido y solicitar la indemnización que el juez determine, conforme al mérito del proceso, la que deberá ser la misma para todos los consumidores que se encuentren en igual situación. Con este fin, el juez procederá de acuerdo a lo dispuesto en el artículo 53 A. No habrá lugar a la reserva prevista en el inciso segundo del artículo 173 del Código de Procedimiento Civil.

Las indemnizaciones que se determinen en este procedimiento podrán extenderse al daño moral siempre que se haya afectado la integridad física o síquica o la dignidad de los consumidores. Si los hechos invocados han provocado dicha afectación, será un hecho sustancial, pertinente y controvertido en la resolución que reciba la causa a prueba.

Con el objeto de facilitar el acceso a la indemnización por daño moral en este procedimiento, el Servicio pondrá a disposición de los consumidores potencialmente afectados un sistema de registro rápido y expedito, que les permita acogerse al mecanismo de determinación de los mínimos comunes reglamentados en los párrafos siguientes. Lo anterior, sin perjuicio del ejercicio del derecho consagrado en el párrafo 4°.

En la determinación del daño moral sufrido por los consumidores, el juez podrá establecer un monto mínimo común, para lo cual, de oficio o a petición de parte, podrá ordenar un peritaje, sin perjuicio de poder considerarse otros medios de prueba. Dicho peritaje será de cargo del infractor en caso de haberse establecido su responsabilidad. De no ser así, se estará a lo dispuesto en los incisos segundo y tercero del artículo 411 del Código de Procedimiento Civil.

En caso de que se estableciere un monto mínimo común, aquellos consumidores que consideren que su afectación supera dicho monto mínimo podrán perseguir la diferencia en un juicio posterior que tendrá como único objeto dicha determinación, sin que pueda discutirse en él la procedencia de la indemnización.

Este procedimiento se llevará a cabo ante el mismo tribunal que conoció de la causa principal, de acuerdo a las normas del procedimiento sumario, en el que no será procedente la reconvención; o ante el juzgado de policía local competente de acuerdo a las reglas generales, a elección del consumidor.

El proveedor podrá efectuar una propuesta de indemnización o reparación del daño moral, la que, de conformidad a los párrafos anteriores, considerará un monto mínimo común para todos los consumidores afectados.

Dicha propuesta podrá diferenciar por grupos o subgrupos de consumidores, en su caso, y podrá realizarse durante todo el juicio.

3.- Iniciado el juicio señalado, cualquier legitimado activo podrá hacerse parte en el mismo. Asimismo, podrá comparecer cualquier consumidor que se considere afectado para el solo efecto de hacer reserva de sus derechos.

4.- Cuando se trate del Servicio Nacional del Consumidor o de una Asociación de Consumidores la parte demandante no requerirá acreditar la representación de consumidores determinados del colectivo en cuyo interés actúa.

5.- El demandante que sea parte en un procedimiento de los regulados en el presente Párrafo, no podrá, mientras el procedimiento se encuentra pendiente, deducir demandas de interés individual fundadas en los mismos hechos.

6.- La presentación de la demanda producirá el efecto de interrumpir la prescripción de las acciones indemnizatorias que correspondan a los consumidores afectados. Respecto de las personas que reservaren sus derechos conforme al artículo 54 C el cómputo del nuevo plazo de prescripción se contará desde que la sentencia se encuentre firme y ejecutoriada.

7.- En el caso que el juez estime que las actuaciones de los abogados entorpecen la marcha regular del juicio, solicitará a los legitimados activos que son parte en él que nombren un procurador común de entre sus respectivos abogados, dentro del plazo de diez días. En subsidio, éste será nombrado por el juez de entre los mismos abogados.

Las facultades y actuaciones del procurador común, así como los derechos de las partes representadas por él y las correspondientes al tribunal, se regirán por lo dispuesto en el Título II del Libro I del Código de Procedimiento Civil. Con todo, la resolución que al efecto dicte el tribunal conforme al artículo 12 del Código de Procedimiento Civil, se notificará por avisos, en la forma que determine el tribunal. Estos avisos serán redactados por el secretario.

No obstante lo anterior, el juez podrá disponer una forma distinta de notificación en aquellos casos en que el número de afectados permita asegurar el conocimiento de todos y cada uno de ellos por otro medio.

El juez regulará prudencialmente los honorarios del procurador común, previa propuesta de éste, considerando las facultades económicas de los demandantes y la cuantía del juicio.

Para los efectos de lo establecido en el inciso anterior, el juez fijará los honorarios en la sentencia definitiva o bien una vez definidos los miembros del grupo o subgrupo.

El juez, de oficio o a petición de parte y por resolución fundada, podrá revocar el mandato judicial, cuando la representación del interés colectivo o difuso no sea la adecuada para proteger eficazmente los intereses de los consumidores o cuando exista otro motivo que justifique la revocación.

8.- Todas las apelaciones que se concedan en este procedimiento se agregarán como extraordinarias a la tabla del día siguiente al ingreso de los autos a la respectiva Corte de Apelaciones, con excepción de lo señalado en el artículo 53 C, caso en el que la causa se incluirá en la tabla de la semana subsiguiente a la de su ingreso a la Corte.

9.- Las acciones cuya admisibilidad se encuentre pendiente, se acumularán de acuerdo a las reglas generales. Para estos efectos, el Servicio Nacional del Consumidor oficiará al juez el hecho de encontrarse pendiente la declaración de admisibilidad de otra demanda por los mismos hechos.

10.- De conformidad con lo dispuesto en el Título V del Libro II del Código de Procedimiento Civil, en casos calificados y sólo una vez admitida a tramitación la demanda, el juez podrá ordenar como medida precautoria que el proveedor cese provisionalmente en el cobro de cargos cuya procedencia esté siendo controvertida en juicio. Para tal efecto, el demandante deberá acompañar antecedentes que constituyan a lo menos presunción grave del derecho que se reclama.

No obstante lo dispuesto en el artículo 30 del decreto con fuerza de ley N° 1, de 2004, del Ministerio de Economía, Fomento y Reconstrucción, que fija el texto refundido, coordinado y sistematizado del decreto ley Nº 211, de 1973, y sin perjuicio de las acciones individuales que procedan, la acción de indemnización de perjuicios que se ejerza ante el Tribunal de Defensa de la Libre Competencia, con ocasión de infracciones a dicho cuerpo normativo, declaradas por una sentencia definitiva ejecutoriada, podrá tramitarse por el procedimiento establecido en este Párrafo cuando se vea afectado el interés colectivo o difuso de los consumidores. Las resoluciones que dicho tribunal dicte en este procedimiento, salvo la sentencia definitiva, sólo serán susceptibles del recurso de reposición, al que podrá darse tramitación incidental o ser resuelto de plano. Sólo serán susceptibles de recurso de reclamación en este caso, para ante la Corte Suprema, la sentencia definitiva y aquellas resoluciones que pongan término al procedimiento o hagan imposible su continuación.

Para interponer la acción a que se refiere el inciso anterior, no será necesario que los legitimados activos señalados en el numeral 1 de este artículo se hayan hecho parte en el procedimiento que dio lugar a la sentencia condenatoria.

Los consumidores afectados en cualquier caso podrán declarar como testigos sin que les sea aplicable la causal de inhabilidad establecida en el numeral 6° del artículo 358 del Código de Procedimiento Civil.

Los proveedores demandados estarán obligados a entregar al tribunal todos los instrumentos que éste ordene, de oficio o a petición de parte, siempre que tales instrumentos obren o deban obrar en su poder y que tengan relación directa con la cuestión debatida. En caso de que el proveedor se negare a entregar tales instrumentos y el tribunal estimare infundada la negativa por haberse aportado pruebas acerca de su existencia o por ser injustificadas las razones dadas, el juez podrá tener por probado lo alegado por la parte contraria respecto del contenido de tales instrumentos.

> *Conc.*:
> – L. 19.496 *Asociaciones de consumidor*: 5-11 ter, 54 A, 54 H, 54 I, 54 N, 56 C, 59, art. 3 disposiciones transitorias; *Cargos y comisiones*: 15 A, 16, 17 A, 17 B, 17 D, 17 G, 17 H, 37, 40, 56 A; *Competencia Juez Policía Local*: 50H; *Interés colectivo o difuso*: 2 bis, 8, 24A, 50, 50B-50 G, 53A-53C, 54, 54 A, 54 D, 54 E; *Perjuicios*: 2bis, 3 e), 50, 50 E, 50 H,54C, 54E, 54 F.
> – CPC *v.gr.* Comparecencia en juicio: 4-16; *Inaplicabilidad causal de inhabilidad*: 358; *Inaplicabilidad reserva perjuicios*: 173 Medidas precautorias: 290-302; *Peritaje*: 411.
> – DFL 1 de 2004 *Acción de daños y perjuicios*: 30.
>
> *Modif.*: L. 20.543. L. 20.945. L. 21.081.

Art. 52. El tribunal examinará la demanda, la declarará admisible y le dará tramitación, una vez que verifique la concurrencia de los siguientes elementos:

a) Que la demanda ha sido deducida por uno de los legitimados activos individualizados en el artículo 51.

b) Que la demanda cumpla con los requisitos establecidos en el artículo 254 del Código de Procedimiento Civil, los que sólo se verificarán por el juez, sin que pueda discutirse en esta etapa.

La resolución que declare admisible la demanda conferirá traslado al demandado, para que la conteste dentro de diez días fatales contados desde su notificación.

En contra de la resolución que declare admisible la demanda no procederá el recurso de casación, procediendo el recurso de reposición y el de apelación en el solo efecto devolutivo, los que deberán interponerse dentro de diez días fatales contados desde la notificación de la demanda. La apelación sólo podrá interponerse con el carácter de subsidiaria de la solicitud de reposición y para el caso que ésta no sea acogida. El recurso de reposición interrumpe el plazo para contestar la demanda.

Del recurso de reposición se concederá traslado por tres días fatales a la demandante, transcurridos los cuales el tribunal deberá resolver si acoge o rechaza la reposición. Notificada por el estado diario la resolución que rechaza la reposición, el demandado deberá contestar la demanda en el plazo de diez días fatales.

En contra de la resolución que acoja la reposición de aquella que declaró admisible la demanda, procederá el recurso de apelación en ambos efectos, el que deberá ser interpuesto dentro de 5 días fatales contados desde la resolución respectiva.

La resolución que conceda la apelación en el solo efecto devolutivo deberá determinar las piezas del expediente que, además de la resolución apelada, deban fotocopiarse para enviarlas al tribunal superior para resolver el recurso. El apelante, dentro de los cinco días siguientes a la fecha de notificación de esta resolución, deberá depositar en la secretaría del tribunal la suma que el secretario estime necesaria para cubrir el valor de las fotocopias. El secretario deberá dejar constancia de esta circunstancia en el proceso, señalando la fecha y el monto del depósito. Si el apelante no da cumplimiento a esta obligación, se le tendrá por desistido del recurso, sin más trámite.

Respecto de la resolución que declara inadmisible la demanda procederá el recurso de reposición y, subsidiariamente, el de apelación en ambos efectos, los que se deducirán en el plazo indicado en el inciso tercero, contado desde la notificación por el estado diario de la resolución respectiva.

En el evento que se declare inadmisible la demanda colectiva, la acción respectiva sólo podrá deducirse individualmente ante el juzgado competente, de conformidad con lo señalado en la letra c) del artículo 2º bis. Lo anterior es sin perjuicio del derecho de todo legitimado activo de iniciar una nueva demanda colectiva, fundada en nuevos antecedentes.

Contestada la demanda o en rebeldía del demandado, el juez citará a las partes a una audiencia de conciliación, para dentro de quinto día. A esta audiencia las partes deberán comparecer representadas por apoderado con poder suficiente y deberán presentar bases concretas de arreglo. El juez obrará como amigable componedor y tratará de obtener una conciliación total o parcial en el litigio. Las opiniones que emita no lo inhabilitan para seguir conociendo de la causa. La audiencia se llevará a cabo con las partes que asistan.

Si los interesados lo piden, la audiencia se suspenderá para facilitar la deliberación de las partes. Si el tribunal lo estima necesario postergará la audiencia para dentro de tercero día, se dejará constancia de ello y a la nueva audiencia las partes concurrirán sin necesidad de nueva notificación.

De la conciliación total o parcial se levantará un acta que consignará sólo las especificaciones del arreglo, la cual subscribirán el juez, las partes que lo deseen y el secretario, y tendrá el valor de sentencia ejecutoriada para todos los efectos legales, en especial para los establecidos en el artículo 54.

Si se rechaza la conciliación o no se efectúa la audiencia, y si el tribunal estima que hay hechos sustanciales, pertinentes y controvertidos, recibirá la causa a prueba por el lapso de veinte días. Sólo podrán fijarse como puntos de prueba los hechos sustanciales controvertidos en los escritos anteriores a la resolución que ordena recibirla. En caso contrario, se citará a las partes a oír sentencia.

En todo caso, si el demandado ha solicitado en su contestación que la demanda sea declarada temeraria por carecer de fundamento plausible o por haberse deducido de mala fe, para que se apliquen al demandante las sanciones previstas en el artículo 50 E, el juez deberá incluir este punto como hecho sustancial y controvertido en la resolución que recibe la causa a prueba.

> *Conc.*:
> – L. 19.496 *Acción individual*: 2 bis; *Competencia Juez Policía Local*: 50 H; *Conciliación con valor sentencia ejecutoriada*: 54; *Demanda temeraria*: 50 E; *Legitimados activos*: 51.
> – CPC *Contenido presentación demanda*: 254.
>
> *Modif*: L. 20.543. L. 21.081

Art. 53. En la misma resolución en que se rechace la reposición interpuesta contra la resolución que declaró admisible la demanda y se ordene contestar o se tenga por contestada la misma, cuando dicho recurso no se haya interpuesto, el juez ordenará al demandante que, dentro de décimo día, informe a los consumidores que puedan considerarse afectados por la conducta del proveedor demandado, mediante la publicación de un aviso en un medio de comunicación nacional, regional o local, escrito, electrónico o de otro tipo, que asegure su adecuada difusión y en el sitio Web del Servicio Nacional del Consumidor, para que comparezcan a hacerse parte o hagan reserva de sus derechos. El aviso en el sitio Web del Servicio Nacional del Consumidor se deberá mantener publicado hasta el último día del plazo señalado en el inciso cuarto de este artículo.

Corresponderá al secretario del tribunal fijar el contenido del aviso, el que contendrá, a lo menos, las siguientes menciones:

El tribunal de primera instancia que declaró admisible la demanda;

b) La fecha de la resolución que declaró admisible la demanda;

c) El nombre, rol único tributario o cédula nacional de identidad, profesión u oficio y domicilio del representante del o de los legitimados activos;

d) El nombre o razón social, rol único tributario o cédula nacional de identidad, profesión, oficio o giro y domicilio del proveedor demandado;

e) Una breve exposición de los hechos y peticiones concretas sometidas a consideración del tribunal;

f) El llamado a los afectados por los mismos hechos para hacerse parte o para que hagan reserva de sus derechos, expresando que los resultados del juicio empecerán también a aquellos afectados que no se hicieran parte en él, y

g) La información de que el plazo para comparecer es de veinte días hábiles a contar de la fecha de la publicación.

Desde la publicación del aviso a que se refiere el inciso segundo, ninguna persona podrá iniciar otro juicio en contra del demandado fundado en los mismos hechos, sin perjuicio de lo señalado en el inciso siguiente y de lo dispuesto en el artículo 54 C respecto de la reserva de derechos.

El plazo para hacer uso de los derechos que confiere el inciso primero de este artículo será de veinte días hábiles contados desde la publicación del aviso en el medio de circulación nacional, y el efecto de la reserva de derechos será la inoponibilidad de los resultados del juicio.

Aquellos juicios que se encuentren pendientes contra el mismo proveedor al momento de publicarse el aviso y que se funden en los mismos hechos, deberán acumularse de conformidad a lo previsto en el Código de Procedimiento Civil, con las siguientes reglas especiales:

1) Se acumularán al juicio colectivo los juicios individuales. Si una o más de las partes hubiere comparecido personalmente al juicio individual, deberá designar abogado patrocinante una vez producida la acumulación, y

2) No procederá acumular al colectivo el juicio individual en que se haya citado a las partes para oír sentencia.

Conc.:
– L. 19.496 *Derecho a comparecer personalmente*: 50 C, 54 B, 54 Q, 56 E; *Información contenido resolución o sentencia*: 54 54 A; *Efecto relativo sentencia*: 54.

CPC *Acumulación*: 92 y ss.
Modif: L. 20.543. L. 21.081

Art. 53 A. Durante el juicio y hasta la dictación de la sentencia definitiva inclusive, el juez podrá ordenar, de acuerdo a las características que les sean comunes, la formación de grupos y, si se justificare, de subgrupos, para los efectos de lo señalado en las letras c) y d) del artículo 53 C. El juez podrá ordenar también la formación de tantos subgrupos como estime conveniente.

Conc.:
– L. 19.496 *Interés colectivo o difuso*: 2 bis, 8, 24A, 50, 50B-50 G, 51, 53B-53C, 54, 54 A, 54 D, 54 E.

Introducido: L. 19.955.

Art. 53 B. El juez podrá llamar a conciliación cuantas veces estime necesario durante el proceso.

Por su parte, el demandado podrá realizar ofertas de avenimiento, las que deberán ser públicas.

Estas ofertas deberán entregar, a lo menos, antecedentes suficientes sobre el hecho que las motiva, el monto global del daño causado a los consumidores y las bases objetivas utilizadas para su determinación, la individualización de los grupos o subgrupos de consumidores afectados, los montos de las indemnizaciones y devoluciones, y la forma como se harán efectivas las indemnizaciones, devoluciones y reparaciones. Asimismo, deberá indicar cómo acreditará el cálculo íntegro del monto global del daño causado a los grupos y subgrupos de consumidores así como la ejecución de las indemnizaciones, devoluciones y reparaciones equivalentes a dicho monto global.

Todo avenimiento, conciliación o transacción deberá Art. ser sometido a la aprobación del juez. Para aprobarlo, el juez deberá verificar su conformidad con las normas de protección de los derechos de los consumidores. La aprobación se entenderá sin perjuicio de la eventual aplicación de multas en caso de infracciones de la presente ley. Con todo, el tribunal deberá considerar la reparación del daño causado por parte del proveedor para rebajar el monto de la multa hasta en el 50%.

En caso del desistimiento del legitimado activo, el tribunal dará traslado al Servicio Nacional del Consumidor, quien podrá hacerse parte del juicio dentro de quinto día. Esta resolución se notificará de conformidad al artículo 48 del Código de Procedimiento Civil. Igual procedimiento se hará en caso que el legitimado activo pierda la calidad de tal.

Los avenimientos, conciliaciones o transacciones que contemplen la entrega a los consumidores de sumas de dinero deberán establecer un conjunto mínimo de acciones destinadas a informar a quienes resulten alcanzados por el respectivo acuerdo las acreencias que tienen a su favor, facilitar su cobro y, en definitiva, conseguir la entrega efectiva del monto correspondiente a cada consumidor. Asimismo, estos acuerdos deberán designar a un tercero independiente mandatado para ejecutar, a costa del proveedor, las diligencias previamente señaladas, salvo que otros medios resulten preferibles, en el caso concreto, para lograr la transferencia efectiva del dinero que a cada consumidor corresponde. Para el cumplimiento de dicho mandato, el proveedor deberá transferir la totalidad de los fondos al tercero encargado de su entrega a los consumidores. Estos acuerdos deberán establecer, a su vez, un plazo durante el cual las diligencias referidas en este inciso deberán ejecutarse. Transcurridos dos años desde que se cumpla dicho plazo, los remanentes que no hayan sido transferidos ni reclamados por los consumidores caducarán y se extinguirán a su respecto los derechos de los respectivos titulares, debiendo el proveedor, o el tercero a cargo de la entrega, enterar las cantidades correspondientes al fondo establecido en el artículo 11 bis.

Conc.:
– L. 19.496 *Interés colectivo o difuso*: 2 bis, 8, 24A, 50, 50B-50 G, 51, 53 A, 53C, 54, 54 A, 54 D, 54 E; *Fondo concursable*: 8, 11 bis, 11 ter, 53 C, 54 P.
– CPC *Notificación de resolución*: 48.
– Resolución 759 EXENTA de 2020 *(mecanismos alternativos de indemnizaciones)*.

Introducido: L. 19.955. *Modif*: L. 21.081.

Art. 53 C. En la sentencia que acoja la demanda, el juez, además de lo dispuesto en el artículo 170 del Código de Procedimiento Civil, deberá:

a) Declarar la forma en que tales hechos han afectado el interés colectivo o difuso de los consumidores.

b) Declarar la responsabilidad del o los proveedores demandados en los hechos denunciados y la aplicación de la multa o sanción que fuere procedente. La suma de las multas que se apliquen por cada consumidor afectado tomará en consideración en su cálculo los elementos descritos en el artículo 24 A y especialmente el daño potencialmente causado a todos los consumidores afectados por la misma situación.

c) Declarar la procedencia de las correspondientes indemnizaciones o reparaciones y el monto de la indemnización o la reparación a favor del grupo o de cada uno de los subgrupos, cuando corresponda. En aquellos casos en que concurran las circunstancias a que se refiere el inciso quinto del artículo 24, el tribunal podrá aumentar en el 25% el monto de la indemnización correspondiente.

d) Disponer la devolución de lo pagado en exceso y la forma en que se hará efectiva, en caso de tratarse de procedimientos iniciados en virtud de un cobro indebido de determinadas sumas de dinero. En el caso de productos defectuosos, se dispondrá la restitución del valor de aquéllos al momento de efectuarse el pago.

e) Disponer la publicación de los avisos a que se refiere el inciso tercero del artículo 54, con cargo al o a los infractores.

En todo caso, el juez podrá ordenar que algunas o todas las indemnizaciones, reparaciones o devoluciones que procedan respecto de un grupo o subgrupo, se efectúen por el demandado sin necesidad de la comparecencia de los interesados establecida en el artículo 54 C, cuando el juez determine que el proveedor cuenta con la información necesaria para individualizarlos y proceder a ellas. En este último caso, la sentencia deberá establecer un conjunto mínimo de acciones destinadas a informar a quienes resulten alcanzados por el respectivo acuerdo las acreencias que tienen a su favor, facilitar su cobro y, en definitiva conseguir la entrega efectiva del monto correspondiente a cada consumidor, pudiendo imponer al proveedor la carga de mandatar a un tercero independiente para la ejecución de dichas acciones, a su costa y con la aprobación del tribunal. El proveedor deberá transferir la totalidad de los fondos al tercero encargado de su entrega a los consumidores. La sentencia deberá establecer, además, un plazo durante el cual las diligencias referidas en este inciso deberán ejecutarse. Transcurridos dos años desde que se cumpla dicho plazo, los remanentes que no hayan sido transferidos ni reclamados por los consumidores caducarán y se extinguirán a su respecto los derechos de los respectivos titulares, debiendo el proveedor, o el tercero a cargo de la entrega, enterar las cantidades correspondientes al fondo establecido en el artículo 11 bis. Contra la sentencia definitiva procederá el recurso de apelación, en ambos efectos.

Los recursos que se dedujeren en contra de la sentencia definitiva gozarán de preferencia para su vista y fallo.

> *Conc.:*
> – L. 19.496 *Interés colectivo o difuso*: 2 bis, 8, 24A, 50, 50B-50 G, 51, 53A-53B, 54, 54 A, 54 D, 54 E; *Fondo concursable*: 8, 11 bis, 11 ter, 53 B, 54 P; *Montos infracción*: 24 A.
> – CPC *Contenido sentencia*: 170.
> – Resolución 759 EXENTA de 2020 *(mecanismos alternativos de indemnizaciones)*.
>
> *Introducido*: L. 19.955 *Modif.*: L. 20.416. L. 21.081.

Art. 54. La sentencia ejecutoriada que declare la responsabilidad del o los demandados producirá efecto erga omnes, con excepción de aquellos procesos que no hayan podido acumularse conforme al número 2) del inciso final del artículo 53, y de los casos en que se efectúe la reserva de derechos que admite el mismo artículo.

La sentencia será dada a conocer para que todos aquellos que hayan sido perjudicados por los mismos hechos puedan reclamar el cobro de las indemnizaciones o el cumplimiento de las reparaciones que correspondan.

Ello se hará por avisos publicados, a lo menos en dos oportunidades distintas, en los diarios locales, regionales o nacionales que el juez determine, con un intervalo no inferior a tres ni superior a cinco días entre ellas.

No obstante lo anterior, el juez podrá disponer una forma distinta de dar a conocer la información referida en el inciso primero, en aquellos casos en que el número de afectados permita asegurar el conocimiento de todos y cada uno de ellos por otro medio.

Si se ha rechazado la demanda cualquier legitimado activo podrá interponer, dentro del plazo de prescripción de la acción, ante el mismo tribunal y valiéndose de nuevas circunstancias, una nueva acción, entendiéndose suspendida la prescripción a su favor por todo el plazo que duró el juicio colectivo. El tribunal declarará encontrarse frente a nuevas circunstancias junto con la declaración de admisibilidad de la acción dispuesta en el artículo 52.

Conc.:
– L. 19.496 *Interés colectivo o difuso*: 2 bis, 8, 24A, 50, 50B-50 G, 51, 53A-53C, 54 A, 54 D, 54 E; *Efecto relativo sentencia*: 53.2; *Información contenido resolución o sentencia*: 53, 54 A.

Modif.: L. 19.955.

Art. 54 A. Corresponderá al secretario del tribunal fijar el contenido de los avisos, procurando que su texto sea claro y comprensible para los interesados. Dichos avisos contendrán, a lo menos, las siguientes menciones:

a) El rol de la causa, el tribunal que la dictó, la fecha de la sentencia y el nombre, profesión u oficio y domicilio del o los infractores y de sus representantes. Se presumirá que conserva esa calidad y su domicilio la persona que compareció como tal en dicho proceso;

b) Los hechos que originaron la responsabilidad del o los infractores y la forma en que ellos afectaron los derechos de los consumidores;

c) La identificación del grupo, si está o no dividido en subgrupos y la forma y plazo en que los interesados deberán hacer efectivos sus derechos;

d) Las instituciones donde los afectados pueden obtener información y orientación, tales como el Servicio Nacional del Consumidor, las oficinas municipales de información al consumidor y las Asociaciones de Consumidores, entre otras.

Conc.:
– L. 19.496 *Asociaciones de consumidores:* 5-11 ter, 51, 54 H, 54 I, 54 N, 56 C, 59 art. 3 disposiciones transitorias; *Interés colectivo o difuso:* 2 bis, 8, 24A, 50, 50B-50 G, 51, 53A-53C, 54, 54 D, 54 E; *Información contenido resolución o sentencia:* 53, 54.

Introducido: L. 19.955.

Art. 54 B. Los interesados podrán comparecer al juicio ejerciendo sus derechos, con el patrocinio de abogado o personalmente.

Sin perjuicio de lo dispuesto en el inciso anterior, habiéndose designado procurador común, los interesados actuarán a través de él, de acuerdo a las reglas generales. En caso contrario, se procederá a designarlo para que represente a aquellos interesados que hubieran comparecido personalmente, una vez vencido el plazo de noventa días establecido en el artículo 54 C.

Conc.:
– L. 19.496 *Comparecencia en juicio:* 54C, 54D; *Derecho a comparecer personalmente:* 50 C, 53, 54 Q, 56 E.

Introducido: L. 19.955.

Art. 54 C. Los interesados deberán presentarse a ejercer sus derechos establecidos en la sentencia, ante el mismo tribunal en que se tramitó el juicio, dentro del plazo de noventa días corridos, contados desde el último aviso.

Dentro del mismo plazo, los interesados podrán hacer reserva de sus derechos para perseguir la responsabilidad civil, tanto por daño patrimonial como moral, derivada de la infracción en un juicio distinto, sin que sea posible discutir la existencia de la infracción ya declarada. Esta presentación se tramitará de acuerdo al procedimiento establecido en el párrafo 2° del presente Título IV. En este juicio, la sentencia dictada conforme al artículo 53 C producirá plena prueba respecto de la existencia de la infracción y del derecho del demandante a la indemnización de perjuicios, limitándose el nuevo juicio a la determinación del monto de éstos.

Quién ejerza sus derechos conforme al inciso primero de este artículo, no tendrá derecho a iniciar otra acción basada en los mismos hechos. Del mismo modo, quienes no efectúen la reserva de derechos a que se refiere el inciso anterior, no tendrán derecho a iniciar otra acción basada en los mismos hechos.

> *Conc.:*
> – L. 19.496 *Contenido sentencia*: 53 C; *Interés colectivo o difuso*: 54A-54B, 54D; *Perjuicios*: 3 e), 51, 54E, 54 F; *Procedimiento*: 50H-50I.
> *Introducido:* L. 19.955 *Modif:* L. 21.081.

Art. 54 D. La presentación que efectúe el interesado en el juicio, ejerciendo sus derechos conforme al inciso primero del artículo anterior, se limitará únicamente a hacer presente y acreditar su condición de miembro del grupo.

> *Conc.:*
> – L. 19.496 *Comparecencia en juicio*: 54B-54C; *Interés colectivo o difuso*: 2 bis, 8, 24A, 50, 50B-50 G, 51, 53A-53C, 54, 54 A, 54 E.
> *Introducido:* L. 19.955.

Art. 54 E. Vencido el plazo de noventa días establecido en el artículo 54 C, y designado el procurador común, si corresponde, se dará traslado al demandado de las presentaciones de todos los interesados, sólo para que dentro del plazo de diez días corridos controvierta la calidad de miembro del grupo de uno o más de ellos. La resolución que confiera el traslado se notificará por el estado diario. Este plazo podrá ampliarse, por una sola vez, a petición de parte y por resolución fundada, si el juez lo considera necesario.

Si el juez estima que existen hechos sustanciales, pertinentes y controvertidos, abrirá un término de prueba, que se regirá por las reglas de los incidentes.

Contra la resolución que falle el incidente procederá el recurso de reposición, con apelación en subsidio.

Una vez fallado el incidente promovido conforme a este artículo, quedará irrevocablemente fijado el monto global de las indemnizaciones o las reparaciones que deba satisfacer el demandado.

Conc.:
– L. 19.496 *Interés colectivo o difuso*: 2 bis, 8, 24A, 50, 50B-50 G, 51, 53A-53C, 54, 54 A, 54 D; *Perjuicios*: 3 e), 51, 54C, 54F.

Introducido: L. 19.955.

Art. 54 F. El demandado deberá efectuar las reparaciones o consignar íntegramente en la cuenta corriente del tribunal el monto de las indemnizaciones, dentro de un plazo de treinta días corridos, contado desde aquel en que se haya fallado el incidente promovido conforme al artículo 54 E.

Cuando el monto global de la indemnización pueda producir, a juicio del tribunal, un detrimento patrimonial significativo en el demandado, de manera tal que pudiera estimarse próximo a la insolvencia, el juez podrá establecer un programa mensual de pago de indemnizaciones completas para cada demandante, reajustadas, con interés corriente, según su fecha de pago.

No obstante, en el caso del inciso anterior, el juez podrá determinar una forma de cumplimiento alternativo del pago.

Para autorizar el pago de la indemnización en alguna de las formas señaladas en los incisos precedentes, el juez podrá, dependiendo de la situación económica del demandado, exigir una fianza u otra forma de caución.

Las resoluciones que dicte el juez en conformidad a este artículo no serán susceptibles de recurso alguno.

Conc.:
– L. 19.496 *Intereses*: 17 G, 17 H, 37, 38, 39.

Introducido: L. 19.955.

Art. 54 G. Si la sentencia no es cumplida por el demandado, la ejecución se efectuará, a través del procurador común, en un único procedimiento, por el monto global a que se refiere el inciso final del artículo 54 E, o por el saldo total insoluto. El pago que corresponda hacer en este procedimiento a cada consumidor se efectuará a prorrata de sus respectivos derechos declarados en la sentencia definitiva.

Conc.:
– L. 19.496 *Interés colectivo o difuso*: 54B-54F.

Introducido: L. 19.955.

§ 4° Del Procedimiento voluntario para la protección del interés colectivo o difuso de los Consumidores

Conc.:
– Resolución 932 EXENTA de 2019 *(interés general de los consumidores).*
– Resolución 71 EXENTA de 2021 *(buenas prácticas, interés colectivo o difuso).*

§ *Introducido*: L. 21.081.

Art. 54 H. El procedimiento a que se refiere este párrafo tiene por finalidad la obtención de una solución expedita, completa y transparente, en caso de conductas que puedan afectar el interés colectivo o difuso de los consumidores. Estará a cargo de una subdirección independiente y especializada dentro del Servicio, de conformidad a lo dispuesto en el inciso décimo del artículo 58. Los principios básicos que lo regulan son la indemnidad del consumidor, la economía procesal, la publicidad, la integridad y el debido proceso.

El procedimiento se iniciará por resolución del Servicio, la que será dictada de oficio, a solicitud del proveedor, o en virtud de una denuncia fundada de una asociación de consumidores, y será notificada al proveedor involucrado. Esta resolución indicará los antecedentes que fundamentan la posible afectación del interés colectivo o difuso de los consumidores y las normas potencialmente infringidas.

En la resolución que dé inicio al procedimiento, el Servicio informará al proveedor y a la asociación de consumidores, en su caso, acerca del carácter voluntario del procedimiento, los hechos que le dan origen y su finalidad.

El Servicio no podrá iniciar este procedimiento una vez que se hayan ejercido acciones colectivas respecto de los mismos hechos y mientras éstas se encuentren pendientes. Asimismo, una vez iniciado el procedimiento, ni el Servicio ni quienes se encuentren legitimados para ello de conformidad a esta ley podrán ejercer acciones para proteger el interés colectivo o difuso de los consumidores respecto de los mismos hechos mientras el procedimiento se encuentre en tramitación.

Se suspenderá el plazo de prescripción de las denuncias y acciones establecidas en la presente ley durante el tiempo que medie entre la notificación al proveedor de la resolución que da inicio al procedimiento, y la notificación de la resolución de término.

> *Conc.*:
> – L. 19.496 *Asociaciones de consumidores*: 5-11 ter, 51, 54 I, 56 C, 59, art. 3 disposiciones transitorias: *Prescripción*: 26.
> *Introducido*: L. 21.081.

Art. 54 I. La resolución que dé inicio al procedimiento, cuando haya sido dictada en virtud de una denuncia fundada de una asociación de consumidores, ordenará su participación, salvo manifestación en contrario de ésta en la misma denuncia.

> *Conc.*:
> – L. 19.496 *Asociaciones de consumidores*: 5-11 ter, 51, 54 A, 54 H, 54 N, 56 C, 59, art. 3 disposiciones transitorias.
> *Introducido*: L. 21.081.

Art. 54 J. El plazo máximo de duración del procedimiento será de tres meses, contado a partir del tercer día de la notificación al proveedor de la resolución que le da inicio. Este plazo podrá ser prorrogado por una sola vez, de oficio o a solicitud del proveedor, hasta por tres meses, por resolución fundada, en la que se justifique la prórroga por la existencia de una negociación avanzada o por la necesidad de mayor tiempo de revisión de antecedentes o para el análisis de las propuestas formuladas. Este plazo no podrá ser extendido cuando la necesidad de la prórroga se explique por un comportamiento negligente del proveedor involucrado en la negociación.

Si dentro del plazo original o prorrogado no hubiere acuerdo, se entenderá fracasado el procedimiento, circunstancia que será certificada por el Servicio en la resolución de término.

Conc.:
– L. 19.496 *Interés colectivo procedimiento voluntario*: 54H, 54I, 54K-54S.

Introducido: L. 21.081.

Art. 54 K. Notificada la resolución que dé inicio al procedimiento, el proveedor tendrá un plazo de cinco días para manifestar por escrito al Servicio su voluntad de participar en éste. Este plazo podrá prorrogarse por igual término, por una sola vez, si el proveedor lo solicita fundadamente antes de su vencimiento. Si al término del plazo original o prorrogado el proveedor no expresa su voluntad, el procedimiento se entenderá fallido y el Servicio certificará dicha circunstancia mediante la dictación de una resolución de término.

El proveedor en cualquier momento podrá expresar su voluntad de no perseverar en el procedimiento. Por su parte, el Servicio podrá no perseverar en el procedimiento en cualquier momento, fundando su decisión. Estas circunstancias serán certificadas por el Servicio en la resolución de término respectiva.

Conc.:
– L. 19.496 *Interés colectivo procedimiento voluntario*: 54H-54J, 54L-54S.

Introducido: L. 21.081.

Art. 54 L. La manifestación por la que el proveedor acepte someterse al procedimiento será informada en el sitio web del Servicio en el plazo de cinco días contado desde que ella hubiere tenido lugar. A través del mismo medio se informará el estado en que se encuentra el procedimiento y se publicará la solución ofrecida por el proveedor.

Conc.:
– L. 19.496 *Interés colectivo procedimiento voluntario*: 54H-54K, 54M-54S.

Introducido: L. 21.081.

Art. 54 M. Durante el procedimiento, el Servicio podrá solicitar los antecedentes que sean necesarios para el cumplimiento de los fines del primero, especialmente aquellos que se requieran para determinar el monto de las compensaciones que procedieren para los consumidores. La negativa en la entrega de los antecedentes antes mencionados por parte del proveedor no generará sanción, incluso si en virtud de dicha negativa se declarare fallido el procedimiento.

Una vez concluido el procedimiento, cada parte podrá requerir la devolución de todos los instrumentos que haya presentado.

Cuando el procedimiento hubiese concluido por falta de acuerdo entre las partes o por haber ejercido el Servicio su derecho a no perseverar en el proceso, éste no podrá presentar en juicio los instrumentos requeridos en virtud de este artículo y que hayan sido entregados por el proveedor en respuesta a dicha solicitud, a menos que haya tenido acceso a ellos por otro medio.

Conc.:
– L. 19.496 *Interés colectivo procedimiento voluntario:* 54H-54L, 54N-54S.

Introducido: L. 21.081.

Art. 54 N. Durante la tramitación del procedimiento, las asociaciones de consumidores que participen y los consumidores potencialmente afectados podrán formular las observaciones que estimen pertinentes. Asimismo, cualquiera de ellos podrá, de manera justificada, sugerir ajustes a la solución ofrecida por el proveedor, dentro de los cinco días posteriores a la publicación a que se refiere el artículo 54 L.

Conc.:
– L. 19.496 *Asociaciones de consumidores:* 5-11 ter, 51, 54 A, 54 H, 54 I, 56 C, 59 art. 3 disposiciones transitorias; *Interés colectivo procedimiento voluntario:* 54H-54M, 54Ñ-54S.

Introducido: L. 21.081.

Art. 54 Ñ. La comparecencia de los proveedores a las audiencias que se fijen deberá realizarse por un apoderado facultado expresamente para transigir. En el caso de que el apoderado del proveedor no contare con facultades suficientes, el Servicio citará a una nueva audiencia que deberá tener lugar dentro de quinto día. Si en dicha nueva audiencia no se subsanare la situación, el procedimiento se entenderá fallido y el Servicio certificará dicha circunstancia mediante la dictación de una resolución de término.

> *Conc.:*
> – L. 19.496 *Interés colectivo procedimiento voluntario*: 54H-54Ñ, 54O-54S.
>
> *Introducido*: L. 21.081.

Art. 54 O. A solicitud del proveedor, el Servicio decretará reserva de aquellos antecedentes que contengan fórmulas, estrategias o secretos comerciales, siempre que su revelación pueda afectar el desenvolvimiento competitivo de su titular. Los demás participantes del procedimiento no podrán acceder a estos antecedentes, sino a través de los documentos que contengan el análisis general que de ellos haga el Servicio, los que en ningún caso podrán comprometer la reserva decretada a su respecto.

Los funcionarios encargados de la tramitación deberán guardar reserva de aquellos antecedentes que hayan conocido con ocasión del procedimiento y hayan sido declarados reservados de acuerdo al inciso primero. Asimismo, este deber de reserva alcanza a los terceros que intervinieren a través de la emisión de informes.

El funcionario del Servicio que infringiere el deber de reserva, revelando en perjuicio del proveedor aquellos antecedentes, fórmulas, estrategias o secretos que haya conocido con ocasión del procedimiento y respecto de los cuales se haya decretado reserva, será sancionado con las penas indicadas en el artículo 247 del Código Penal, sin perjuicio de la responsabilidad administrativa que corresponda.

Si la infracción la cometieren aquellos terceros que han intervenido en el procedimiento mediante la emisión de informes, sufrirán la pena de reclusión menor en su grado mínimo y multa de una a cinco unidades tributarias mensuales.

> *Conc.:*
> – L. 19.496 *Interés colectivo procedimiento voluntario*: 54H-54Ñ, 54P-54S.
> – C.P. *Sanción penal infracción revelación secretos*:247.

Introducido: L. 21.081.

Art. 54 P. En caso de llegar a un acuerdo, el Servicio dictará una resolución que establecerá los términos de éste y las obligaciones que asume cada una de las partes.

La resolución señalada en el inciso anterior deberá contemplar, al menos, los siguientes aspectos:

1. El cese de la conducta que pudiere haber afectado el interés colectivo o difuso de los consumidores.

2. El cálculo de las devoluciones, compensaciones o indemnizaciones respectivas por cada uno de los consumidores afectados, cuando proceda.

3. Una solución que sea proporcional al daño causado, que alcance a todos los consumidores afectados y que esté basada en elementos objetivos.

4. La forma en la que se harán efectivos los términos del acuerdo y el procedimiento por el cual el proveedor efectuará las devoluciones, compensará o indemnizará a los consumidores afectados.

5. Los procedimientos a través de los cuales se cautelará el cumplimiento del acuerdo, a costa del proveedor.

La resolución podrá contemplar la presentación por parte del proveedor de un plan de cumplimiento, el que contendrá, como mínimo, la designación de un oficial de cumplimiento, la identificación de acciones o medidas correctivas o preventivas, los plazos para su implementación y un protocolo destinado a evitar los riesgos de incumplimiento.

La solución propuesta por el proveedor no implicará su reconocimiento de los hechos constitutivos de la eventual infracción.

Cuando el acuerdo contemple la entrega a los consumidores de sumas de dinero, se estará a lo dispuesto en el inciso final del artículo 53 B.

Conc.:
– L. 19.496 Fondo concursable: 8, 11 bis, 11 ter, 53 B, 53 C; *Interés colectivo procedimiento voluntario*: 54H-54O,54Q-54S.
– Resolución 813 EXENTA de 2020 *(planes de cumplimiento)*.

– Resolución 689 EXENTA de 2021 *(planes de cumplimiento)*.
– Resolución 759 EXENTA de 2020 *(mecanismos alternativos de indemnizaciones)*.

Introducido: L. 21.081.

Art. 54 Q. Para que el acuerdo contenido en la resolución dictada por el Servicio produzca efecto erga omnes, deberá ser aprobado por el juez de letras en lo civil correspondiente al domicilio del proveedor.

El tribunal sólo podrá rechazar el efecto erga omnes si el acuerdo no cumple con los aspectos mínimos establecidos en el inciso segundo del artículo precedente. El tribunal fallará de plano y sólo será procedente el recurso de reposición con apelación en subsidio en contra de la resolución que rechace el acuerdo.

Ejecutoriada la resolución judicial señalada en el inciso anterior y efectuada la publicación indicada en el inciso siguiente, el acuerdo surtirá los efectos de una transacción extrajudicial respecto de todos los consumidores potencialmente afectados, con excepción de aquellos que hayan hecho valer sus derechos ante los tribunales con anterioridad, hayan suscrito avenimientos o transacciones de carácter individual con el proveedor o hayan efectuado reserva de sus acciones de acuerdo al inciso penúltimo.

La copia autorizada de la resolución del Servicio en que conste el acuerdo tendrá mérito ejecutivo transcurridos treinta días desde la publicación del extracto de la resolución en el Diario Oficial y en un medio de circulación nacional, a costa del proveedor, así como en el sitio web institucional del Servicio, contándose el plazo desde la última publicación. Las publicaciones deberán efectuarse a más tardar dentro de décimo día desde la fecha de la resolución administrativa en la que conste el acuerdo o desde que quede ejecutoriada la resolución judicial que lo aprueba, según sea el caso.

En aquellos casos en que el acuerdo tenga efecto erga omnes, durante el plazo a que hace referencia el inciso anterior, los consumidores afectados que no estén conformes con la solución alcanzada, para no quedar sujetos a ésta, deberán efectuar reserva expresa de sus acciones individuales ante el tribunal que aprobó el acuerdo, lo que podrán realizar sin patrocinio de abogado, concurriendo personalmente al tribunal o ingresando a la Oficina Judicial Virtual del Poder Judicial o al sistema que lo reemplace.

El incumplimiento de los términos del acuerdo constituye una infracción de la presente ley.

> *Conc.*:
> – L. 19.496 *Derecho a comparecer personalmente*: 50 C, 53, 54 B, 56 E; *Interés colectivo procedimiento voluntario*: 54H-54P, 54R-54S.
>
> *Introducido*: L. 21.081.

Art. 54 R. La notificación de las resoluciones que este párrafo establece se efectuará por carta certificada, entendiéndose practicada al tercer día hábil siguiente del despacho de correos. Podrá también efectuarse por correo electrónico, para lo cual deberá enviarse a la dirección registrada ante el Servicio, y se entenderá practicada el día hábil siguiente a su despacho.

El procedimiento deberá constar en un expediente, escrito o electrónico, en el que se asentarán todos los documentos que lo conformen, con expresión de la fecha y hora de su recepción o envío, respetando su orden de ingreso o egreso respectivamente.

> *Conc.*:
> – L. 19.496 *Interés colectivo procedimiento voluntario*: 54H-54Q, 54S.
>
> *Introducido*: L. 21.081.

Art. 54 S. Un reglamento dictado por el Ministerio de Economía, Fomento y Turismo establecerá las normas que sean necesarias para la adecuada aplicación del procedimiento a que se refiere este párrafo.

> *Conc.*:
> – L. 19.496 *Interés colectivo procedimiento voluntario*: 54H-54R.
> – Resolución 432 EXENTA de 2019 (*en relación con el reglamento*).
>
> *Introducido*: L. 21.081.

TÍTULO V. DEL SELLO SERNAC, DEL SERVICIO DE ATENCIÓN AL CLIENTE Y DEL SISTEMA DE SOLUCIÓN DE CONTROVERSIAS

Título introducido: L. 20.555.

Art. 55. El Servicio Nacional del Consumidor deberá otorgar un sello SERNAC a los contratos de adhesión de bancos e instituciones financieras, establecimientos comerciales, compañías de seguros, cajas de compensación, cooperativas de ahorro y crédito y otros proveedores de servicios crediticios, de seguros y, en general, de cualquier producto financiero, cuando dichas entidades lo soliciten y demuestren cumplir con las siguientes condiciones:

1.- Que el Servicio Nacional del Consumidor constate que todos los contratos de adhesión que ofrezcan y que se señalan en el inciso siguiente se ajustan a esta ley y a las disposiciones reglamentarias expedidas conforme a ella;

2.- Que cuenten con un servicio de atención al cliente que atienda las consultas y reclamos de los consumidores, y

3.- Que permitan al consumidor recurrir a un mediador o a un árbitro financiero que resuelva las controversias, quejas o reclamaciones, en el caso de que considere que el servicio de atención al cliente no ha respondido satisfactoriamente sus consultas o reclamos por cualquier producto o servicio financiero del proveedor que se otorgue en virtud de un contrato de adhesión de los señalados en el inciso siguiente.

Los proveedores de productos y servicios financieros que deseen obtener el sello SERNAC deberán someter a la revisión del Servicio Nacional del Consumidor todos los contratos de adhesión que ofrezcan, relativos a los siguientes productos y servicios financieros:

1.- Tarjetas de crédito y de débito.

2.- Cuentas corrientes, cuentas vista y líneas de crédito.

3.- Cuentas de ahorro.

4.- Créditos hipotecarios.

5.- Créditos de consumo.

6.- Condiciones generales y condiciones particulares de los contratos colectivos de seguros de desgravamen, cesantía, incendio y sismo, asociados a los productos y servicios financieros indicados en los números anteriores, sea que se encuentren o no sujetos al régimen de depósito de modelos de pólizas, conforme a lo dispuesto en la letra e) del artículo 3° del decreto con fuerza de ley N° 251, de 1931, del Ministerio de Hacienda.

7.- Los demás productos y servicios financieros de características similares a los enumerados precedentemente que señale el reglamento.

> *Conc.*:
> – L. 19.496 *Árbitro financiero, mediador*: 3, 17 H, 56A-56H; *Contrato de adhesión en general*: 1.6, 16 letra g), 17, 55 A,55 B, 55 C, 55 D, 56, 62; *Crédito hipotecario*: 17 D, 62; *Tarjeta de crédito*: 17 I, 55.
> – DFL 251 de 1931 *Régimen de depósito modelos contratos*: 3 letra e).
> – Decreto 41 de 2012 (Reglamento Sello Sernac).
> – Decreto 44 de 2012 (Reglamento tarjetas de crédito).
> – Resolución 1173 EXENTA de 2012 (*Creación registro de árbitros*).
> – Resolución 1174 EXENTA de 2012 (*Creación registro de mediadores*).
> – Resolución 1054 EXENTA de 2019 (*Registro árbitros financieros*).
> – Resolución 1055 EXENTA de 2019 (*Registro mediadores financieros*).
>
> *Introducido*: L. 20.555.

Art. 55 A. El Servicio Nacional del Consumidor tendrá sesenta días para pronunciarse sobre una solicitud de otorgamiento de sello SERNAC, contados desde la fecha de recepción del o los contratos respectivos, en la forma que determine dicho Servicio mediante resolución exenta.

Excepcionalmente, y previa solicitud fundada del Servicio Nacional del Consumidor, el Ministro de Economía, Fomento y Turismo, mediante resolución exenta, podrá extender este plazo hasta por ciento ochenta días adicionales, si el número de contratos sometidos a su consideración excede la capacidad de revisión detallada del referido Servicio.

Si el Servicio Nacional del Consumidor no se pronuncia en el plazo indicado en el inciso primero o, en su caso, dentro del plazo extendido conforme al inciso anterior, el o los contratos sometidos a su conocimiento contarán con sello SERNAC por el solo ministerio de la ley.

> *Conc.*:
> – L. 19.496 *Contrato de adhesión en general*: 1.6, 16 letra g), 17, 55, 55 B, 55 C, 55 D, 56, 62.
> – Resolución 1173 EXENTA de 2012 (*Creación registro de árbitros*).

– Resolución 1174 EXENTA de 2012 (*Creación registro de mediadores*).
– Resolución 1054 EXENTA de 2019 (*Registro árbitros financieros*).
– Resolución 1055 EXENTA de 2019 (*Registro mediadores financieros*).

Introducido: L. 20.555.

Art. 55 B. El proveedor que tenga contratos con sello SERNAC y ofrezca a los consumidores la contratación de un producto o servicio financiero de los enumerados en el inciso segundo del artículo 55 mediante un nuevo contrato de adhesión, deberá someterlo previamente al Servicio Nacional del Consumidor para que éste verifique el cumplimiento de las condiciones establecidas en dicho artículo.

El proveedor de productos y servicios financieros que modifique un contrato de adhesión con sello SERNAC deberá someterlo previamente al Servicio Nacional del Consumidor, para que éste constate, dentro del plazo indicado en el inciso primero del artículo anterior, que las modificaciones cumplen las condiciones señaladas en el inciso primero del artículo 55, en caso de que quisiera mantener el sello SERNAC.

Conc.:
– L. 19.496 *Contrato de adhesión en general*: 1.6, 16 letra g), 17, 55,55 A, 55 C, 55 D, 56, 62; *Sello SERNAC*: 17 B, 17 H, 55-56, 56 H, 62.
– Resolución 1173 EXENTA de 2012 (*Creación registro de árbitros*).
– Resolución 1174 EXENTA de 2012 (*Creación registro de mediadores*).
– Resolución 1054 EXENTA de 2019 (*Registro árbitros financieros*).
– Resolución 1055 EXENTA de 2019 (*Registro mediadores financieros*).

Introducido: L. 20.555.

Art. 55 C. El sello SERNAC se podrá revocar mediante resolución exenta del Director del Servicio Nacional del Consumidor.

La pérdida o revocación del sello SERNAC se deberá fundar en que por causas imputables al proveedor de productos o servicios financieros se ha infringido alguna de las condiciones previstas en este Título; en que se han dictado sentencias definitivas ejecutoriadas que declaren la nulidad de una o varias cláusulas o estipulaciones de un contrato de adhesión relativo a productos o servicios financieros de los enumerados en el inciso segundo del artículo 55, según lo dispuesto en el artículo 17 E; en que se le han aplicado multas por infracciones a lo dispuesto en esta ley en relación con los productos o servicios financieros ofrecidos a través de un contrato con sello SERNAC; en que se le han aplicado multas por organismos fiscalizadores con facultades sancionadoras respecto de infracciones previstas en leyes especiales; en el número y naturaleza de reclamos de los consumidores contra la aplicación de los referidos productos o servicios; o, finalmente, en que el proveedor, sea persona natural o jurídica, o alguno de sus administradores, ha sido formalizado por un delito que afecta a un colectivo de consumidores. El reglamento previsto en el número 4 del inciso segundo del artículo 62 establecerá parámetros objetivos, cuantificables y proporcionales al tamaño de los proveedores y el número de sus clientes sujetos a contratos con sello SERNAC que permitan determinar la procedencia de las causales señaladas.

La resolución del Director del Servicio Nacional del Consumidor que niegue el otorgamiento del sello SERNAC o que lo revoque, será reclamable ante el Ministro de Economía, Fomento y Turismo, en el plazo de diez días hábiles, contado desde su notificación al proveedor. La reclamación deberá resolverse en el plazo de quince días hábiles desde su interposición.

La resolución que ordene la pérdida o revocación, obligará al proveedor a suspender inmediatamente toda publicidad relacionada con el sello y toda distribución de sus contratos con referencias gráficas o escritas al sello, según lo dispuesto en el reglamento.

> *Conc.*:
> – L. 19.496 *Contrato de adhesión en general*: 1.6, 16 letra g), 17, 55,55 A,55 B, 55 D, 56, 62; *Director Sernac*: 56 B, 58, 59, 60: *Sello SERNAC*: 17 B, 17 H, 55-55 B, 55D-56, 56 H, 62.
> – Decreto 41 de 2012 (Reglamento Sello Sernac).
> *Introducido*: L. 20.555.

Art. 55 D. Los proveedores que promocionen o distribuyan un contrato de adhesión de un producto o servicio financiero con sello SERNAC, sin tenerlo, o que no cumplan las obligaciones establecidas en el inciso final del artículo 55 C, serán sancionados con multa de hasta 2.250 unidades tributarias mensuales.

Conc.:
– L. 19.496 *Contrato de adhesión en general*: 1.6, 16 letra g), 17, 55, 55 A,55 B, 55 C, 56, 62; *Sello SERNAC*: 17 B, 17 H, 55-55 C, 56, 56 H, 62.
Introducido: L. 20.555. *Disposición remplazada*. L. 21.081.

Art. 56. El servicio de atención al cliente requerido para dar cumplimiento a la condición dispuesta en el número 2 del inciso primero del artículo 55 será organizado por los proveedores indicados en este Título, en forma exclusiva o conjunta, y será gratuito para el consumidor que haya suscrito un contrato de adhesión de los señalados en el inciso segundo del artículo 55, con un proveedor que cuente con el sello SERNAC.

El servicio de atención al cliente deberá responder fundadamente los reclamos de los consumidores, en el plazo de diez días hábiles contado desde su presentación. Esta respuesta se comunicará al consumidor por escrito o mediante cualquier medio físico o tecnológico y se enviará copia de ella al Servicio Nacional del Consumidor.

El proveedor deberá dar cumplimiento a lo señalado en la respuesta del servicio de atención al cliente en el plazo de cinco días hábiles, contado desde la comunicación al consumidor.

En caso de incumplimiento de las obligaciones indicadas en los dos incisos anteriores, el Servicio Nacional del Consumidor deberá denunciar al proveedor ante el juez de policía local competente, para que, si procediere, se le sancione con una multa de hasta cincuenta unidades tributarias mensuales, sin perjuicio del derecho del consumidor afectado para denunciar el incumplimiento de las obligaciones referidas.

Conc.:
– L. 19.496 *Contrato de adhesión en general*: 1.6, 16 letra g), 17, 55, 55 A,55 B, 55 C, 55 D, 62; *Sello SERNAC*: 17 B, 17 H, 55-55 D, 56 H, 62; *Competencia Juez Policía Local*: 50H.
Introducido: L. 20.555.

Art. 56 A. El mediador y el árbitro financiero requeridos para dar cumplimiento a la condición dispuesta en el número 3 del inciso primero del artículo 55, sólo podrán intervenir en una controversia, queja o reclamación presentada por un consumidor que no se conforme con la respuesta del servicio de atención al cliente y que no hubiere ejercido las acciones que le confiere esta ley ante el tribunal competente.

El mediador y el árbitro financiero deberán estar inscritos en una nómina elaborada por el Servicio Nacional del Consumidor, que deberá mantenerse actualizada y disponible en su sitio web. Esta nómina deberá dividirse regionalmente, especificando las comunas y oficinas en las que cada mediador y árbitro financiero estará disponible para realizar su función.

La inscripción del mediador y del árbitro financiero durará cinco años y para su renovación deberá acreditar que mantiene los requisitos previstos en este Título.

El mediador o el árbitro financiero, según corresponda, será elegido de la nómina señalada en el inciso segundo, por el proveedor y el consumidor de común acuerdo, dentro de los cinco días hábiles siguientes a la presentación de la controversia, queja o reclamación del consumidor respecto de la respuesta del Servicio de Atención al Cliente. En caso de que no haya acuerdo o venza el plazo indicado sin que se haya producido la elección de común acuerdo, el consumidor podrá requerir al Servicio Nacional del Consumidor para que éste lo designe, dentro de los miembros inscritos en la nómina a que se refiere el inciso segundo de este artículo, mediante un sistema automático que permita repartir equitativamente la carga de trabajo de los mediadores y árbitros financieros inscritos en la nómina.

Los recursos para el pago de los honorarios del mediador y del árbitro financiero serán de cargo de los proveedores, quienes ingresarán, de conformidad a lo que señale el reglamento, semestralmente su cuota respectiva al Servicio Nacional del Consumidor, la que corresponderá a los honorarios de los mediadores y de los árbitros financieros que hayan conocido reclamos respecto de ese proveedor durante el semestre inmediatamente anterior.

Los servicios del mediador y del árbitro financiero serán gratuitos para el consumidor y sus honorarios serán pagados semestralmente por el Servicio Nacional del Consumidor, de acuerdo a un arancel fijado por resolución exenta del Ministro de Economía, Fomento y Turismo, el que podrá establecer honorarios diferentes para mediaciones y arbitrajes, según el tipo de servicios o productos financieros.

> Conc.:
> – L. 19.496 *Árbitro financiero, mediador*: 3. 17 H, 55, 56 B-56H; *Cargos y comisiones*: 15 A, 16, 17 A, 17 B, 17 D, 17 G, 17 H, 37, 40, 51; *Competencia Juez Policía Local*: 50H; Nómina postulantes: 56 B; *Sello SERNAC*: 17 B, 17 H, 55-56, 56 H, 62, *Sistemas de resolución de controversias*: 3.
> – Decreto 41 de 2012 (Reglamento Sello Sernac).
> – Resolución 1173 EXENTA de 2012 (*Creación registro de árbitros*).
> – Resolución 1174 EXENTA de 2012 (*Creación registro de mediadores*).
> – Resolución 132 EXENTA, de 31 de julio de 2012 (*fija aranceles mediadores y árbitros*).
> – Resolución 1054 EXENTA de 2019 (*Registro árbitros financieros*).
> – Resolución 1055 EXENTA de 2019 (*Registro mediadores financieros*).
>
> *Introducido*: L. 20.555.

Art. 56 B. Para integrar la nómina indicada en el artículo anterior, los postulantes a mediadores deberán acreditar al Servicio Nacional del Consumidor que poseen título profesional de una carrera de a lo menos ocho semestres de duración, otorgado por un establecimiento de educación superior reconocido por el Estado, y experiencia no inferior a dos años en materias financieras, contables o jurídicas. Además, no podrán tener relaciones de dependencia o subordinación o de asesoría, con alguno de los proveedores señalados en este Título, ni haber sido condenados por delito que merezca pena aflictiva.

Los postulantes a árbitros financieros deberán poseer el título de abogado, acreditar cinco años de experiencia profesional y no podrán tener relaciones de dependencia o subordinación o de asesoría, con alguno de los proveedores señalados en este Título, ni haber sido condenados por delito que merezca pena aflictiva.

El reglamento establecerá los plazos que deberán cumplir los interesados, así como la forma de presentación y los medios que éstos deberán utilizar para acreditar las circunstancias enumeradas en este artículo, y los antecedentes que con tal fin deban acompañar a las solicitudes de inscripción.

Los mediadores y los árbitros financieros deberán informar al Servicio Nacional del Consumidor cualquier cambio o modificación de los antecedentes o condiciones que permitieron su incorporación a la nómina. El modo y periodicidad en que deberán informar estas modificaciones serán establecidos en el reglamento.

La resolución que inscribe a un mediador o a un árbitro financiero en la nómina podrá revocarse cuando aquél incurra en alguna de las siguientes causales:

1.- Pérdida sobreviniente de los requisitos señalados en este artículo.

2.- Incumplimiento reiterado de la obligación establecida en el inciso primero del artículo 56 F, de notificar al consumidor, al proveedor y al Servicio Nacional del Consumidor sus mediaciones o sentencias definitivas, según corresponda, dentro del plazo que se señala.

3.- Incumplimiento de la obligación de inhabilitarse establecida en el inciso quinto del artículo 56 C.

Sin perjuicio de lo anterior, el Director Nacional del Servicio Nacional del Consumidor podrá suspender al mediador o al árbitro financiero que haya sido formalizado por un delito que merezca pena aflictiva, y mientras no se dicte sentencia definitiva.

El Director del Servicio Nacional del Consumidor deberá inscribir al solicitante que cumpla con los requisitos de inscripción mediante resolución fundada exenta. La resolución que rechace o la que revoque la inscripción serán reclamables ante el Ministro de Economía, Fomento y Turismo, en el plazo de diez días hábiles, contado desde su notificación al postulante, mediador o árbitro financiero, en su caso. La reclamación deberá resolverse en el plazo de quince días hábiles desde su interposición.

El procedimiento de inscripción, el de revocación y el recurso de reclamación se sujetarán a la ley N° 19.880 en lo no previsto en este artículo.

En todo caso, el postulante a quien se le hubiere rechazado la inscripción, y el mediador o el árbitro financiero a quienes se les hubiere revocado su inscripción, podrán ejercer las acciones jurisdiccionales que estimen procedentes.

Conc.:
– L. 19.496 *Árbitro financiero, mediador:* 3, 17 H, 55, 56 A, 56 B-56H; *Director Sernac:* 55 C, 58, 59, 60.
– L. 19.880 *Aplicación supletoria en el procedimiento.*
– Decreto 41 de 2012 (Reglamento Sello Sernac).
– Resolución 1173 EXENTA de 2012 (*Creación registro de árbitros*).
– Resolución 1174 EXENTA de 2012 (*Creación registro de mediadores*).
– Resolución 1054 EXENTA de 2019 (*Registro árbitros financieros*).
– Resolución 1055 EXENTA de 2019 (*Registro mediadores financieros*).

Introducido: L. 20.555.

Art. 56 C. El mediador sólo podrá realizar propuestas de acuerdo en una controversia, queja o reclamación de su competencia de acuerdo al inciso primero del artículo 56 A, si la cuantía de lo disputado no excede de cien unidades de fomento.

El árbitro financiero sólo podrá conocer una controversia, queja o reclamación de su competencia de acuerdo al inciso primero del artículo 56 A, si la cuantía de lo disputado excede de cien unidades de fomento, salvo que respecto de cuantías inferiores haya asumido esta calidad en el caso previsto en el inciso tercero del artículo 56 D.

Con todo, el mediador y el árbitro financiero no podrán intervenir en los siguientes asuntos:

1.- Los que deban someterse exclusivamente a un tribunal ordinario o especial en virtud de otra ley.

2.- Los que han sido previamente sometidos al conocimiento del Servicio o de un juez competente por el consumidor o por alguna asociación de consumidores.

3.- Los que han sido previamente sometidos al conocimiento de un juez competente en una acción de interés colectivo o difuso en la cual haya comparecido como parte el consumidor.

Inciso Derogado.

El mediador y el árbitro financiero, según corresponda, deberán inhabilitarse en caso que tomen conocimiento que les afecta una causal de implicancia o recusación de las previstas en el párrafo 11 del Título VII del Código Orgánico de Tribunales.

El mediador y el árbitro financiero, según corresponda, deberán asumir sus funciones dentro de los tres días hábiles siguientes al requerimiento o, en su caso, comunicar en el mismo plazo la razón legal que les impide hacerlo.

> *Conc.*:
> – L. 19.496 *Árbitro financiero, mediador*: 3, 17 H, 55, 56 A-56 B, 56 D-56H; *Asociaciones de consumidores*: 5-11 ter, 51, 54 A, 54 H, 54 I, 54 N, 59, art. 3 disposiciones transitorias.
> – Código orgánico de tribunales: *Causales de implicancia o recusación*: 194-205.
> – Resolución 1173 EXENTA de 2012 (*Creación registro de árbitros*).
> – Resolución 1174 EXENTA de 2012 (*Creación registro de mediadores*).
> – Resolución 1054 EXENTA de 2019 (*Registro árbitros financieros*).
> – Resolución 1055 EXENTA de 2019 (*Registro mediadores financieros*).
>
> *Introducido*: L. 20.555. *Modif*. L. 21.081.

Art. 56 D. El consumidor que no hubiere aceptado la respuesta del servicio de atención al cliente, podrá solicitar la designación de un mediador o de un árbitro financiero ante este servicio, para lo cual formulará su controversia, queja o reclamación por escrito o por cualquier medio tecnológico apto para dar fe de su presentación y que permita su reproducción. El servicio de atención al cliente la comunicará inmediatamente al proveedor, dejando constancia escrita de la comunicación y de su fecha, para que acuerde con el consumidor dentro del plazo señalado en el inciso cuarto del artículo 56 A, el mediador o el árbitro financiero que asumirá la función, según corresponda. De no haber acuerdo en el plazo referido, el consumidor podrá requerir directamente al Servicio Nacional del Consumidor para que proceda a su designación.

La mediación deberá concluir dentro de los treinta días hábiles siguientes a la aceptación del nombramiento por parte del mediador y, en su caso, la propuesta de acuerdo aceptada por las partes deberá cumplirse en el plazo de quince días hábiles contado desde la suscripción por ambas partes del documento que dé cuenta de las condiciones del acuerdo y de su fecha, el que deberá otorgarse ante un funcionario del Servicio Nacional del Consumidor que se encuentre investido de la calidad de ministro de fe, conforme al artículo 58 bis de esta ley, o ante el oficial del Registro Civil correspondiente al domicilio del consumidor.

Transcurrido el plazo indicado sin que las partes hubieren aceptado la propuesta de acuerdo, el consumidor podrá ejercer las acciones que le confiere la ley ante el juez competente o solicitar al Servicio Nacional del Consumidor que se designe a un árbitro financiero dentro del plazo previsto en el inciso cuarto del artículo 56 A.

Sin perjuicio de las alternativas del consumidor señaladas en el inciso anterior, si al término del plazo en que debe concluir la mediación el mediador no hubiere formulado una propuesta de acuerdo a las partes, el consumidor podrá requerir al Servicio Nacional del Consumidor que lo reemplace por otro mediador que figure en la nómina, y dicho Servicio podrá eliminarlo de ésta mediante resolución fundada exenta.

> *Conc.:*
> – L. 19.496 *Árbitro financiero, mediador:*3, 17 H, 55, 56 A- 56 C, 56 E- 56H; *Competencia Juez Policía Local:* 50H; *Ministro de fe:* 58 bis.
> – Resolución 1173 EXENTA de 2012 (*Creación registro de árbitros*).
> – Resolución 1174 EXENTA de 2012 (*Creación registro de mediadores*).
> – Resolución 1054 EXENTA de 2019 (*Registro árbitros financieros*).
> – Resolución 1055 EXENTA de 2019 (*Registro mediadores financieros*).
>
> *Introducido:* L. 20.555.

Art. 56 E. El árbitro financiero se sujetará a las reglas aplicables a los árbitros de derecho con facultades de arbitrador en cuanto al procedimiento, el que se deberá iniciar necesariamente con una audiencia que se celebrará con ambas partes dentro de los cinco días hábiles siguientes a la aceptación de su designación. En esta audiencia, el árbitro financiero dará lectura a la reclamación o queja del consumidor, a la respuesta del servicio de atención al cliente y a la propuesta del mediador, si correspondiere; escuchará de inmediato y sin más trámite a las partes que asistan y recibirá los documentos que éstas acompañen, otorgando un plazo mínimo de tres días hábiles para que hagan presentes sus observaciones. La citación a esta audiencia y las resoluciones del árbitro financiero se notificarán por correo electrónico o carta certificada según acuerden las partes, debiendo dar cuenta de las actuaciones realizadas y de su fecha.

El consumidor podrá comparecer personalmente ante el árbitro financiero, pero éste podrá ordenar, en cualquier momento, la intervención de abogado o de un apoderado habilitado para intervenir en juicio, en caso que lo considere indispensable para garantizar el derecho a defensa del consumidor.

El árbitro financiero dictará sentencia definitiva dentro de los noventa días hábiles siguientes a la aceptación del cargo. Transcurrido el plazo indicado sin que hubiere dictado su sentencia definitiva, el Servicio Nacional del Consumidor deberá reemplazarlo por otro árbitro financiero y podrá eliminarlo de la nómina mediante resolución fundada exenta.

Toda sentencia definitiva que acoja la controversia, queja o reclamación del consumidor deberá condenar al proveedor a pagar las costas del arbitraje, determinando los honorarios del abogado o del apoderado habilitado del consumidor según el arancel del Colegio de Abogados de Chile. En cambio, sólo la sentencia definitiva que rechace la controversia, queja o reclamación por haberse acogido la excepción de cosa juzgada interpuesta por el proveedor, podrá condenar al consumidor a pagar los honorarios del árbitro financiero establecidos en el arancel señalado en el inciso sexto del artículo 56 A.

En contra de la sentencia interlocutoria que ponga término al juicio o haga imposible su continuación, y de la sentencia definitiva, sólo procederá el recurso de apelación, el que deberá interponerse al árbitro financiero para ante la Corte de Apelaciones competente, dentro del plazo de cinco días hábiles contado desde la notificación de la sentencia que se apela.

Presentado el recurso, el árbitro financiero enviará los antecedentes a la Corte de Apelaciones dentro del plazo de cinco días hábiles para que ésta se pronuncie sobre su admisibilidad.

No será aplicable a este recurso lo dispuesto en los artículos 200, 202 y 211 del Código de Procedimiento Civil y sólo procederá su vista en cuenta.

No procederá el recurso de casación en el procedimiento a que se riere este artículo.

Si no se interpusiere el recurso señalado en contra de la sentencia definitiva o éste fuere rechazado, dicha sentencia deberá cumplirse en el plazo de quince días hábiles, contado desde el vencimiento del plazo para interponer el recurso o desde la notificación de la sentencia que lo rechaza, según corresponda.

> *Conc.:*
> – L. 19.496 *Árbitro financiero, mediador:*3, 17 H, 55, 56 A- 56 D, 56 F-56H; *Derecho a comparecer personalmente:* 50 C, 53, 54 B, 54 Q.
> – CPC 200, 202, 211.
> – Resolución 1173 EXENTA de 2012 (*Creación registro de árbitros*).
> – Resolución 1174 EXENTA de 2012 (*Creación registro de mediadores*).
> – Resolución 132 EXENTA, de 31 de julio de 2012 (*fija aranceles mediadores y árbitros*).
> – Resolución 1054 EXENTA de 2019 (*Registro árbitros financieros*).
> – Resolución 1055 EXENTA de 2019 (*Registro mediadores financieros*).
>
> *Introducido:* L. 20.555.

Art. 56 F. El mediador y el árbitro financiero notificarán la propuesta de acuerdo o la sentencia, según corresponda, al consumidor, al proveedor a través de su servicio de atención al cliente y al Servicio Nacional del Consumidor, en el plazo de tres días hábiles, contado desde su adopción.

La notificación de la propuesta de acuerdo del mediador y la sentencia del árbitro financiero, según corresponda, se efectuará por correo electrónico o por carta certificada enviada al domicilio indicado en el reclamo, a elección del consumidor expresada en el documento en que formule su controversia, queja o reclamación. La notificación se entenderá efectuada a contar del tercer día hábil siguiente al de su envío. El mediador o el árbitro financiero, según corresponda, deberán dejar constancia en los antecedentes del reclamo de la fecha de envío de la notificación, mediante copia del correo electrónico o del certificado correspondiente en caso que se efectúe mediante carta certificada.

Adicionalmente, el mediador o el árbitro financiero, según corresponda, enviará por correo electrónico, al consumidor que lo solicite, todos los antecedentes que forman parte de su reclamo.

> *Conc.*:
> – L. 19.496 *Árbitro financiero, mediador*: 3, 17 H, 55, 56 A- 56 E, 56 G-56H.
> – Resolución 1173 EXENTA de 2012 (*Creación registro de árbitros*).
> – Resolución 1174 EXENTA de 2012 (*Creación registro de mediadores*).
> – Resolución 1054 EXENTA de 2019 (*Registro árbitros financieros*).
> – Resolución 1055 EXENTA de 2019 (*Registro mediadores financieros*).
>
> *Introducido*: L. 20.555.

Art. 56 G. Los servicios de atención al cliente deberán comunicar a los administradores de los proveedores señalados en este Título y, en el caso de proveedores constituidos como sociedades anónimas, a su directorio, al menos trimestralmente, una cuenta sobre los reclamos recibidos, los acuerdos suscritos por las partes en las mediaciones efectuadas y las sentencias definitivas de los árbitros financieros que les hayan sido notificadas.

> *Conc.*:
> – L. 19.496 *Árbitro financiero, mediador*: 3, 17 H, 55, 56 A- 56 E, 56 F, 56H.
> – Resolución 1173 EXENTA de 2012 (*Creación registro de árbitros*).
> – Resolución 1174 EXENTA de 2012 (*Creación registro de mediadores*).
> – Resolución 1054 EXENTA de 2019 (*Registro árbitros financieros*).
> – Resolución 1055 EXENTA de 2019 (*Registro mediadores financieros*).
>
> *Introducido*: L. 20.555.

Art. 56 H. En caso de que el proveedor no cumpla con la propuesta de acuerdo de un mediador debidamente aceptada por las partes, o con la sentencia definitiva de un árbitro financiero en el plazo establecido en los artículos 56 D o 56 E, según corresponda, el Servicio podrá revocar el Sello SERNAC otorgado al proveedor de productos y servicios financieros, sin que pueda éste solicitarlo nuevamente antes de transcurrido un año desde la revocación. El deber de denuncia del

Servicio Nacional del Consumidor no obsta al derecho del consumidor afectado para denunciar el incumplimiento, por parte del proveedor, de la propuesta de acuerdo o sentencia definitiva, según corresponda.

> *Conc.*:
> – L. 19.496) *Árbitro financiero, mediador*: 3, 17 H, 55, 56 A- 56 G, *Sello SERNAC*: 17 B, 17 H, 55, 55 A, 55-56, 62.
> – Resolución 1173 EXENTA de 2012 (*Creación registro de árbitros*).
> – Resolución 1174 EXENTA de 2012 (*Creación registro de mediadores*).
> – Resolución 1054 EXENTA de 2019 (*Registro árbitros financieros*).
> – Resolución 1055 EXENTA de 2019 (*Registro mediadores financieros*).
>
> *Introducido*: L. 20.555. *Disposición remplazada*: L. 21.081.

TÍTULO VI. DEL SERVICIO NACIONAL DEL CONSUMIDOR

Art. 57. El Servicio Nacional del Consumidor (en esta ley también el "Servicio") será un servicio público descentralizado, con personalidad jurídica y patrimonio propio, sujeto a la supervigilancia del Presidente de la República a través del Ministerio de Economía, Fomento y Turismo.

El Servicio será una institución fiscalizadora en los términos del decreto ley N° 3.551, de 1981. Asimismo, estará afecto al Sistema de Alta Dirección Pública establecido en la ley N° 19.882 y se someterá al decreto ley N° 1.263, de 1975, sobre Administración Financiera del Estado.

El Servicio se desconcentrará territorialmente a través de las direcciones regionales. En cada región del país habrá un director regional, quien estará afecto al Sistema de Alta Dirección Pública previsto en el Título VI de la ley N° 19.882 y deberá acreditar título de abogado. También estará afecto a dicho sistema el segundo nivel jerárquico del Servicio Nacional del Consumidor.

Adicionalmente, las direcciones regionales se considerarán funcionalmente desconcentradas para efectos de ejercer las funciones señaladas en la letra d) del artículo 58 de la presente ley.

> *Conc.*:
> – L. 19.496 *Direcciones regionales*: 58, 59.

Ley N° 19.496
Tít. VI: Sernac

– Decreto N° 3.555 (Ministerio de Hacienda) *Institución fiscalizadora*: 1 y ss.

– Decreto N° 1.263 (Ministerio de Hacienda) *Sumisión al Sistema de administración financiera del Estado*: 1 y ss.

– Ley 19.882 *Sistema de Alta Administración Pública*: 35-66 bis.

Disposición remplazada: L. 21.081.

Art. 58. El Servicio Nacional del Consumidor deberá velar por el cumplimiento de las disposiciones de la presente ley y demás normas que digan relación con el consumidor, difundir los derechos y deberes del consumidor y realizar acciones de información y educación del consumidor.

Corresponderán especialmente al Servicio Nacional del Consumidor las siguientes funciones:

a) Fiscalizar el cumplimiento de las disposiciones de la presente ley y de toda la normativa de protección de los derechos de los consumidores.

Durante los procedimientos de fiscalización, los proveedores y sus representantes deberán otorgar todas las facilidades para que estos se lleven a efecto y no podrán negarse a proporcionar la información requerida sobre los aspectos materia de la fiscalización.

En el ejercicio de la labor fiscalizadora, los funcionarios del Servicio deberán siempre informar al sujeto fiscalizado de la materia específica objeto de la fiscalización y de la normativa pertinente, y dejar copia íntegra de las actas levantadas, realizando las diligencias estrictamente indispensables y proporcionales al objeto de la fiscalización. Los sujetos fiscalizados podrán denunciar conductas abusivas de funcionarios ante el director regional del Servicio que corresponda territorialmente.

Los funcionarios del Servicio estarán facultados, en el cumplimiento de sus labores inspectivas, para ingresar a inmuebles en que se desarrollen actividades objeto de fiscalización, tomar registros del sitio o bienes fiscalizados, levantar actas y dejar testimonio en ellas de quienes se encontraren en el lugar de la fiscalización y, en general, proceder a la ejecución de cualquier otra medida tendiente a hacer constar el estado y circunstancias de las actividades fiscalizadas. Cuando se trate de fiscalización de sitios web, los proveedores estarán obligados a facilitar los antecedentes relativos a éste que sean solicitados por el respectivo funcionario del Servicio, los que deberán ser entregados en formato digital.

Para el cumplimiento de lo dispuesto en el párrafo anterior, los funcionarios del Servicio podrán solicitar, previa autorización del juez de policía local correspondiente al local objeto de la fiscalización, el auxilio de la fuerza pública, cuando exista oposición a la fiscalización debidamente certificada por el fiscalizador.

Sin perjuicio de lo señalado en el párrafo anterior, la negativa injustificada a dar cumplimiento a los requerimientos durante las acciones de fiscalización será castigada con multa de hasta 750 unidades tributarias mensuales. La procedencia de la justificación de la negativa será calificada por el Servicio.

Cuando con ocasión de una fiscalización el Servicio constate, respecto de una micro o pequeña empresa en los términos del inciso segundo del artículo segundo de la ley N° 20.416 que no haya sido sancionada por la misma infracción en los últimos doce meses, una infracción legal o reglamentaria en que no concurra alguna de las circunstancias agravantes previstas en el artículo 24, podrá conceder un plazo de hasta diez días hábiles para dar cumplimiento a las normas respectivas, lo que deberá ser acreditado ante el Servicio.

El Servicio desarrollará sus actividades de fiscalización en conformidad a un plan que elaborará anualmente, en el que priorizará aquellas áreas que involucren un mayor nivel de riesgo para los derechos de los consumidores. Las directrices generales de dicho plan serán públicas.

b) Interpretar administrativamente la normativa de protección de los derechos de los consumidores que le corresponde vigilar. Dichas interpretaciones sólo serán obligatorias para los funcionarios del Servicio.

c) Proponer fundadamente al Presidente de la República, a través del Ministerio de Economía, Fomento y Turismo, la dictación, modificación o derogación de preceptos legales o reglamentarios en la medida que ello sea necesario para la adecuada protección de los derechos de los consumidores. El Servicio acompañará a la propuesta un informe técnico que exprese los antecedentes y razones en que se funda.

d) Citar a declarar a los representantes legales, administradores, asesores y dependientes de las entidades sometidas a su fiscalización, así como a toda persona que haya tenido participación o conocimiento respecto de algún hecho que estime necesario para resolver un procedimiento sancionatorio, o tomar la declaración respectiva por medios que permitan asegurar su fidelidad.

Si el citado debidamente apercibido no comparece, sin mediar justificación plausible, el juzgado de policía local competente podrá ordenar su arresto hasta su comparecencia.

e) Proporcionar información y absolver las consultas del Ministerio de Economía, Fomento y Turismo, del Tribunal de Defensa de la Libre Competencia, de la Fiscalía Nacional Económica y demás organismos relacionados con la protección de los derechos de los consumidores.

f) Llevar a cabo el procedimiento consagrado en el párrafo 4° del Título IV de esta ley.

g) Velar por el cumplimiento de las disposiciones legales y reglamentarias relacionadas con la protección de los derechos de los consumidores y hacerse parte en aquellas causas que comprometan los intereses generales de los consumidores, según los procedimientos que fijan las normas generales o los que se señalen en leyes especiales. La facultad de velar por el cumplimiento de normas establecidas en leyes especiales que digan relación con la protección de los derechos de los consumidores, incluye la atribución del Servicio Nacional del Consumidor de denunciar los posibles incumplimientos ante los organismos o instancias jurisdiccionales respectivas y de hacerse parte en las causas en que estén afectados los intereses generales de los consumidores, según los procedimientos que fijan las normas generales o los que se señalen en esas leyes especiales.

h) Formular, realizar y fomentar programas de información y educación al consumidor.

i) Realizar, a través de laboratorios o entidades especializadas, de reconocida solvencia, análisis selectivos de los productos que se ofrezcan en el mercado en relación a su composición, contenido neto y otras características.

Aquellos análisis que excedan en su costo de 250 unidades tributarias mensuales, deberán ser efectuados por laboratorios o entidades elegidas en licitación pública.

El Servicio deberá dar cuenta detallada y pública de los procedimientos y metodología utilizada para llevar a cabo las funciones contenidas en esta letra.

j) Reunir, elaborar, procesar, divulgar y publicar información para facilitar al consumidor un mejor conocimiento de las características de la comercialización de los bienes y servicios que se ofrecen en el mercado. En el ejercicio de esta facultad, se deberá tener especial consideración con lo establecido en el decreto ley N° 211, de 1973, que fija normas sobre la defensa de la libre competencia.

k) Realizar y promover estudios en el área del consumo.

l) Llevar el registro público a que se refiere el artículo 58 bis.

m) Solicitar la entrega de cualquier documento, libro o antecedente que sea necesario para fines de fiscalización, procurando no alterar el desenvolvimiento normal de las actividades del afectado.

n) Celebrar convenios con municipalidades para que éstas coordinen y gestionen las audiencias de conciliación obligatorias respecto de los casos de denuncias presentadas en defensa del interés individual.

ñ) Las demás funciones y atribuciones que le asigne esta ley u otras.

Inciso Derogado.

En el caso de la letra e) del artículo 2°, la intervención del Servicio Nacional del Consumidor estará limitada a aquellos contratos de venta de viviendas a que se refiere el artículo 1° del decreto con fuerza de ley N° 2, de 1959, sobre plan habitacional, cuyo texto definitivo fue fijado en el decreto N° 1.101, de 1960, del Ministerio de Obras Públicas.

Los proveedores estarán obligados a proporcionar al Servicio Nacional del Consumidor los antecedentes y documentación que les sean solicitados por escrito y que digan relación con la información básica comercial, definida en el artículo 1º de esta ley, de los bienes y servicios que ofrezcan al público, dentro del plazo que se determine en el respectivo requerimiento, el que no podrá ser inferior a diez días hábiles.

Los proveedores también estarán obligados a proporcionar al Servicio Nacional del Consumidor toda otra documentación que se les solicite por escrito y que sea estrictamente indispensable para ejercer las atribuciones que le corresponden al referido Servicio, dentro del plazo que se determine en el respectivo requerimiento, que no podrá ser inferior a diez días hábiles. Para estos efectos el Servicio Nacional del Consumidor publicará en su sitio web un manual de requerimiento de información, el cual deberá señalar pormenorizadamente los antecedentes que podrán solicitarse. El proveedor requerido en virtud de este inciso podrá interponer los recursos administrativos que le franquea la ley.

El requerimiento de documentación que se ejerza de acuerdo al inciso anterior podrá contener todas aquellas solicitudes de información y datos que sean necesarios para el debido cumplimiento de las funciones del Servicio Nacional del Consumidor, de conformidad a lo señalado en la presente ley.

Lo anterior no obstará a que el Servicio Nacional del Consumidor ejerza el derecho a requerir en juicio la exhibición o entrega de documentos, de acuerdo a las disposiciones generales y especiales sobre medidas precautorias y medios de prueba, aplicables según el procedimiento de que se trate.

La negativa o demora injustificada en la remisión de los antecedentes requeridos en virtud de este artículo será sancionada con multa de hasta cuatrocientas unidades tributarias mensuales, por el juez de policía local.

Asimismo, el juez de policía local podrá ordenar la incautación de la documentación requerida.

Las funciones de fiscalizar, llevar a cabo el procedimiento voluntario para la protección del interés colectivo o difuso de los consumidores y demandar para proteger el interés colectivo o difuso de los consumidores, estarán a cargo de distintas subdirecciones, independientes entre sí.

Los subdirectores a cargo de las subdirecciones referidas en el inciso precedente estarán afectos al Sistema de Alta Dirección Pública previsto en el Título VI de la ley N° 19.882.

Los funcionarios que realicen labores de fiscalización no podrán asumir como responsables de la instrucción de procedimientos sancionatorios. Del mismo modo, los directores regionales no podrán intervenir en funciones de fiscalización, ni participar de ningún modo en la instrucción de procedimientos sancionatorios en relación a hechos respecto de los cuales después pudieran aplicar sanción.

Asimismo, los funcionarios que realicen labores relativas al procedimiento voluntario para la protección del interés colectivo o difuso de los consumidores no podrán intervenir en las demandas para la protección del interés colectivo o difuso de los consumidores y viceversa.

Los funcionarios que infrinjan los deberes asociados a la división estricta de funciones a la que se refiere este artículo incurrirán en una contravención grave a sus deberes funcionarios.

El Director Nacional dictará las instrucciones de orden interno que sean necesarias a fin de que en los distintos procedimientos en que participen funcionarios del Servicio se garantice la división estricta de funciones que ordena esta ley, especialmente en lo que se refiere al resguardo y traspaso de la información obtenida por los funcionarios en el ejercicio de sus funciones.

> *Conc.:*
> – L. 19.496 *Competencia Juez Policía Local*: 50 H; *Contratos de vivienda*: 2 letra e); *Educación al consumidor*: 3, 5; *Funciones y competencia Sernac*: 2 bis, 15 bis, 58 bis; *Información básica comercial*: 1.3, 3, 32; *Director Sernac*: 55 C, 56 B, 59, 60; *Direcciones regionales*: 57, 59; *Registros*: 58 bis. *Procedimiento*: 54H-54S.
> – L. 20.416 *Definición microempresa y Pyme como consumidora*: 2 inciso segundo, 9.

– D.L. N° 211, de 1973 (Ministerio de Economía, Fomento y Reconstrucción) véase *en relación con Defensa Libre Competencia* y DFL 1 de 2004.
– DFL N° 2, de 1959 (Ministerio de Hacienda) *Vivienda habitacional*: 1.
– D.L. N° 1.101, de 3 de junio de 1960, (Ministerio de Obras Públicas) *Plan habitacional y vivienda habitacional* 1 y ss.
– L. 19.882 *Sistema de Alta Dirección Pública*:35-66 bis.
– L. 20.423 *Sernac velar sobre infracciones Ley 18.287*: 51.
– L. 20.096 *Control sobre artefactos que emitan radiación ultravioleta*: 19; *Control sobre bloqueadores, anteojos y protectores frente a emisión ozono*: 20.
– Decreto 229 de 2002 (Reglamento información precio unitario): *Sernac velar sobre infracciones del reglamento* 14.
– Decreto 62 de 2019 (Reglamento no molestar, antispam).
– L. 21.236 *La portabilidad financiera es una norma de protección de los derechos de los consumidores a efecto del art. 58*: 28.
– Resolución EXENTA 83 de 2021.
– Resolución 228 EXENTA de 2021.
– Resolución 782 EXENTA de 2021.

Modif. L. 20.555. L. 21.081.

Art. 58 bis. Los jueces de letras y de policía local deberán remitir al Servicio Nacional del Consumidor copia autorizada de las sentencias definitivas que se pronuncien sobre materias propias de la presente ley y de las sentencias interlocutorias que fallen cuestiones de competencia, una vez que se encuentren ejecutoriadas. Adicionalmente, deberán remitir un listado con información referente a las causas iniciadas por infracción de la presente ley, que contenga, como mínimo, el rol o número de ingreso de la causa, el proveedor denunciado, los artículos que fundan la denuncia y las sentencias cuya multa no ha sido pagada por el proveedor. La información señalada será remitida cada dos meses, debiendo el Servicio llevar un registro de aquella, el que deberá ponerse a disposición del público a través de su sitio web institucional. Un reglamento determinará la forma en que será llevado el registro por parte del Servicio.

Asimismo, los organismos fiscalizadores sectoriales que tengan facultades sancionatorias respecto de sectores regulados por leyes especiales, según lo dispuesto en el artículo 2° bis de esta ley, deberán remitir al Servicio Nacional del Consumidor copia de las resoluciones que impongan sanciones.

> *Conc.*:
> – L. 19.496 *Funciones y competencia Sernac*: 2 bis, 15 bis, 58 *Sectores especiales*: 15 bis, 2 bis.
> – Decreto 86 de 2019 (Reglamento registro sentencias).
>
> *Introducido*: L. 20.555. *Modif.* L. 21.081.

Art. 59. El Director Nacional será el jefe superior del Servicio y tendrá su representación judicial y extrajudicial. Será nombrado por el Presidente de la República a partir de una terna propuesta por el Consejo de Alta Dirección Pública con el voto favorable de cuatro quintos de sus miembros. Durará cuatro años en su cargo y podrá renovarse su nombramiento por una sola vez.

El cargo de Director Nacional será incompatible con el de diputado, senador, integrante del Poder Judicial o del Tribunal Constitucional, consejero del Banco Central, fiscal del Ministerio Público, miembro de las Fuerzas Armadas y de las Fuerzas de Orden y Seguridad Pública, ministro de Estado, subsecretario, intendente, gobernador, alcalde, concejal, consejero regional, miembro del Tribunal Calificador de Elecciones, funcionario de la Administración del Estado, miembro de los órganos de dirección de los partidos políticos, y con el de representante de asociaciones gremiales, organizaciones sindicales y asociaciones de consumidores.

El Director Nacional no podrá ser gerente, administrador o director, ni podrá tener participación en la propiedad de una empresa o sociedad, junto a sus filiales y coligadas, de acuerdo a las normas contenidas en el Título VIII de la ley N° 18.046, sobre Sociedades Anónimas, que sea proveedora en los términos del numeral 2 del inciso segundo del artículo 1 de la presente ley. Esta incompatibilidad será extensiva a su cónyuge o conviviente civil y a sus parientes hasta el primer grado de consanguinidad.

Una vez que el Director Nacional haya cesado en su cargo por cualquier motivo, no podrá ser gerente, administrador o director, ni podrá tener participación en la propiedad de una empresa o sociedad, junto a sus filiales y coligadas, de acuerdo a las normas contenidas en el Título VIII de la ley N° 18.046, sobre Sociedades Anónimas, que sea proveedora en los términos del numeral 2 del inciso segundo del artículo 1 de la presente ley, por el plazo de seis meses después de haber expirado en funciones. El Director Nacional no podrá ser candidato a cargos de elección popular hasta un año después de haber cesado en su cargo.

El ex Director Nacional afecto a la prohibición contenida en el inciso anterior deberá informar, durante el tiempo que ésta dure, al Servicio Nacional del Consumidor sus participaciones societarias y todas las actividades laborales y de prestación de servicios que realice, tanto en el sector público como en el sector privado, sean o no sean remuneradas. Esta obligación se extenderá hasta los seis meses posteriores al término de la precitada prohibición.

Las incompatibilidades y prohibiciones establecidas en los incisos segundo a cuarto, así como la obligación contemplada en el inciso anterior, todos del presente artículo, serán también aplicables a los directores regionales.

El Director Nacional cesará en sus funciones por las siguientes causales:

a) Término del período legal de su designación.

b) Renuncia voluntaria aceptada por el Presidente de la República.

c) Negligencia manifiesta en el ejercicio de sus funciones, faltas a la probidad administrativa y por cualquier inobservancia a los deberes y obligaciones establecidos por ley.

d) Incapacidad psíquica o física sobreviniente para el desempeño de su cargo.

e) Incurrir en una causal de incompatibilidad y prohibiciones de las indicadas en los incisos segundo y tercero del presente artículo.

Si se verificare alguna causal de las contenidas en los literales d) o e) del inciso anterior, cesará automáticamente en su cargo, debiendo comunicar de inmediato dicha circunstancia al Presidente de la República. De igual forma, cesará en su cargo si su renuncia hubiere sido aceptada por el Presidente de la República de conformidad al literal b).

El Presidente de la República podrá remover al Director Nacional sólo si concurre alguna de las conductas señaladas en la letra c) del inciso séptimo.

Le corresponderá especialmente al Director Nacional:

a) Planificar, organizar, dirigir, coordinar y controlar el funcionamiento del Servicio y ejercer las atribuciones propias de su calidad de jefe superior del Servicio.

b) Ejecutar los actos y celebrar los convenios necesarios para el cumplimiento de los objetivos del Servicio.

c) Nombrar y remover al personal del Servicio, de conformidad a esta ley y a las normas estatutarias.

d) Delegar atribuciones o facultades específicas en funcionarios de su dependencia, de conformidad a la ley, salvo la materia señalada en la letra b) del inciso segundo del artículo 58.

e) Conocer y resolver los recursos que la ley establece, pudiendo en su caso aplicar las sanciones que correspondan.

f) Rendir cuenta anualmente de su gestión, a lo menos a través de la publicación de una memoria y balance institucional, con el objeto de permitir a las personas efectuar una evaluación continua y permanente de los avances y resultados alcanzados por el Servicio.

g) Ejercer a través de la subdirección respectiva las funciones señaladas en la letra b) del artículo 58.

h) Las demás que establezcan las leyes.

En todo lo no previsto en los incisos anteriores, y en cuanto no sea contradictorio con aquéllos, le serán aplicables al cargo de Director Nacional las normas establecidas en el Título VI de la ley N° 19.882.

En conformidad con lo establecido en la ley N° 18.575, cuyo texto refundido, coordinado y sistematizado fue fijado por el decreto con fuerza de ley N° 1/19.653, de 2000, del Ministerio Secretaría General de la Presidencia, el Director Nacional, con sujeción a la planta y la dotación máxima de personal, establecerá la organización interna y determinará las denominaciones y funciones que corresponda a cada una de las unidades del Servicio.

PARTE PRIMERA
Ley Nº 19.496

Conc.:
– L. 19.496 *Asociaciones de consumidores:* 5-11 ter, 51, 54 A, 54 H, 54 I, 54 N, 56 C, art. 3 disposiciones transitorias; *Direcciones regionales:* 57, 58; *Director Sernac:* 55 C, 56 B, 58, 60; *Sociedades Anónimas proveedoras:* 1.2 n. 2.
– L. 18.046 *Incompatibilidad Director SERNAC sociedades filiales y coligadas:* 86-93.
– L. 19.882 *Sistema de Alta Dirección Pública:*35-66 bis.
– DFL 1/19.653(Ministerio Secretaría General de la Presidencia, Texto refundido de L 18.575):véase *en relación con la organización Interna SERNAC y Funciones de sus unidades.*
– Resolución 1875 EXENTA de 2015 *Normas de participación ciudadana.*
– Resolución 331 EXENTA de 2019 *Delega facultad de firma a funcionarios.*

Disposición remplazada L. 21.081.

Art. 59 bis. El personal del Servicio habilitado como fiscalizador tendrá el carácter de ministro de fe respecto de los hechos constitutivos de infracciones que consignen en el cumplimiento de sus funciones y que consten en el acta de fiscalización. Los hechos establecidos por dicho ministro de fe constituirán presunción legal en cualquiera de los procedimientos contemplados en el párrafo 2° del Título IV de esta ley.

Conc.:
– L. 19.496 *Procedimiento:* 50H-50I; *Procedimientos como ministro de fe:* 5-11 ter.

Introducido: L. 20.555. *Disposición remplazada* L. 21.081.

Art. 59 ter. Los funcionarios y demás personas que presten servicios en el Servicio Nacional del Consumidor estarán obligados a guardar reserva sobre toda información, dato o antecedente de que puedan imponerse con motivo u ocasión del ejercicio de sus labores, incluso después de haber dejado el cargo. Sin perjuicio de lo anterior, tales antecedentes podrán utilizarse para el cumplimiento de las funciones del Servicio y el ejercicio de las acciones ante los tribunales de justicia.

La infracción de esta prohibición se castigará con las penas indicadas en los artículos 246, 247 y 247 bis del Código Penal, y con las sanciones disciplinarias que puedan aplicarse administrativamente por la misma falta. Asimismo, serán aplicables las normas de responsabilidad funcionaria y del Estado contempladas en la ley N° 19.880; en el decreto con fuerza de ley N° 29, de 2005, del Ministerio de Hacienda, que fija el texto refundido, coordinado y sistematizado de la ley N° 18.834, sobre Estatuto Administrativo, y en el decreto con fuerza de ley N° 1-19.653, de 2000, del Ministerio Secretaría General de la Presidencia, que fija el texto refundido, coordinado y sistematizado de la ley N° 18.575, orgánica constitucional de Bases Generales de la Administración del Estado.

Ley N° 19.496
Tít. VI: Sernac

> *Conc.:*
> – L. 19.496 *Reserva información*: 540.
> – C.P. *Violaciones de secretos*: 246,247, 247 bis.
> – L. 19.880 *Responsabilidad funcionaria*: 10,12,17, 24.
> – DFL 29 de 2004 (Ministerio de Hacienda Texto refundido de la L. 18.334) *Responsabilidad funcionaria*: 119-145; 157-159.
> – DFL 1/19.653(Ministerio Secretaría General de la Presidencia, Texto refundido de L 18.575): *Responsabilidad funcionaria*: 4, 15,18, 41, 42, 43, 52-56, 61-64.
>
> *Introducido:* L. 21.081.

Art. 60. El patrimonio del Servicio Nacional del Consumidor estará formado por:

a) Los bienes muebles e inmuebles, corporales e incorporales, de la ex-Dirección de Industria y Comercio, que por Ley N° 18.959 pasó a denominarse Servicio Nacional del Consumidor;

b) Los aportes que anualmente le asigne la Ley de Presupuestos de la Nación;

c) Los aportes de cooperación internacional que reciba para el desarrollo de sus actividades;

d) El producto de la venta de las publicaciones que realice, cuyo valor será determinado por resolución de su Director Nacional;

e) Las herencias, legados y donaciones que acepte el Servicio, siempre que provengan de personas o entidades sin fines de lucro y no regidas por esta ley, y

f) Los frutos de tales bienes.

Las donaciones en favor del Servicio estarán exentas del trámite de insinuación judicial a que se refiere el artículo 1.401 del Código Civil, así como de cualquier contribución o impuesto.

Conc.:
– L. 19.496 *Director Sernac*: 55 C, 56 B, 58, 59.
– L. 18.959 *Ex-Dirección de Industria y Comercio*: 4 y 5.
– C.C. *Exención insinuación judicial*: 1401.

Ninguna modif.

TÍTULO FINAL

Art. 61. Las multas a que se refiere esta ley serán de beneficio fiscal.

Conc.:
– L. 19.496 Véase *Índice analítico voz infracción*.

Ninguna modif.

Art. 62. El Ministerio de Economía, Fomento y Turismo dictará uno o más reglamentos para regular las disposiciones de esta ley. Tratándose de materias regidas por leyes especiales, el reglamento correspondiente llevará, además, la firma del ministro del respectivo sector.

En el ejercicio de esta facultad, se dictarán, a lo menos, los siguientes reglamentos:

1. Sobre información al consumidor de tarjetas de crédito bancarias y no bancarias.

2. Sobre información al consumidor de créditos hipotecarios.

3. Sobre información al consumidor de créditos de consumo.

4. Sobre la organización y funcionamiento para la constatación de las condiciones de otorgamiento, mantención y revocación del sello SERNAC por el Servicio Nacional del Consumidor, incluyendo las normas necesarias para la organización y funcionamiento del servicio de atención al cliente y del Sistema de Solución de Controversias.

Los proveedores que deban modificar los contratos de adhesión suscritos con antelación a la entrada en vigencia de los reglamentos señalados en este artículo, para adecuarlos a las disposiciones de éstos, en aquellas materias que no afecten la esencia de los derechos adquiridos bajo el régimen legal anterior, deberán, a su costa, enviar por cualquier medio físico o tecnológico a los consumidores un anexo que detalle las modificaciones, en un plazo que no exceda de noventa días contado desde la publicación de dichos reglamentos, o de su modificación, en su caso.

Conc.:

– L. 19.496 *Contenido y características información*: 28, 30, 32, 33, 37; *Contrato de adhesión en general*: 1.6, 55, 55 A,55 B, 55 C, 55 D, 56; *Crédito hipotecario*: 17 D, 55; *Sello SERNAC*: 17 B, 17 H, 55, 55 A, 55-56, 56 H; *Tarjeta de crédito*: 17 I, 55.

– Decreto 98 de 2019 (Reglamento Fondo concursable y Asociaciones Nacionales).

– Decreto 86 de 2019 (Reglamento registro sentencias).

– Decreto 62 de 2019 (Reglamento no molestar, antispam).

– Decreto 89 de 2017 (Reglamento contenido y leyenda videojuegos).

– Decreto 51 de 2015 (Reglamento contenido y leyenda videojuegos).

– Decreto 44 de 2012 (Reglamento tarjetas de crédito).

– Decreto 43 de 2012 (Reglamento información de crédito al consumo).

– Decreto 42 de 2012 (Reglamento información en créditos hipotecarios).

– Decreto 41 de 2012 (Reglamento Sello Sernac).

– Decreto 229 de 2002 (Reglamento información precio unitario).

– Decreto 6 de 2020 *(Comercio electrónico)*.

Introducido: L. 20.555.

DISPOSICIONES TRANSITORIAS

Art. 1°. La presente ley entrará en vigencia noventa días después de su publicación en el Diario Oficial.

Conc.:

– L. 19.496 *Entrada en vigor*: 4 disposiciones transitoria.

Ninguna modif.

Art. 2°. Derógase la ley N° 18.223, con excepción de sus artículos 5° y 13, así como toda otra disposición legal contraria a lo preceptuado por la presente ley, a contar de su fecha de vigencia.

Conc.:

– L. 19496: *Servicio técnico*: 1.3, 12 C, 20, 40, 41.

– L. 18.223 *En concordancia con infracción servicio técnico*: 5.
– L. 18.223 *Derogación parcial.*
– DFL 3 de 1997 (Ministerio de Hacienda, fija Texto Refundido, de la Ley General de Bancos) *Concordancia con art. 13 L. 18.223*: 39; *Concordancia con art. 13 L. 18.223*: 160.

Ninguna modif.

Art. 3º. Las organizaciones de consumidores existentes a la fecha de entrada en vigencia de la presente ley, serán consideradas asociaciones de consumidores para todos los efectos legales y podrán, en cualquier tiempo, adecuarse al nuevo régimen jurídico según el procedimiento establecido en el artículo 4º transitorio de la ley Nº 19.250.

Conc.:
– L. 19.496 *Asociaciones de consumidores*: 5-11 ter, 51, 54 H, 54 I, 56 C, 59.
– L. 19.250 Asociaciones de consumidores: 4 transitorio.

Modif.: L. 19.955.

Art. 4º. Las normas establecidas en el artículo 17 de la presente ley, entrarán en vigencia después de un año, contado desde su publicación en el Diario Oficial, y las de las letras b), c) y e) del artículo 37, noventa días después de la misma fecha.

Conc.:
– L. 19.496 *Entrada en vigor*: 17, 4 disposiciones transitoria.

Modif.: L. 19.955.

Art. 5º. Facúltase al Presidente de la República, para que dentro del plazo de 180 días contados desde la publicación de la presente ley, mediante un decreto con fuerza de ley, fije el texto refundido, coordinado y sistematizado de la ley Nº 19.496, que establece normas sobre protección de los derechos de los consumidores.

Habiéndose cumplido con lo establecido en el Nº 1 del Artículo 82 de la Constitución Política de la República, y por cuanto he tenido a bien aprobarlo y sancionarlo; por tanto promúlguese y llévese a efecto como Ley de la República.

Conc.:

– Constitución: *Control de constitucionalidad*: 93 Nº (originario art. 82 Nº 1).

Modif.: L. 19.955.

Art. 6º. Durante la vigencia del estado de excepción constitucional de catástrofe por calamidad pública, a propósito de la pandemia de COVID-19, declarado por el decreto supremo N°104, de 18 de marzo de 2020, y sus sucesivas prórrogas, y por los sesenta días posteriores al término de la última de ellas, las llamadas o visitas de cobranza extrajudicial a que se refiere el artículo 37 de esta ley podrán realizarse sólo dos veces al mes, respecto de cada deudor.

Conc.:
– Ley 19.496: *Cobranzas extrajudiciales*: 37, 39 B, 39 C.

Introducido: L. 21.320.

Santiago, 7 de febrero de 1997.- EDUARDO FREI RUIZ-TAGLE, Presidente de la República.- Oscar Landerretche Gacitúa, Ministro de Economía, Fomento y Reconstrucción Subrogante.

Lo que transcribo a Ud. para su conocimiento.- Saluda atentamente a Ud., Oscar Landerretche Gacitúa, Subsecretario de Economía.

Tribunal Constitucional
Proyecto de ley relativo a los derechos de los consumidores

El Secretario del Tribunal Constitucional, quien suscribe, certifica que la Honorable Cámara de Diputados envió el proyecto de ley enunciado en el rubro, aprobado por el Congreso Nacional, a fin de que este Tribunal ejerciera el control de constitucionalidad respecto de las disposiciones contempladas en los incisos primero y segundo del artículo 50 de dicho proyecto, y que por sentencia de 27 de enero de 1997, declaró:

1. Que las disposiciones del inciso tercero del artículo 50 del proyecto de ley en examen, son inconstitucionales y deben eliminarse de dicho texto.

2. Que las disposiciones contempladas en el inciso primero del artículo 50 del proyecto remitido, son constitucionales.

3. Que el Tribunal no se pronuncia sobre las disposiciones contenidas en el inciso segundo del artículo 50 del proyecto remitido, por versar sobre materias que no son propias de ley orgánica constitucional.

Santiago, enero 28 de 1997.- Rafael Larraín Cruz, Secretario.

Índice analítico

Ley Nº 19.496
Índice analítico

Videojuegos. *49 bis*

Inhabilitación
Director de asociación de consumidores. *7*
Inhabilidad art. 358 CPC. *51*
Juez. *52*
Mediador y árbitro financiero. *56 C, 56 B*

Interés colectivo o difuso. *24 A, 8, 2 bis*
Características del grupo. *54 E, 54 D, 54 A, 53 C, 53 B, 53 A, 51*
Competencia. *50 A*
Efecto de la sentencia. *54, 53.2*
Ejercicio judicial de la denuncia o de la acción. *50 G, 50 F, 50 E, 50 D, 50 C, 50 B, 50*
Procedimiento. *54G, 54F, 54E, 54D, 54C, 54B, 54A, 54, 53C, 53B, 53A, 53, 52, 51*
Procedimiento voluntario. *54S, 54R, 54Q, 54P, 54O, 54Ñ, 54N, 54M, 54L, 54K, 54J, 54I, 54H*

Intereses. *54 F, 39, 38, 37, 27, 17 H, 17 G*

Ley de Presupuestos. *60*

Ley Nº 18.046. *59*

Ley Nº 18.575. *59 ter, 59*

Ley Nº 18.834. *59 ter*

Ley Nº 19.880. *59 ter, 56 B*

Ley Nº 20.416. *58*

Ley Nº 15.231. *50 B*

Ley Nº 18.010. *39, 3*

Ley Nº 18.045. *9*

Ley Nº 18.223. *2 disposiciones transitorias*

Ley Nº 18.287. *50 B*

Ley Nº 18.959. *60*

Ley Nº 19.250. *3 disposiciones transitorias*

Ley Nº 19.472. *2*

Ley Nº 19.628. *37*

Ley Nº 19.882. *59, 58, 57*

Ley Nº 20.416
Art. 2. *58*

Ley Nº 20.500. *6*

Ley Nº 20416. *24 A, 24*

Ley Nº 16.250. *17D*

Leyes especiales. *5 disposiciones transitorias, 3 disposiciones transitorias, 2 disposiciones transitorias, 62, 60, 59 ter, 59, 58, 58, 58, 57, 56 E, 56 C, 56 C, 55 C, 55, 54 O, 53B, 52, 51, 51, 51, 50H, 50E, 50 B, 50A, 47, 44, 39, 37, 30, 26, 25A, 24 A, 24, 21, 17 K, 17D, 17 C, 15, 11 ter, 11 bis, 10, 9, 8, 7, 6, 2bis, 2*

Mandato. *53 B, 51, 39 B, 17 J, 17 I, 8*
Mandato en blanco. *17 B*
Mandato general para hacer futuros cobros. *3 ter*

Mecanismos alternativos de solución de conflictos. *56 H, 56 G, 56 F, 56*

LEY QUE ESTABLECE UN RÉGIMEN DE LIMITACIÓN DE RESPONSABILIDAD PARA TITULARES O USUARIOS DE TARJETAS DE PAGO Y TRANSACCIONES ELECTRÓNICAS EN CASO DE EXTRAVÍO, HURTO, ROBO O FRAUDE

Ley 20.009, de 1 de abril de 2005
Así como modificada por la Ley N° 21.234, de
20 mayo de 2020, que limita la responsabilidad
de los titulares o usuarios de tarjetas de pago y
transacciones electrónicas en caso de extravío,
hurto, robo o fraude (Diario Oficial de 29 de mayo)
Actualizada al 24 de diciembre de 2021

TÍTULO I. DEL ÁMBITO DE APLICACIÓN GENERAL

Art. 1. Esta ley regula el régimen de responsabilidad aplicable en los casos de extravío, hurto, robo o fraude de tarjetas de crédito, tarjetas de débito, tarjetas de pago con provisión de fondos, o cualquier otro sistema similar, en adelante conjuntamente, las "tarjetas de pago", emitidas y operadas por entidades sujetas a la fiscalización de la Comisión para el Mercado Financiero y a la regulación del Banco Central de Chile, en relación con el respectivo giro de emisión u operación de dichos instrumentos. También regula el régimen de responsabilidad en los casos de extravío, hurto, robo o fraude de tarjetas de pago emitidas y operadas por entidades no sujetas a la fiscalización y regulación de los organismos indicados, salvo disposición expresa en contrario.

Asimismo, se aplicará a los fraudes en transacciones electrónicas. Para efectos de esta ley, se entenderá por tales aquellas operaciones realizadas por medios electrónicos que originen cargos y abonos o giros de dinero en cuentas corrientes bancarias, cuentas de depósitos a la vista, cuentas de provisión de fondos, tarjetas de pago u otros sistemas similares, tales como instrucciones de cargo en cuentas propias para abonar cuentas de terceros, incluyendo pagos y cargos automáticos, transferencias electrónicas de fondos, avances en efectivo, giros de dinero en cajeros automáticos y demás operaciones electrónicas contempladas en el contrato de prestación de servicios financieros respectivo. Se comprenden dentro de este concepto las transacciones efectuadas mediante portales web u otras plataformas electrónicas, informáticas, telefónicas o cualquier otro sistema similar dispuesto por la empresa bancaria o el proveedor del servicio financiero correspondiente.

Para efectos de esta ley, las tarjetas de pago y sistemas de transacciones electrónicas podrán designarse en forma conjunta como "medios de pago".

Los plazos de días hábiles que establece esta ley no considerarán los sábados, domingos ni festivos u otros que no correspondan a días hábiles bancarios conforme a lo previsto en el artículo 38 de la Ley General de Bancos.

Art. 2. Los titulares o usuarios de medios de pago, así como los titulares de otras cuentas o sistemas similares que permitan efectuar transacciones electrónicas, en adelante referidos en forma conjunta como los "usuarios", podrán limitar su responsabilidad, en los términos establecidos por esta ley, en caso de hurto, robo, extravío o fraude, dando aviso oportuno al emisor.

El emisor o prestador del servicio financiero de pagos electrónicos de dichos medios de pago, en adelante, referidos en forma conjunta como los "emisores", deberá proveer al usuario, todos los días del año, las veinticuatro horas del día, de canales o servicios de comunicación, de acceso gratuito y permanente, que permitan efectuar y registrar los referidos avisos. Por el mismo medio de comunicación, y en el acto de recepción, el emisor deberá entregar al usuario un número, código de recepción o identificador de seguimiento, y la fecha y hora del aviso, procediendo de inmediato al bloqueo respectivo del medio de pago, en lo referido a su funcionalidad para efectuar pagos o transacciones electrónicas.

Además, el emisor deberá enviar al usuario, de la manera más expedita posible, y a través del medio que el usuario hubiere acordado o registrado con el respectivo emisor, una comunicación que incluya el número, código de recepción o identificador de seguimiento, y la fecha y hora del aviso. En todo caso, la falta de dicha comunicación no afectará la validez del aviso efectuado por el usuario.

Art. 3. En el caso de que los medios de pago a que se refiere esta ley sean utilizados con posterioridad al aviso de extravío, hurto, robo o fraude, el emisor será responsable de tales operaciones y sus consecuencias económicas, en virtud de lo señalado en el artículo anterior.

Por ende, el usuario del respectivo medio de pago quedará liberado de responsabilidad por estos conceptos, sin perjuicio de la responsabilidad penal que pudiere corresponderle con motivo del extravío, hurto, robo o fraude respectivo.

Las cláusulas de los contratos que impongan el deber de prueba sobre el usuario, por operaciones realizadas con posterioridad al aviso de extravío, hurto, robo o fraude, no producirán efecto alguno y se tendrán por no escritas.

Art. 4. Tratándose de operaciones anteriores al aviso a que se refiere el artículo 2 de esta ley, el usuario deberá reclamar al emisor aquellas operaciones respecto de las cuales desconoce haber otorgado su autorización o consentimiento, en el plazo de treinta días hábiles siguientes al aviso.

El reclamo podrá incluir operaciones realizadas en los ciento veinte días corridos anteriores a la fecha del aviso efectuado por el usuario.

En relación con las operaciones no autorizadas incluidas en el reclamo, se considerará especialmente la circunstancia de que el emisor haya enviado una alerta de fraude al usuario, identificando las operaciones sospechosas, y que exista constancia de su recepción por parte

Responsabilidad tarjetas y transacciones

del usuario, conforme al contrato de prestación de servicios financieros correspondiente.

Tan pronto el usuario tome conocimiento de la existencia de operaciones no autorizadas, deberá dar aviso conforme a lo previsto en el artículo 2 de esta ley.

En los casos en que el usuario desconozca haber autorizado una operación, corresponderá al emisor probar que dicha operación fue autorizada por el usuario y que se encuentra registrada a su nombre.

El solo registro de las operaciones no bastará, necesariamente, para demostrar que esta fue autorizada por el usuario, ni que el usuario actuó con culpa o descuido que le sean imputables, sin perjuicio de la acción contra el autor del delito.

TÍTULO II. DE LA CANCELACIÓN DE CARGOS O RESTITUCIÓN DE FONDOS

Art. 5. El emisor deberá proceder a la cancelación de los cargos o a la restitución de los fondos correspondientes a las operaciones reclamadas en virtud del artículo 4, dentro de cinco días hábiles contados desde la fecha del reclamo, cuando el monto total reclamado sea igual o inferior a 35 unidades de fomento.

Si el monto reclamado fuere superior a 35 unidades de fomento, el emisor deberá proceder a la cancelación de los cargos o la restitución de los fondos, según corresponda, por un valor de 35 unidades de fomento en igual plazo que el inciso precedente. Respecto del monto superior a dicha cifra el emisor tendrá siete días adicionales para cancelarlos, restituirlos al usuario o ejercer las acciones del inciso siguiente, debiendo notificar al usuario la decisión que adopte de la manera indicada en el inciso tercero del artículo 2.

Si en el plazo anterior, el emisor recopilare antecedentes que acrediten la existencia de dolo o culpa grave por parte del usuario, podrá ejercer ante el juez de policía local todas las acciones que emanan de esta ley, siendo competente aquel que corresponda a la comuna del domicilio del usuario.

Si el juez declarare por sentencia firme o ejecutoriada que no existen antecedentes suficientes que acrediten la existencia de dolo o culpa grave del usuario, el emisor quedará obligado a restituir al usuario el saldo retenido, debidamente reajustado aplicando para ello la tasa de interés máxima convencional calculada desde la fecha del aviso y al pago de las costas personales o judiciales.

Si se acreditare por sentencia firme o ejecutoriada que el usuario ha participado en la comisión del delito, que obtuvo un provecho ilícito o que actuó con dolo o culpa grave facilitando su comisión, se procederá a dejar sin efecto la cancelación de los cargos o la restitución de fondos, sin perjuicio de las indemnizaciones que correspondan según la normativa aplicable.

El procedimiento para ejercer esta acción será el establecido en el Párrafo 1° del Título IV de la ley N° 19.496, sobre protección de los derechos de los consumidores.

El emisor estará impedido de ofrecer a los usuarios la contratación de seguros cuya cobertura corresponda a riesgos o siniestros que el emisor deba asumir en conformidad a esta ley.

Art. 6. Los emisores, operadores, comercios y otros establecimientos afiliados a un sistema de tarjetas de pago, así como las demás entidades que intervengan o presten servicios asociados a pagos y transacciones electrónicas, u otros sistemas de características similares, deberán adoptar las medidas de seguridad necesarias para prevenir la comisión de los ilícitos descritos en esta ley conforme a la legislación y normativa que les resulte aplicable, y resguardando la prestación segura del respectivo servicio en los términos señalados por el artículo 23 de la ley N° 19.496.

En el caso de los emisores u operadores, según corresponda, dichas medidas de seguridad deberán considerar, al menos, lo siguiente:

a) Contar con sistemas de monitoreo que tengan como objetivo detectar aquellas operaciones que no corresponden al comportamiento habitual del usuario.

b) Implementar procedimientos internos para gestionar las alertas generadas por dichos sistemas de monitoreo.

c) Identificar patrones de potenciales fraudes, conforme a las prácticas de la industria y recomendaciones, los que deberán incorporarse al sistema de monitoreo de operaciones.

d) Establecer límites y controles en los diversos canales de atención que permitan mitigar las pérdidas por fraude. Los referidos límites y controles deberán basarse en consideraciones de riesgo objetivas, generales y no discriminatorias, en relación con la naturaleza del medio de pago y la clase d operaciones que permita efectuar.

El órgano fiscalizador competente, a través de la normativa que dicte, recomendará lo señalado en las letras a), b), c) y d) respecto de los emisores sujetos a su supervisión.

La falta o deficiencia de tales medidas será considerada para la determinación de las responsabilidades correspondientes a cada uno de ellos, que pudiere perseguir en su contra el usuario u otro afectado.

Lo indicado es sin perjuicio de la posibilidad de que los emisores puedan perseguir el cumplimiento de la obligación de restitución o reembolso que corresponda, por cancelaciones de cargos o devoluciones de fondos, en base a los estándares y procedimientos de seguridad exigibles a cada una de las entidades antes indicadas, de conformidad con esta ley, las demás leyes y regulaciones aplicables, teniendo presente los términos y condiciones contractuales que los vinculen, en cada caso.

TÍTULO III. DE LA RESPONSABILIDAD POR FRAUDE EN TARJETAS DE PAGO Y TRANSACCIONES ELECTRÓNICAS

Art. 7. Las conductas que a continuación se señalan constituyen delito de uso fraudulento de tarjetas de pago y transacciones electrónicas y se sancionarán con la pena de presidio menor en su grado medio a máximo y multa correspondiente al triple del monto defraudado:

a) Falsificar tarjetas de pago.

b) Usar, vender, exportar, importar o distribuir tarjetas de pago falsificadas o sustraídas.

c) Negociar, en cualquier forma, tarjetas de pago falsificadas o sustraídas.

d) Usar, vender, exportar, importar o distribuir los datos o el número de tarjetas de pago, haciendo posible que terceros realicen pagos, transacciones electrónicas o cualquier otra operación que corresponda exclusivamente al titular o usuario de las mismas.

e) Negociar, en cualquier forma, con los datos, el número de tarjetas de pago y claves o demás credenciales de seguridad o autenticación para efectuar pagos o transacciones electrónicas, con el fin de realizar las operaciones señaladas en el literal anterior.

f) Usar maliciosamente una tarjeta de pago o clave y demás credenciales de seguridad o autenticación, bloqueadas, en cualquiera de las formas señaladas en las letras precedentes.

g) Suplantar la identidad del titular o usuario frente al emisor, operador o comercio afiliado, según corresponda, para obtener la autorización que sea requerida para realizar transacciones.

h) Obtener maliciosamente, para sí o para un tercero, el pago total o parcial indebido, sea simulando la existencia de operaciones no autorizadas, provocándolo intencionalmente, o presentándolo ante el emisor como ocurrido por causas o en circunstancias distintas a las verdaderas.

Asimismo, incurrirá en el delito y sanciones que establece este artículo el que mediante cualquier engaño o simulación obtenga o vulnere la información y medidas de seguridad de una cuenta corriente bancaria, de una cuenta de depósito a la vista, de una cuenta de provisión de fondos, de una tarjeta de pago o de cualquier otro sistema similar, para fines de suplantar al titular o usuario y efectuar pagos o transacciones electrónicas.

Nota: el art. 2 de la 21.234 predispone: "Intercálase en la letra a) del inciso primero del artículo 27 de la ley N° 19.913, entre la expresión "en relación al inciso final del artículo 467 del Código Penal" y la coma que le sigue, lo siguiente: "; el artículo 7 de la ley N° 20.009".".

TÍTULO IV. DE LA INVESTIGACIÓN Y SANCIÓN DE LOS DELITOS

Art. 8. Cuando la investigación de alguno de los delitos penados por esta ley lo hiciere imprescindible y existieren fundadas sospechas, basadas en hechos determinados, de la participación en una asociación ilícita o en una agrupación u organización conformada por dos o más personas, destinada a cometer estos ilícitos, el Ministerio Público podrá aplicar las técnicas investigativas previstas y reguladas en los artículos 222 a 226 del Código Procesal Penal y siempre que cuente con autorización judicial.

De igual forma, cumpliéndose las mismas condiciones establecidas en el inciso anterior, el Ministerio Público, siempre que cuente con autorización judicial, podrá utilizar las técnicas especiales de investigación consistentes en entregas vigiladas y controladas, el uso de agentes encubiertos e informantes, en la forma regulada por los artículos 23 y 25 de la ley Nº 20.000, siempre que fuere necesario para lograr el esclarecimiento de los hechos, establecer la identidad y la participación de personas determinadas en éstos, conocer sus planes, prevenirlos y comprobarlos.

Los resultados de las técnicas especiales de investigación establecidas en este artículo no podrán ser utilizados como medios de prueba en el procedimiento cuando ellos hubieren sido obtenidos fuera de los casos o sin haberse cumplido los requisitos que autorizan su procedencia.

Art. 9. Las penas establecidas en el artículo 7 de la ley se aplicarán sin perjuicio de las eventuales sanciones que también corresponda aplicar por los delitos contemplados en la ley Nº 19.223, o aquella que la modifique, reemplace o sustituya en materia de delitos informáticos o ciberdelincuencia.

DISPOSICIONES FINALES

Art. 10. Los emisores deberán bloquear todos aquellos medios de pago que se encuentren inactivos por más de 12 meses consecutivos.

En el caso de que procedan a bloquear algún medio de pago, ello deberá ser notificado al usuario de la manera indicada en el inciso tercero del artículo 2.

Art. 11. Las entidades emisoras señaladas en el artículo 1 de la presente ley deberán informar semestralmente, en sus respectivos sitios electrónicos, acerca del número de usuarios afectados por casos cubiertos por el presente cuerpo legal, señalando los montos involucrados y los plazos en que hayan dado respuesta o cumplimiento a sus obligaciones. Además, deberán enviar la información de manera desagregada a la Comisión para el Mercado Financiero.".

Responsabilidad tarjetas y transacciones

LEY QUE REGULA LA
PORTABILIDAD FINANCIERA

De conformidad a lo dispuesto en la Ley Nº 21.236,
de 3 junio de 2020 (Diario Oficial de 9 de junio)
Actualizada al 24 de diciembre de 2021

TÍTULO I. ÁMBITO DE APLICACIÓN Y DEFINICIONES BÁSICAS

Art. 1. Objeto. Esta ley tiene por objeto promover la portabilidad financiera, facilitando que las personas, micro y pequeñas empresas se cambien, por estimarlo conveniente, de un proveedor de servicios financieros a otro, o de un producto o servicio financiero vigente a otro nuevo contratado con el mismo proveedor. Esta ley se aplicará a proveedores de servicios financieros, de conformidad al numeral 9 del artículo 3, regulados en la ley Nº 18.010, que establece normas para las operaciones de crédito y otras obligaciones de dinero que indica; el decreto con fuerza de ley Nº 3, de 1997, del Ministerio de Hacienda, que fija texto refundido, sistematizado y concordado de la Ley General de Bancos y de otros cuerpos legales que se indican; el decreto con fuerza de ley Nº 5, de 2003, del Ministerio de Economía, Fomento y Reconstrucción, que fija texto refundido, concordado y sistematizado de la Ley General de Cooperativas; el decreto con fuerza de ley Nº 251, de 1931, del Ministerio de Hacienda, sobre compañías de seguros, sociedades anónimas y bolsas de comercio; la ley Nº 18.833, que Establece un nuevo estatuto general para las Cajas de Compensación de Asignación Familiar (C.C.A.F.), y en otras normas de similar naturaleza.

Art. 2. La portabilidad constituye un derecho para el cliente, y cualquier cláusula en contrario se entenderá por no escrita.

Art. 3. Definiciones. Para los efectos de esta ley, se entenderá por:

1.- Certificado de liquidación: certificado de liquidación para término anticipado regulado en el artículo 17 D de la ley N° 19.496, que Establece normas sobre protección de los derechos de los consumidores.

2.- Cliente: persona natural o jurídica que mantiene vigente uno o más productos o servicios financieros, y que tenga la calidad de consumidor conforme a la ley N° 19.496, o de micro o pequeña empresa, conforme a la ley N° 20.416, que Fija normas especiales para las empresas de menor tamaño.

3.- Costo total de prepago: monto total a pagar para extinguir totalmente la respectiva obligación en forma anticipada, incluida la correspondiente comisión de prepago en su caso.

4.- Crédito: operación de crédito de dinero definida en el artículo 1 de la ley N° 18.010, que Establece normas para las operaciones de crédito y otras obligaciones de dinero que indica.

5.- Mandato de término: mandato otorgado por el cliente al nuevo proveedor con el objeto de que este último, en su nombre y representación, pague, cuando corresponda, y requiera el término de determinados productos o servicios financieros que el cliente mantiene vigentes con un proveedor inicial.

6.- Nuevo proveedor: proveedor respecto del cual un cliente ha aceptado una oferta de portabilidad financiera.

7.- Oferta de portabilidad u oferta: oferta escrita y de carácter vinculante, regulada en el artículo 7 de esta ley, mediante la cual un proveedor propone a un cliente la celebración de determinados contratos de productos o servicios financieros y especifica el o los productos y servicios financieros que el cliente mantiene con un proveedor inicial y que serán objeto de un mandato de término.

8.- Proceso de portabilidad financiera o proceso de portabilidad: proceso regulado en esta ley que tiene por objeto principal la contratación de productos o servicios financieros con un nuevo proveedor, y el término de uno o más productos o servicios financieros contratados con el proveedor inicial.

9.- Proveedor: todo banco, compañía de seguros, agente administrador de mutuos hipotecarios, caja de compensación de asignación familiar, cooperativa de ahorro y crédito o institución que coloque fondos por medio de operaciones de crédito de dinero de manera masiva señalada en el artículo 31 de la ley N° 18.010, siempre y cuando dicha institución tenga un giro relacionado con el otorgamiento de créditos, o toda otra entidad fiscalizada por la Comisión para el Mercado Financiero en virtud del decreto con fuerza de ley N° 3, de 1997, del Ministerio de Hacienda, que fija el texto refundido, sistematizado y concordado de la Ley General de Bancos.

10.- Proveedor inicial: proveedor con el cual un cliente mantiene vigente uno o más contratos de productos o servicios financieros.

11.- Reglamento de portabilidad o reglamento: reglamento a que se refieren las disposiciones de esta ley.

12.- Solicitud de portabilidad o solicitud: solicitud regulada en los artículos 5 y 6 de esta ley, presentada por un cliente a un proveedor, con el objeto de iniciar un proceso de portabilidad.

13.- Subrogación especial de crédito o subrogación especial: subrogación por la cual un crédito inicial es subrogado por un nuevo crédito, pasando este último a sustituir jurídicamente al primero, de conformidad con las características y condiciones señaladas en el Título III de esta ley.

TÍTULO II. PROCESO DE PORTABILIDAD FINANCIERA

Art. 4. Portabilidad financiera. El proceso de portabilidad podrá comprender las siguientes modalidades:

a) Portabilidad sin subrogación: proceso que tiene por objeto contratar productos o servicios financieros con un nuevo proveedor y obtener el término de uno o más productos o servicios financieros que el cliente mantenga vigentes con el proveedor inicial, extinguiendo en consecuencia todas las garantías que caucionan dichos productos o servicios.

b) Portabilidad con subrogación: proceso por el cual el cliente contrata un nuevo crédito con un nuevo proveedor con la finalidad de pagar un crédito que el cliente mantiene con un proveedor inicial, produciéndose con ello una subrogación especial de crédito.

Un mismo proceso de portabilidad podrá operar bajo ambas modalidades para distintos productos o servicios financieros.

El proceso de portabilidad financiera podrá tener lugar tanto entre productos o servicios financieros otorgados por distintos proveedores, como entre productos o servicios financieros otorgados por el mismo proveedor.

Art. 5. Solicitud de portabilidad. Todo cliente que quiera iniciar un proceso de portabilidad financiera deberá presentar una solicitud de portabilidad a un proveedor.

Una vez que el proveedor reciba dicha solicitud, deberá requerir directamente al proveedor inicial el respectivo certificado de liquidación, en caso de que éste no hubiere sido entregado por el cliente o hubiere perdido su vigencia. Lo mismo aplicará para el certificado de pago del impuesto de timbres y estampillas a que se refiere el numeral 17 del artículo 24 del decreto ley Nº 3.475, de 1980, que modifica la ley de timbres y estampillas contenida en el decreto ley Nº 619, de 1974. En caso de que el proveedor inicial no envíe los mencionados certificados en los plazos y formas correspondientes, el proveedor solicitante deberá informar dicha situación al cliente y al Servicio Nacional del Consumidor.

Las facultades para solicitar los documentos antes referidos se mantendrán vigentes mientras se encuentre en curso el proceso de portabilidad. En caso de no prosperar este proceso, el proveedor deberá enviar al cliente, por medios electrónicos, esos documentos, y no podrá mantener copia de ellos.

La solicitud deberá señalar en forma expresa la intención del cliente de iniciar dicho proceso, la especificación del proveedor inicial y el o los productos y servicios financieros que solicita terminar con éste, en caso de aceptar la oferta.

En caso de que el cliente desee refinanciar uno o más productos financieros con créditos disponibles no desembolsados o créditos rotativos, y no solicite su respectivo bloqueo, de conformidad al inciso sexto del artículo 17 D de la ley N° 19.496, la solicitud de portabilidad podrá incluir el compromiso del cliente de no aumentar dichas deudas por sobre un monto determinado. Con la entrega del referido compromiso se entenderá que el cliente acepta que los mencionados productos sean bloqueados de conformidad a lo señalado en el artículo 10.

En caso de que el cliente no cumpla el referido compromiso, el nuevo proveedor podrá retractarse de celebrar los contratos ofrecidos.

El reglamento establecerá las formalidades que deberá cumplir la solicitud de portabilidad, y podrá, asimismo, disponer condiciones y requisitos adicionales que sean necesarios para el mejor funcionamiento del proceso de portabilidad.

Art. 6. Vigencia de la solicitud de portabilidad. La solicitud de portabilidad se encontrará vigente hasta la retractación del cliente o hasta treinta días hábiles bancarios contados desde la última comunicación enviada por el cliente al proveedor, sin que se haya recibido una oferta de portabilidad financiera de este último.

Art. 7. Oferta de portabilidad financiera. Se entenderá que el proveedor decide perseverar con el proceso de portabilidad una vez que presente una oferta al cliente, por escrito, que contenga a lo menos lo siguiente:

a) La especificación de el o los productos o servicios financieros que se ofrecen, detallando el monto, carga anual equivalente, costo total del crédito, el plazo, cuando corresponda, y el plazo para la suscripción de el o los nuevos contratos de dichos productos o servicios, así como los gastos asociados que deban ser cubiertos por el cliente.

b) La especificación de el o los productos o servicios financieros que el cliente mantiene con el proveedor inicial identificados en la solicitud de portabilidad, y que serían objeto del mandato de término, indicando los montos y el origen de los fondos destinados a tal efecto, cuando corresponda, y deberán asimismo contener los fondos que se

Portabilidad financiera

requieran para dar cumplimiento total al mandato de término, en caso de proceder.

El proveedor podrá retractarse de la oferta una vez transcurrido el plazo de vigencia de ésta, el que deberá estar señalado expresamente, y que en ningún caso podrá ser inferior a siete días hábiles bancarios desde su emisión.

El reglamento deberá establecer el formato de la oferta de portabilidad, con especificación de las materias que deberá contener, tales como el orden en que la información deberá ser presentada en la oferta, de manera de facilitar la comparación por parte del cliente de los nuevos productos y servicios financieros con aquellos que este último tenga vigentes con el proveedor inicial, así como los requisitos adicionales que sean necesarios para el mejor funcionamiento del proceso de portabilidad. La emisión de la oferta no podrá significar costo alguno para el cliente.

Art. 8. Aceptación de oferta de portabilidad financiera. Si el cliente decide aceptar la oferta de portabilidad, deberá comunicar su decisión por escrito al nuevo proveedor, dentro del periodo de vigencia.

Con la aceptación de la oferta de portabilidad, el cliente otorga un mandato de término al nuevo proveedor respecto de los productos y servicios especificados, de conformidad con el literal b) del artículo 6. El mandato de término facultará al nuevo proveedor para realizar todos los pagos, comunicaciones o requerimientos correspondientes, en nombre y representación del cliente. El reglamento regulará el mandato de término y su vigencia.

Será responsabilidad del nuevo proveedor verificar la identidad y capacidad jurídica del cliente que acepta la oferta y otorga el referido mandato.

Art. 9. Arrepentimiento de la aceptación de la oferta. El cliente podrá arrepentirse de la aceptación de la oferta, sólo respecto de contratos especificados en la oferta que no hayan sido celebrados. Si el cliente ejerciera este derecho, el nuevo proveedor estará obligado a devolverle cualquier suma abonada, relacionada a dichos productos o servicios, dentro de los cinco días hábiles bancarios siguientes, reteniendo sólo el monto que corresponda a servicios ya prestados y rindiendo cuenta de éstos.

Se entenderá que el cliente se ha arrepentido de la aceptación de la oferta de portabilidad, respecto de los contratos no celebrados, si no contrata dichos productos o servicios financieros dentro del plazo de suscripción referido en la letra a) del inciso primero del artículo 7.

El arrepentimiento de la aceptación de la oferta revocará el mandato de término otorgado por el cliente sólo respecto de los productos o servicios no contratados.

Art. 10. Contratación de productos y servicios financieros. Una vez aceptada la oferta de portabilidad, el nuevo proveedor deberá realizar todas las gestiones necesarias para contratar con el cliente los productos o servicios financieros especificados en dicha oferta.

Las condiciones de contratación establecidas en la oferta de portabilidad podrán actualizarse de común acuerdo entre las partes, en virtud de un nuevo certificado de liquidación emitido por el proveedor inicial o de una actualización de deudas solicitada a este último.

Con todo, aceptada la oferta y antes de la firma de el o los contratos, el nuevo proveedor podrá, previa notificación al cliente, solicitar directamente al proveedor inicial el bloqueo de los productos o servicios financieros con créditos disponibles o rotativos que se acordaron refinanciar y una actualización de las deudas indicadas en el certificado de liquidación. El proveedor inicial deberá, sin más trámite, y en un plazo no superior a veinticuatro horas desde la solicitud, bloquear los respectivos productos y servicios financieros y, a continuación, entregar la información actualizada del monto adeudado por el cliente.

En caso de que la referida actualización de deudas acredite que el cliente no cumplió el compromiso indicado en el inciso quinto del artículo 5, el nuevo proveedor no estará obligado a contratar los productos ofrecidos, pudiendo retractarse de la respectiva oferta, incluso después de la aceptación del cliente. Lo anterior también será aplica-

Portabilidad financiera

ble cuando el cliente haya aumentado su deuda mediante la solicitud de nuevos créditos con el proveedor inicial.

En caso de que el cliente sí hubiere cumplido el referido compromiso, o que el nuevo proveedor decida igualmente continuar con el proceso de portabilidad, ambas partes deberán firmar los contratos incluidos en la oferta, actualizados de conformidad a un nuevo certificado de liquidación o la actualización de deudas correspondiente. En dicho caso, los contratos de apertura de línea de crédito o de productos que tengan líneas de crédito asociadas deberán estar disponibles para firma, a más tardar al día siguiente hábil bancario desde la entrega actualizada de la información de deuda del cliente por parte del proveedor inicial.

Por su parte, los productos referidos en el inciso anterior deberán estar totalmente operativos y disponibles para el uso del cliente, a más tardar al día siguiente hábil bancario de la firma de los contratos, cuando proceda.

El reglamento podrá regular la forma y requisitos relativos a la actualización de deuda, el bloqueo de productos y la operatividad de productos.

El cliente no podrá ejercer el derecho a retracto del artículo 3° bis de la ley N° 19.496 respecto de los contratos celebrados en un proceso de portabilidad.

Art. 11. Cumplimiento del mandato de término. Una vez que el cliente y el nuevo proveedor hubieren contratado todos los productos o servicios financieros incluidos en la oferta de portabilidad, este último deberá cumplir el mandato de término incluido en ella dentro del plazo que indique el reglamento, el cual en ningún caso podrá ser superior a seis días hábiles bancarios. En caso de que se contrate un producto o servicio financiero que, conforme a la oferta de portabilidad, provea los fondos necesarios para pagar una deuda, el plazo para el cumplimiento del mandato de término respecto de dicho producto se contará desde la contratación del producto o servicio financiero que provee los fondos correspondientes.

Asimismo, en caso de que la oferta de portabilidad incluya la contratación de una cuenta corriente o cuenta vista y el cierre de una cuenta del mismo tipo, el nuevo proveedor deberá cumplir el mandato de término respecto de dicha cuenta dentro del plazo indicado en el reglamento, el cual en ningún caso podrá ser superior a cinco días hábiles bancarios contados desde la firma del nuevo contrato. Este plazo no será aplicable para el cumplimiento del mandato de término respecto de las cuentas que hayan sido bloqueadas de conformidad al artículo anterior.

El mandato de término se entenderá cumplido por el nuevo proveedor cuando éste, en nombre y representación del cliente:

a) pague los productos y servicios financieros especificados en la oferta de portabilidad, y

b) requiera al proveedor inicial el cierre o término de los productos o servicios financieros especificados en la oferta de portabilidad.

Si los productos o servicios especificados en el mandato de término contaren con saldos a favor del cliente, el proveedor inicial deberá entregarle dichos saldos dentro del plazo que señale el reglamento, el cual en ningún caso podrá ser superior a tres días hábiles bancarios contados desde el cierre efectivo del respectivo producto o servicio financiero.

El cumplimiento del mandato de término por parte del nuevo proveedor no lo hará responsable del pago de cheques girados y pendientes de cobro, de otros cargos pendientes de cobro o del pago de productos o servicios que sean pagados mediante mandatos de pagos automáticos de tarjetas o pagos automáticos de cuentas asociados a productos o servicios financieros que se requieren terminar.

El reglamento regulará los procedimientos aplicables a cargos pendientes de cobro, así como también la forma de entrega de saldos al cliente y la forma y plazo de entrega de reembolsos, cuando corresponda.

Art. 12. Responsabilidad de término o cierre de productos. Una vez cumplido el respectivo mandato de término por el nuevo proveedor, el

Portabilidad financiera

proveedor inicial será exclusivamente responsable del término o cierre efectivo de los productos o servicios, de conformidad con las normativas aplicables para cada producto o servicio financiero.

Una vez terminado o cerrado el respectivo producto o servicio financiero, el proveedor inicial deberá comunicar al cliente dicha situación, dentro del plazo que señale el reglamento, el cual en ningún caso podrá ser superior a cinco días hábiles bancarios desde el referido cierre.

El proveedor inicial sólo podrá aceptar el pago de un nuevo proveedor, el primero que pague, por cada producto o servicio financiero. En caso de que reciba pagos de otros proveedores por los mismos productos o servicios financieros, deberá devolverlos en un plazo máximo de tres días hábiles bancarios desde que reciba dichos pagos.

TÍTULO III. DEL PROCESO DE PORTABILIDAD FINANCIERA CON SUBROGACIÓN

Art. 13. Reglas especiales aplicables. El proceso de portabilidad financiera con subrogación se regirá por las disposiciones de este Título, además de las normas y obligaciones señaladas en esta ley.

Art. 14. Portabilidad financiera con subrogación. La subrogación especial de crédito procederá por el solo ministerio de la ley y aun contra la voluntad del proveedor inicial, cuando concurran las siguientes condiciones en forma copulativa:

a) Que un nuevo proveedor celebre un contrato de crédito con el cliente en virtud de una oferta de portabilidad, de conformidad con el artículo 16.

b) Que ese contrato de crédito señale expresamente que tiene por objeto el pago y la subrogación de un crédito inicial, especificando el crédito.

c) Que el nuevo proveedor pague, en nombre y representación del cliente, el costo total de prepago del crédito inicial con los fondos del crédito referido en la letra a).

La subrogación especial de crédito procederá únicamente respecto de los créditos que se extingan por el solo pago de los mismos. Asimismo, en caso de subrogación especial de un crédito inicial caucionado por una o más garantías reales, éstas subsistirán, garantizando de pleno derecho al nuevo crédito, en la totalidad de sus términos y en beneficio del nuevo proveedor. En virtud de lo anterior, se entenderá que la garantía real se ha modificado para garantizar el nuevo crédito, de pleno derecho, desde el momento del pago referido en la letra c) anterior.

La subrogación especial de crédito podrá tener lugar tanto entre créditos otorgados por distintos proveedores, como entre créditos otorgados por el mismo proveedor.

Para todos los demás efectos legales, se aplicarán, desde el inicio del proceso de portabilidad, las normas que regulen el otorgamiento de cada tipo de créditos, según corresponda, en la medida en que no sean contrarias a las disposiciones de esta ley.

Art. 15. Forma de realizar el pago. El pago referido en la letra c) del artículo 14 deberá efectuarse dentro del plazo que señale el reglamento, el cual en ningún caso podrá ser superior a seis días hábiles bancarios desde la celebración del nuevo contrato de crédito y durante la vigencia del certificado de liquidación o actualización de deudas.

Si el nuevo proveedor no realiza el pago dentro del plazo y en la forma señalados en el inciso anterior será exclusivamente responsable de los perjuicios que dicho incumplimiento le cause al cliente. Este incumplimiento en ningún caso afectará la subrogación especial de crédito.

Art. 16. Solemnidades del contrato del nuevo crédito. El contrato del nuevo crédito deberá ser celebrado por escrito. En caso de que el crédito inicial esté caucionado por una o más garantías reales sujetas a sistema registral, el nuevo crédito deberá también cumplir con las solemnidades legales que se requieran para el otorgamiento de dicha clase de cauciones y que sean necesarias para dejar constancia de la respectiva subrogación especial de crédito.

Además, se deberá insertar en el contrato del nuevo crédito el certificado de liquidación o actualización de deudas vigente en el momento de su celebración.

Art. 17. Reglas especiales para garantías con cláusula de garantía general. En caso de que un nuevo crédito subrogue al crédito inicial y este último esté caucionado por una garantía real con cláusula de garantía general, ésta pasará a beneficiar exclusivamente al nuevo proveedor, caucionando así la totalidad de las obligaciones que el cliente contraiga con éste, desde el momento en que todas las obligaciones incluidas en el certificado de liquidación hayan sido debidamente extinguidas, o pagadas por el nuevo proveedor. En dicho caso, el certificado de liquidación deberá incluir todos los montos que deban ser pagados para poner término a todas las obligaciones que tenga el cliente con el proveedor inicial, incluyendo aquellas que no deriven de productos o servicios financieros, de conformidad a lo señalado en el inciso cuarto del artículo 17 D de la ley Nº 19.496.

La existencia de obligaciones adicionales no incluidas en el certificado de liquidación o de productos o servicios financieros que no se terminen o extingan por el solo hecho del respectivo pago no afectarán el beneficio exclusivo del nuevo proveedor señalado en el inciso anterior.

Este artículo no será aplicable a la subrogación especial de crédito que tenga lugar entre dos créditos otorgados por el mismo proveedor, quien mantendrá su derecho sobre la respectiva garantía.

Art. 18. Reglas especiales para garantías sin cláusula de garantía general. En caso de que el crédito inicial esté caucionado por una garantía sin cláusula de garantía general y los términos del nuevo crédito impliquen condiciones más gravosas para el cliente, tales como aumentos de las tasas de interés, modificaciones de plazos o aumento en el monto del crédito, dichos términos serán inoponibles a terceros acreedores hipotecarios o prendarios de grado posterior existentes con anterioridad al proceso de portabilidad, o a terceros que hubieren otorgado la respectiva garantía, a menos que hubieren dado su consentimiento con las solemnidades a que se refiere el inciso primero del artículo 16, de conformidad con los plazos y procedimientos señalados en el reglamento.

Art. 19. Garantías bajo sistema registral. La constancia de una subrogación especial de crédito con garantías reales sujetas a registro deberá ser solicitada por el nuevo proveedor ante la entidad responsable del registro, a más tardar dentro de treinta días hábiles bancarios desde la respectiva subrogación especial de crédito. El incumplimiento de tal plazo será sancionado de conformidad al artículo 27, sin afectar la validez de solicitudes realizadas fuera de dicho plazo. Para lo anterior, deberá inscribirse en el respectivo registro en la misma forma en que corresponda efectuar una modificación a dicha garantía con las especificaciones correspondientes. Dicha inscripción deberá realizarse dentro de diez días hábiles desde la respectiva solicitud de inscripción y deberá, además, dejar constancia del consentimiento de terceros referidos en el artículo 18, cuando corresponda.

Para practicar esta inscripción sólo será exigible la presentación del contrato del nuevo crédito y el respectivo comprobante de pago emitido de conformidad con las condiciones, plazos y formalidades que señale el reglamento. Lo anterior será sin perjuicio de la solicitud de documentos que la entidad responsable estime necesarios para acreditar la representación, capacidad o identificación de la persona que solicite inscribir la constancia.

La constancia de la subrogación especial de crédito en el respectivo registro se entenderá sólo para efectos de publicidad y oponibilidad a terceros.

Art. 20. Cargos o derechos. Los notarios no podrán cobrar recargo sobre el monto del contrato del nuevo crédito referido en este Título, a menos que el capital del referido crédito sea superior al capital del

Portabilidad financiera

crédito inicial. En dicho caso, el recargo procederá sólo sobre el monto del nuevo contrato de crédito que exceda al monto de crédito inicial.

Asimismo, los conservadores de bienes raíces no podrán cobrar recargo sobre el monto del nuevo contrato de crédito por practicar la inscripción referida en el artículo 19, a menos que el capital del referido crédito sea superior al capital del crédito inicial. En dicho caso, el recargo procederá sólo sobre el monto del nuevo contrato de crédito que exceda al monto de crédito inicial.

Art. 21. Devengo de intereses del nuevo crédito. El nuevo crédito que se otorgue en virtud de esta ley no devengará intereses por el plazo transcurrido entre la celebración del respectivo contrato y el pago del crédito inicial por el nuevo proveedor, en nombre y representación del cliente.

TÍTULO IV. DISPOSICIONES VARIAS

Art. 22. Reglamento de portabilidad. Un reglamento dictado por los Ministerios de Hacienda y de Economía, Fomento y Turismo regulará todos los aspectos necesarios para la correcta aplicación de esta ley, incluyendo materias tales como los requisitos y plazos de las notificaciones, comunicaciones o aceptaciones. Asimismo, el reglamento regulará de manera específica la aplicación de la portabilidad de los distintos tipos de productos financieros, en caso de que sus particularidades así lo justifiquen.

Art. 23. Irrevocabilidad. En el caso de obligaciones caucionadas con una garantía real con cláusula de garantía general, el mandato que el cliente otorgue al nuevo proveedor para el pago o término de dichas obligaciones con motivo del proceso de portabilidad financiera tendrá el carácter de irrevocable hasta el pago de todas las obligaciones que procedan o hasta el incumplimiento de parte del nuevo proveedor de las obligaciones que establece esta ley.

Art. 24. Proceso de portabilidad para créditos hipotecarios otorgados mediante emisión de letras de crédito. Cuando el proceso de portabilidad incluya el pago de uno o más créditos hipotecarios otorgados mediante la emisión de letras de crédito, el plazo del mandato de término señalado en el inciso primero del artículo 11 se entenderá suspendido durante los periodos en que deban efectuarse los sorteos a que se refiere el artículo 101 del decreto con fuerza de ley N° 3, de 1997, del Ministerio de Hacienda, que fija el texto refundido, sistematizado y concordado de la Ley General de Bancos y de otros cuerpos legales que se indican.

Art. 25. Tratamiento de datos personales. El tratamiento de datos personales que se realice en virtud de esta ley deberá cumplir con las disposiciones de la ley N° 19.628, sobre Protección de la Vida Privada.

Los proveedores deberán implementar las medidas necesarias para garantizar la seguridad y la reserva en el tratamiento de datos, con especial resguardo respecto de los fines para los cuales fue autorizado por su titular. Se entenderá que la presentación de una solicitud implica el consentimiento del titular para el tratamiento de sus datos personales, con la exclusiva finalidad de llevar a cabo un proceso de portabilidad.

Los datos recabados para un proceso de portabilidad que no prospere deberán ser eliminados del sistema del oferente, y no podrán ser utilizados para otros fines.

Art. 26. Sanciones penales. El que, con perjuicio de tercero, cometiere alguna de las falsedades señaladas en el artículo 193 del Código Penal, en cualquier documento que deba emitirse, entregarse o suscribirse en virtud de las disposiciones de esta ley, será sancionado con las penas previstas en el inciso segundo del artículo 197 del mismo Código.

El que maliciosamente hiciere uso de los instrumentos falsos a que se refiere este artículo será castigado como si fuere autor de la falsedad.

Art. 27. Régimen contravencional. Las infracciones de lo dispuesto en esta ley o al reglamento, en que incurran tanto proveedores iniciales, como nuevos proveedores, podrán ser sancionadas conforme a lo establecido en los artículos 17 K y 24 A y en el Título IV de la ley N° 19.496, y las demás normas que correspondan.

Lo dispuesto en el artículo precedente y en este artículo es sin perjuicio de las demás sanciones civiles, penales o administrativas que correspondan.

Art. 28. Norma de protección de los derechos de los consumidores. Esta ley se considerará como una norma de protección de los derechos del consumidor para efectos de lo dispuesto en el artículo 58 de la ley N° 19.496, la que se aplicará supletoriamente a esta ley.

Art. 29. Normas de publicidad. Una vez presentada la solicitud, el proveedor deberá informar los derechos y obligaciones que tienen el cliente y el proveedor en un proceso de portabilidad. El reglamento determinará las formalidades y requisitos de esta comunicación, con el objeto de procurar su fácil comprensión por parte de los clientes.

Art. 30. Sociedades de apoyo al giro. Las sociedades de apoyo al giro reguladas en el Párrafo 2 del Título IX del decreto con fuerza de ley N° 3, de 1997, del Ministerio de Hacienda, que fija texto refundido, sistematizado y concordado de la Ley General de Bancos y de otros cuerpos legales que se indican, podrán prestar servicios a cualquier proveedor en relación con la portabilidad financiera y la operatividad de esta ley. Las sociedades de apoyo al giro que provean los mencionados servicios deberán establecer condiciones y exigencias objetivas y no discriminatorias de contratación, sin que puedan establecer diferencias en relación al volumen de operaciones.

TÍTULO V. MODIFICACIONES A OTROS CUERPOS NORMATIVOS

Art. 31. Introdúcense las siguientes modificaciones en la ley N° 19.496, que Establece normas sobre protección de los derechos de los consumidores:

PARTE SEGUNDA
Reforma financiera

1. Agrégase, en el inciso segundo del artículo 3°, el siguiente literal, nuevo:

"f) Los consagrados en la Ley que regula la Portabilidad Financiera.".

2. Modifícase el artículo 17 D del siguiente modo: a) Reemplázase su inciso primero por los siguientes incisos primero, segundo, tercero, cuarto, quinto y sexto, nuevos:

"Artículo 17 D.- Los proveedores de productos o servicios financieros pactados por contratos de adhesión deberán comunicar periódicamente, y dentro del plazo máximo de tres días hábiles cuando lo solicite el consumidor, la información referente al servicio prestado que le permita conocer: el precio total ya cobrado por los servicios contratados, el costo total que implica poner término al contrato antes de la fecha de expiración originalmente pactada, el valor total del servicio, la carga anual equivalente, si corresponde, y demás información relevante que determine el reglamento sobre las condiciones del servicio contratado. El contenido y la presentación de dicha información se determinarán en los reglamentos que se dicten de acuerdo al artículo 62.

Los mencionados proveedores deberán entregar al respectivo consumidor un certificado de liquidación para término anticipado, dentro del plazo de cinco días hábiles contado desde que éste lo solicite. El consumidor podrá solicitar el certificado presencialmente o de manera remota al respectivo proveedor de productos o servicios financieros, y requerirle que se le entregue de manera física o virtual. Sin perjuicio de lo anterior, el consumidor podrá solicitar el referido certificado respecto de solo un producto o servicio financiero determinado. En dicho caso, el certificado deberá ser entregado dentro de tres días hábiles desde la respectiva solicitud.

Este certificado será gratuito y deberá contener a lo menos la siguiente información relativa a cada uno de los productos o servicios financieros vigentes, según corresponda:

a) Plazo o vigencia.

b) Valor total del producto o servicio.

c) Indicación de si corresponde a deuda rotativa.

d) Monto de crédito disponible y efectivamente utilizado.

Portabilidad financiera

e) Tipo y tasa de interés.

f) Carga anual equivalente.

g) Valor de última cuota vencida.

h) Garantías reales otorgadas, especificando su otorgante, datos de inscripción, datos de escritura pública o de instrumento privado protocolizado, en caso de haber sido otorgada por tales medios, y si contienen cláusulas de garantía general.

i) Monto total a pagar para poner término al producto o servicio financiero según la fecha de pago, incluyendo la respectiva comisión de prepago, si corresponde.

j) Si el crédito se encuentra en etapa de cobranza judicial.

k) La demás información que determine el reglamento.

En caso de existir una garantía real con cláusula de garantía general, el certificado de liquidación también deberá especificar el monto a pagar para ponerle término a todas las obligaciones vigentes que el consumidor tenga con el proveedor que no provengan de productos o servicios financieros.

Adicionalmente, el certificado deberá contener el monto total a pagar para ponerle término a la totalidad de los productos o servicios financieros y las obligaciones referidas, según la fecha de pago, incluyendo la respectiva comisión de prepago, si corresponde, la fecha de emisión y de vigencia del certificado, la que no podrá ser menor a treinta días corridos, la forma en que el proveedor desea ser notificado y la información necesaria para realizar el pago en caso de iniciarse un proceso de portabilidad financiera o refinanciamiento. El contenido, los requisitos y la presentación de dicho certificado se determinarán en los reglamentos que se dicten de acuerdo al artículo 62.

El consumidor podrá requerir al proveedor de productos o servicios financieros, en el momento de solicitar el certificado de liquidación para término anticipado, que bloquee los productos o servicios financieros con créditos disponibles no desembolsados o créditos rotativos, tales como líneas de crédito asociadas a cuentas corrientes o tarjetas de crédito, durante el tiempo de vigencia del certificado, de manera que la información contenida en el certificado de liquidación no se vea modificada durante su vigencia. El certificado deberá señalar expresamente los productos o servicios financieros que han sido bloqueados. Dicho bloqueo será sin costo para el cliente.".

b) Modifícase el actual inciso cuarto, que ha pasado a ser noveno, en el siguiente sentido:

i. Reemplázase la frase "Los proveedores de créditos no podrán retrasar el término de los contratos de crédito" por "Los proveedores de productos o servicios financieros no podrán retrasar el término de los productos o servicios financieros".

ii. Reemplázanse los vocablos "dichos créditos" por la expresión "dichos productos y servicios financieros".

iii. Reemplázase la palabra "diez", la primera vez que aparece, por el término "cinco".

iv. Reemplázase el vocablo "diez", la segunda vez que aparece, por la palabra "cinco".

c) Añádese, a continuación de su actual inciso decimosegundo, que ha pasado a ser decimoséptimo, el siguiente inciso, nuevo:

"Los proveedores de créditos que soliciten una tasación o estudio de títulos de un bien sobre el cual se constituirá una garantía en su beneficio deberán entregar al consumidor que solicitó el crédito los respectivos informes de tasación y estudio de títulos del bien, según corresponda. La entrega de dicha documentación deberá realizarse de manera física o virtual, conforme a lo solicitado por el consumidor. Asimismo, el consumidor podrá realizar la referida solicitud de manera presencial o remota.".

Reemplázase en el actual artículo 17 K, la expresión "17 B a 17 J y de" por "17 B a 17 J, en el artículo 17 M, y en".

Incorpórase el siguiente artículo 17 M, nuevo:

"Artículo 17 M.- Los proveedores de productos o servicios financiero pactados por contrato de adhesión garantizados por cualquier tipo de garantía estarán obligados a conservar, a lo menos de manera digital, y durante el tiempo de existencia de la garantía en su favor, todos los documentos en que consten dichas garantías".

Art. 32. Introdúcense las siguientes modificaciones en el artículo 24 del decreto ley N° 3.475, de 1980, que modifica la ley de timbres y estampillas contenida en el decreto ley N° 617, de 1974:

1. Reemplázase en su numeral 11 la expresión "Superintendencia de Bancos e Instituciones Financieras" por la expresión "Comisión para el Mercado Financiero".

2. Reemplázase en su numeral 16 la expresión "Superintendencia de Bancos e Instituciones Financieras" por la expresión "Comisión para el Mercado Financiero".

3. Modifícase su numeral 17 en el siguiente sentido:

a) Reemplázase en su párrafo primero la frase "Superintendencia de Bancos e

Instituciones Financieras, Superintendencia de Seguridad Social o Superintendencia de Valores y Seguros", por la frase "Comisión para el Mercado Financiero o la Superintendencia de Seguridad Social".

b) Modifícase su párrafo séptimo en el siguiente sentido:

i. Intercálase entre la expresión "resolución" y el punto seguido, la frase ", la cual en ningún caso podrá ser menor a treinta días hábiles".

ii. Reemplázase la oración "La emisión al interesado del certificado deberá efectuarse dentro de 5 días hábiles siguientes a la fecha de la solicitud respectiva." por la oración "La solicitud del certificado podrá efectuarse de manera presencial o digital, debiendo emitirse, de manera digital o física, según sea solicitado, dentro de los tres días hábiles siguientes a la fecha de solicitud respectiva. En caso de que se solicite que el certificado sea emitido de forma virtual, éste deberá ser emitido con firma electrónica de conformidad a la ley N° 19.799, sobre Documentos Electrónicos, Firma Electrónica y Servicios de Certificación de Dicha Firma.".

Art. 33. Intercálase en el numeral 2) del Artículo Noveno de la ley N° 20.416, que Fija Normas Especiales para las Empresas de Menor Tamaño, entre la expresión "en favor de los consumidores por" y la expresión "la ley N° 19.496", la frase "la Ley sobre Portabilidad Financiera y".

ARTÍCULOS TRANSITORIOS

Artículo primero.- Esta ley entrará en vigencia transcurridos noventa días desde su publicación en el Diario Oficial.

Artículo segundo.- El reglamento establecido en el artículo 22 de esta ley deberá dictarse dentro de los cuarenta y cinco días siguientes a la fecha de su publicación.

Artículo tercero.- Con excepción de los numerales 3) y 4) del artículo 31, esta ley se aplicará tanto a los productos y servicios financieros que se encuentren vigentes a la fecha señalada en el artículo anterior, como a los que se contraten con posterioridad a ésta.".

Y por cuanto he tenido a bien aprobarlo y sancionarlo; por tanto, promúlguese y llévese a efecto como Ley de la República.

Santiago, 3 de junio de 2020.- SEBASTIÁN PIÑERA ECHENIQUE, Presidente de la República.- Ignacio Briones Rojas, Ministro de Hacienda.- Lucas Palacios Covarrubias, Ministro de Economía, Fomento y Turismo.- Hernán Larraín Fernández, Ministro de Justicia y Derechos Humanos.

Lo que transcribo a usted para su conocimiento.- Saluda Atte. a usted, Francisco Moreno Guzmán, Subsecretario de Hacienda.

Portabilidad financiera

REGLAMENTO DE LA LEY Nº 21.236, QUE REGULA LA PORTABILIDAD FINANCIERA

De conformidad a lo dispuesto por el Decreto Nº 1.154, de 24 julio de 2020, Ministerio de Hacienda (Diario Oficial de 8 de septiembre) Actualizada al 24 de diciembre de 2021

Vistos:

Lo dispuesto en los artículos 24 y 32 Nº 6 de la Constitución Política de la República; en el DFL Nº 1/19.653, de 2000, del Ministerio Secretaría General de la Presidencia, que fija texto refundido, coordinado y sistematizado de la Ley Nº 18.575, Orgánica Constitucional de Bases Generales de la Administración del Estado; en la Ley Nº 21.236, que regula la Portabilidad Financiera; y, en la resolución Nº 7, de 2019, de la Contraloría General de la República.

Considerando:

1º Que, con fecha 9 de junio de 2020, se publicó en el Diario Oficial la Ley Nº 21.236, que regula la Portabilidad Financiera (en adelante, la "Ley").

2º Que, el artículo 22 de la Ley, establece que un reglamento dictado por los Ministerios de Hacienda y de Economía, Fomento y Turismo regulará todos los aspectos necesarios para la correcta aplicación de la mencionada Ley (en adelante, el "Reglamento"). Adicionalmente, el referido artículo señala que el citado Reglamento regulará, de manera específica, la aplicación de la portabilidad de los distintos tipos de productos financieros, en caso de que sus particularidades así lo justifiquen.

3º Que, asimismo, las disposiciones del inciso final del artículo 5, del inciso final del artículo 7, del inciso segundo del artículo 8, del inciso séptimo del artículo 10, del artículo 11, del inciso segundo del artículo 12, de los artículos 15 y 18, del inciso segundo del artículo 19 y del artículo 29 de la Ley, encomiendan al Reglamento la regulación de diversas materias, tales como las formalidades de la solicitud de portabilidad, el formato de la oferta de portabilidad, el mandato de término y su vigencia, la forma y requisitos relativos a la actualización de deuda, el bloqueo de productos y la operatividad de productos, entre otras materias.

4º Que, el artículo segundo transitorio de la Ley, señala que el Reglamento deberá dictarse dentro de los cuarenta y cinco días siguientes a la fecha de publicación de la mencionada Ley.

Decreto:

Apruébase el siguiente Reglamento de la Ley Nº 21.236, que Regula la Portabilidad Financiera:

TÍTULO I. DEL OBJETO DEL REGLAMENTO

Art. 1º. Objeto del reglamento. El presente reglamento, en adelante el "Reglamento", tiene por objeto regular los aspectos necesarios para la correcta aplicación de la Ley N° 21.236, que regula la Portabilidad Financiera, en adelante la "Ley".

TÍTULO II. DE LA SOLICITUD DE PORTABILIDAD Y REQUERIMIENTO DEL CERTIFICADO DE LIQUIDACIÓN

Art. 2º. Solicitud de portabilidad. Todo cliente que quiera iniciar un proceso de portabilidad financiera deberá presentar a un proveedor de su elección una solicitud de portabilidad de forma escrita, ya sea de manera física o digital. El proveedor que reciba una solicitud de portabilidad deberá mantener respaldo de ella, de forma física o digital, durante a lo menos el periodo que dure el proceso de portabilidad.

Corresponderá al proveedor que reciba la solicitud, determinar los mecanismos de autenticación y seguridad que estime necesarios implementar para validar la identidad y personería de las personas que ingresen una solicitud de portabilidad, pudiendo requerir que se acompañen o acrediten previamente determinados antecedentes para dar por completada la solicitud. Lo anterior será sin perjuicio de otras normas aplicables, tales como la le y N° 19.496 y sus respectivos reglamentos y circulares.

Art. 3°. Contenido de la solicitud. Las solicitudes de portabilidad deberán constar en un formulario que será puesto a disposición por el proveedor al cliente, el cual deberá tener el título de "Solicitud de Portabilidad Financiera" y contener las siguientes secciones para ser completadas:

a) Fecha de presentación de la solicitud;

b) Individualización del cliente y cotitular, si corresponde, indicando su nombre o razón social, domicilio y cédula de identidad o Rol Único Tributario;

c) Nombre o razón social y Rol Único Tributario del proveedor que recibe la solicitud de portabilidad, los cuales deberán ser completados por el mismo proveedor;

d) Nombre o razón social del proveedor inicial;

e) Especificación de los productos o servicios financieros que el cliente mantiene vigentes con el proveedor inicial y que tiene la intención de terminar;

f) Especificación de los productos o servicios financieros que el cliente quiere contratar con el proveedor al cual le está presentando la solicitud de portabilidad y, en caso de solicitar uno o más productos financieros que involucren una operación de crédito de dinero, se deberá especificar si dichos productos tienen por objeto el pago de alguna deuda que el cliente mantenga con el proveedor inicial;

g) Correo electrónico, número de teléfono o cualquier otro medio tecnológico por el cual el cliente solicita ser contactado en relación al proceso de portabilidad; y

h) Firma del cliente o su representante. En caso de que se presente la solicitud por medios remotos, se podrá usar firma electrónica simple, siempre que se utilicen medios tecnológicos, digitales o formas de comunicación a distancia que permitan autentificar y verificar en forma previa la identidad del cliente.

Adicionalmente, en caso de que uno o más de los productos o servicios financieros de la letra e) correspondan a créditos rotativos o disponibles no desembolsados, respecto de los cuales el cliente no haya solicitado su bloqueo al proveedor inicial de conformidad al inciso sexto del artículo 17 D de la Ley N° 19.496, se deberá especificar si el cliente asume el compromiso de no aumentar las deudas de dichos productos o servicio con el proveedor inicial por sobre un monto determinado, especificando dicho monto.

Si el cliente indica que la contratación del nuevo producto o servicio tiene por objeto el pago de una o más deudas vigentes determinadas, el cliente podrá no especificar el plazo o monto del producto o servicio a contratar, e indicar que solicita que dicho producto o servicio tenga un plazo de vencimiento equivalente al plazo residual de la deuda vigente a pagar o un monto equivalente a aquel que deba pagar para ponerle término al producto o servicio vigente, incluyendo la respectiva comisión de prepago, si procede.

Con todo, en caso de que la información entregada en la solicitud de portabilidad y en el correspondiente certificado de liquidación no sea suficiente para identificar los productos o servicios que el cliente solicita terminar, el proveedor deberá informar de ello al cliente y solicitarle los antecedentes necesarios para la identificación de el o los productos o servicios financieros.

Art. 4°. Comprobante de recepción de solicitud y deber de información al cliente. Una vez recibida la solicitud, el proveedor receptor de esta última deberá entregar al cliente un comprobante de ingreso, de forma física o digital, indicando el número de ingreso de la solicitud de portabilidad.

En caso de que, aun antes de la solicitud de los certificados del artículo siguiente, concurra alguna de las condiciones objetivas señaladas en el artículo 20 de los decretos supremos N°s. 42, 43 y 44, todos de 2012, del Ministerio de Economía, Fomento y Turismo, el proveedor que recibe la solicitud de portabilidad podrá rechazarla sin necesidad de pedir los respectivos certificados.

Art. 5°. Requerimiento por parte del proveedor del certificado de liquidación y certificado de pago de impuesto de timbres y estampillas. El proveedor que reciba una solicitud de portabilidad, y no haya rechazado la solicitud de portabilidad de conformidad al inciso final del artículo anterior, deberá requerir directamente al proveedor inicial el respectivo certificado de liquidación, en caso de que éste no hubiere sido entregado por el cliente o hubiere perdido su vigencia.

Asimismo, también deberá requerir directamente al proveedor inicial, cuando corresponda, el certificado de pago del impuesto de timbres y estampillas a que se refiere el numeral 17 del artículo 24 del decreto ley N° 3.475, de 1980, que modifica la ley de timbres y estampillas contenida en el decreto ley N° 619, de 1974.

En dichos casos, el proveedor deberá requerir el certificado de liquidación y el mencionado certificado de pago de impuesto de timbres y estampillas, cuando corresponda, directamente al proveedor inicial, a través del medio de contacto señalado en la página web de este último. Junto con el requerimiento, el proveedor deberá enviar una copia de la solicitud de portabilidad al proveedor inicial y especificar el medio por el cual deberán ser enviados los certificados.

Recibida la solicitud del certificado de liquidación, el proveedor inicial deberá remitir dicho certificado al proveedor que lo solicita, de conformidad a los plazos señalados en el inciso segundo del artículo 17 D de la Ley N° 19.496, que establece normas sobre protección de los derechos de los consumidores. Recibida la solicitud del certificado de pago de impuesto de timbre y estampilla, el proveedor inicial deberá, cuando corresponda, remitir dicho certificado al proveedor que lo solicita, de conformidad al plazo señalado en el párrafo séptimo del numeral 17 del artículo 24 del decreto ley N° 3.475, de 1980, que modifica la ley de timbres y estampillas contenida en el decreto ley N° 619, de 1974.

Para efectos de cumplir con lo dispuesto en los incisos anteriores, todo proveedor deberá tener disponible en su página web una sección que indique el medio por el que los proveedores que reciban una solicitud de portabilidad le podrán solicitar un certificado de liquidación o de pago de impuesto de timbres y estampillas. Dicho medio deberá ser digital, expedito y permitir el envío de la respectiva copia de solicitud de portabilidad.

En caso de que el proveedor inicial no envíe los certificados en los plazos y formas correspondientes, el proveedor que ha solicitado la documentación deberá informar dicha situación al cliente dentro de cinco días hábiles bancarios desde el incumplimiento y al Servicio Nacional del Consumidor a más tardar dentro de los cinco primeros días del mes siguiente a aquel que tuvo lugar el incumplimiento. El Servicio Nacional del Consumidor determinará, mediante circular, la forma en que deberá ser informado respecto de este incumplimiento.

Art. 6º. Entrega de copias de tasación y estudio de títulos. Junto con la entrega del certificado de liquidación, de conformidad al artículo anterior, en caso de que dicho certificado incluya una deuda garantizada por una o más garantías reales, el proveedor inicial deberá también remitir copia digital de la tasación del bien otorgado en garantía y del estudio de títulos del bien, cuando estos se hubieren practicado y hubieren sido conservados, a lo menos de forma digital, por el proveedor inicial.

Art. 7º. Solicitud de antecedentes al cliente. El proveedor que reciba una solicitud de portabilidad podrá requerir al cliente otros antecedentes necesarios para la formulación de la oferta. Corresponderá al proveedor que reciba la solicitud de portabilidad, requerir al cliente que le acompañe todos los títulos, personerías y demás antecedentes necesarios para practicar, cuando corresponda, un nuevo estudio de títulos o tasación de los bienes que caucionan los créditos que se pagarán en virtud de un proceso de portabilidad con subrogación. El mencionado proveedor podrá basar su tasación o estudio de títulos en los estudios de títulos o tasaciones solicitados o preparados por el proveedor inicial respecto del bien sobre el cual se constituyó la respectiva garantía.

En caso de operaciones hipotecarias, incluyendo créditos que tengan por objeto subrogar un crédito hipotecario vigente, que consideren seguros contratados por cuenta y cargo de los clientes, conforme a lo previsto en el artículo 40 del decreto con fuerza de ley N° 251, de 1931, el proveedor requerirá al cliente los antecedentes que solicite el asegurador para evaluar los riesgos propuestos, lo que puede considerar la realización de exámenes y evaluación médica, todo ello conforme a las condiciones de asegurabilidad que establezcan las pólizas respectivas, o en su caso, informará la imposibilidad de otorgar cobertura bajo las pólizas que tenga contratadas.

TÍTULO III. DE LA OFERTA DE PORTABILIDAD

Art. 8°. Presentación de la oferta y rechazo de la solicitud. El proveedor podrá incluir en la oferta solo algunos de los productos especificados en la solicitud de portabilidad.

El proveedor podrá presentar conjuntamente dos o más ofertas alternativas al cliente, con el objeto de que éste acepte la oferta que considere más apropiada.

En caso de rechazo de la solicitud de portabilidad en forma total o parcial, el proveedor deberá informar dicha decisión al cliente de forma escrita, ya sea de manera física o digital, a través de uno de los canales de contacto indicados en la respectiva solicitud de portabilidad. En caso de que la solicitud de portabilidad rechazada hubiere contemplado uno o más contratos de créditos de consumo, la apertura de una o más tarjetas de crédito o uno o más contratos de crédito hipotecario, considerándose también como tales a los créditos que subrogarían a un crédito hipotecario vigente en virtud de una portabilidad financiera con subrogación, se aplicarán las disposiciones de los reglamentos emitidos en virtud del artículo 62 de la Ley N° 19.496, según corresponda.

La Ley y el presente Reglamento no modifican las reglas especiales aplicables respecto de los requisitos que deban cumplir las personas, para efectos de solicitar o contratar productos o servicios financieros con determinados proveedores, tales como tener la calidad de socio de una cooperativa de ahorro y crédito o estar afiliado a una caja de compensación, según corresponda, los cuales se mantendrán vigentes y aplicables a los procesos de portabilidad.

A la oferta de portabilidad deberá adjuntarse la cotización de los productos o servicios ofertados, de conformidad con los artículos 17 C y 17 G de la Ley N° 19.496.

Art. 9°. Vigencia de la oferta. La oferta de portabilidad se dirigirá a un cliente cuyo riesgo comercial ha sido previamente evaluado y tendrá una vigencia mínima de siete días hábiles bancarios contados desde la fecha de su emisión. De aceptarse la oferta por el cliente dentro del periodo de vigencia, ésta se mantendrá vigente hasta la celebración de los contratos ofrecidos, hasta el arrepentimiento de la aceptación del cliente, o hasta el rechazo de la contratación por concurrir alguna de las condiciones objetivas referidas en el artículo 10 de este Reglamento, distintas a la evaluación del riesgo comercial, por no haberse cumplido los compromisos asumidos por el cliente de conformidad a los artículos 5 y 10 de la Ley o por haberse aumentado las deudas del cliente de conformidad al inciso cuarto del artículo 10 de la Ley.

Si el cliente no acepta la oferta dentro del periodo de vigencia indicado, se entenderá que el proveedor se retracta de ésta una vez cumplida su vigencia. Sin perjuicio de lo anterior, en caso de que el cliente acepte la oferta de portabilidad con posterioridad a la fecha de vigencia, el nuevo proveedor podrá optar por ejecutar igualmente el mandato, sin la necesidad de exigir una nueva solicitud de portabilidad, considerándose la oferta como vigente, tal como si se hubiera aceptado dentro del plazo de vigencia original.

Las condiciones de contratación establecidas en la oferta de portabilidad podrán actualizarse de común acuerdo entre las partes, en virtud de un nuevo certificado de liquidación emitido por el proveedor inicial o de una actualización de deudas solicitada a este último.

Si la propuesta de oferta de portabilidad se dirige a un cliente cuyo riesgo comercial no ha sido previamente evaluado, solo tendrá el carácter de simulación no vinculante o meramente referencial, hasta que se haya aprobado la evaluación de riesgo comercial, situación que deberá informarse en la misma simulación.

Art. 10. Rechazo de la contratación. El proveedor podrá en todo momento rechazar la contratación, incluso con posterioridad a la aceptación de la oferta, si concurre una o más de las condiciones objetivas que correspondan de conformidad a la Ley N° 19.496 y sus respectivos reglamentos. Sin perjuicio de ello, el proveedor no podrá rechazar la contratación respecto de los contratos de productos o servicios financieros ya celebrados.

Art. 11. Contenido de la oferta. La oferta de portabilidad deberá ser emitida en forma escrita, ya sea de manera física o digital, deberá tener el título de "Oferta de Portabilidad Financiera" y contener las siguientes secciones, cuyo contenido específico se detalla en los artículos siguientes:

a) Información General;

b) Tabla General de Productos o Servicios Nuevos y Vigentes a Terminar; y

c) Información Comparada por Producto o Servicio Financiero.

Art. 12. Sección de "Información General". Esta sección de la oferta deberá contener, a lo menos, la siguiente información:

a) Individualización del cliente, indicando su nombre o razón social y cédula de identidad o Rol Único Tributario;

b) Individualización del proveedor que emite la oferta, indicando su nombre o razón social y Rol Único Tributario;

c) Canal de contacto del proveedor para coordinar el proceso de portabilidad;

d) Individualización del proveedor inicial, indicando su nombre o razón social y Rol Único Tributario;

e) Fecha de emisión de la oferta de portabilidad;

f) Fecha de vigencia de la oferta de portabilidad, la cual en ningún caso podrá ser inferior a siete días hábiles bancarios contados desde la fecha de su emisión; y

g) Una leyenda recomendando cotizar en al menos tres instituciones financieras.

Art. 13. Sección "Tabla General de Productos o Servicios Nuevos y Vigentes a

Terminar". Esta sección deberá contener una tabla comparativa, la que deberá incluir en columnas la siguiente información:

a) Productos vigentes que serán pagados por los productos y/o servicios ofertados. Esto corresponderá a la individualización de los productos o servicios financieros vigentes que serán objeto del mandato de término en caso de que el cliente acepte la oferta;

b) Individualización de los productos o servicios ofertados;

c) Resultado de portabilidad por producto o servicio ofertado.

Cuando se oferten productos o servicios financieros mediante los cuales se pagará la deuda pendiente de uno o más productos o servicios vigentes, el resultado de portabilidad por producto y/o servicio ofertado deberá calcularse respecto a el o los productos o servicios financieros que serán objeto del mandato de término.

En dicho caso, la tabla deberá comparar los productos o servicios vigentes, incluyéndolos en el lado izquierdo de la tabla, con el producto o servicio a contratar mediante el cual se pagarán los primeros, incluyéndolos en el lado derecho de la tabla. Esta tabla servirá para identificar el origen de los fondos que usará el nuevo proveedor para pagar las deudas de los productos o servicios financieros vigentes en caso de ser aceptada la oferta.

Art. 14. Sección "Información Comparada por Producto o Servicio Financiero". Esta sección deberá contener una leyenda indicando que para créditos de igual monto y plazo, un Costo Total más bajo es un ahorro para el cliente; e información detallada respecto de cada producto y/o servicio financiero.

La mencionada sección se dividirá en las siguientes subsecciones:

1) Productos de crédito.

2) Tarjetas de crédito.

3) Cuentas bancarias y no bancarias.

4) Otros productos o servicios financieros.

En cada subsección se incluirán una o más tablas comparativas con información sobre los productos o servicios financieros vigentes y el producto o servicio financiero a contratar, con el cual se pagarán los primeros. La tabla se incorporará a la subsección que corresponda, en base al tipo de producto o servicio financiero ofrecido. No será necesario incluir en la oferta de portabilidad las subsecciones que no contengan productos o servicios financieros, de conformidad a lo indicado en este inciso.

En el sector inferior de cada tabla se deberá indicar la diferencia aritmética del costo total de los productos o servicios vigentes y el ofertado con el cual se pagan los primeros, bajo la denominación "Diferencia en Costos Totales en caso de portarse".

Los productos que se incluyan en cada subsección deberán contener la siguiente información desagregada, según corresponda:

1) Para productos de crédito:

a) Un gráfico comparativo de la Carga Anual Equivalente (CAE) de cada producto.

b) Incluir en la respectiva tabla las siguientes condiciones del crédito: monto del crédito, tasa de interés, Carga Anual Equivalente (CAE), seguros asociados, plazo pendiente, cuota mensual a pagar, costo total del crédito por pagar y modalidad de portabilidad.

c) Plazo de la suscripción del nuevo contrato del producto o servicio financiero.

d) Gastos operacionales de la portabilidad.

2) Tarjetas de crédito:

a) Un gráfico comparativo de la Carga Anual Equivalente (CAE) de cada producto.

b) Incluir en la respectiva tabla las siguientes condiciones de la tarjeta: tipo de tarjeta, incluyendo en dicha especificación la marca y el ámbito de uso nacional o internacional, cupo nacional e internacional, costo de mantención anual, seguros asociados, Carga Anual Equivalente (CAE) compra en cuotas, monto de la deuda y costo total de la deuda por pagar.

c) Plazo de la suscripción del nuevo contrato del producto o servicio financiero.

d) Gastos operacionales de la portabilidad.

3) Cuentas Bancarias y no Bancarias:

a) Las siguientes condiciones de la cuenta: tipo de cuenta, costo de mantención anual, seguros asociados, cupo total línea de crédito, monto de la deuda, y costo total de la deuda por pagar.

b) Plazo de la suscripción del nuevo contrato del producto o servicio financiero.

c) Gastos operacionales de la portabilidad.

En la subsección "Otros productos o servicios financieros" se deberá indicar las principales características que corresponda, asociadas al tipo de producto o servicio no incluido en las demás subsecciones, tales como, tasas de interés, valor de la prima, costos de gestión.

Los montos informados en la oferta de portabilidad deberán ser expresados en pesos, con excepción del cupo de la tarjeta de crédito y las deudas en moneda extranjera, considerando el valor de la Unidad de Fomento, informada por el Banco Central de Chile, al día de su emisión, a modo de referencia.

Art. 15. Definiciones de la oferta de portabilidad. Para los efectos del contenido de la oferta de portabilidad, se entenderá por:

1. Carga Anual Equivalente (CAE): Indicador que, expresado en forma de porcentaje, revela el costo de un crédito en un período anual, cualquiera sea el plazo pactado para el pago de la obligación, de conformidad con los decretos supremos N°s. 42 y 43, ambos de 2012, del Ministerio de Economía, Fomento y Turismo.

2. Carga Anual Equivalente (CAE) tarjeta de crédito vigente y ofertada: Corresponde a la CAE de compra en cuotas definida en el artículo 3 número 29) letra b) del decreto supremo N° 44, de 2012, del Ministerio de Economía, Fomento y Turismo.

3. Costo mantención anual de tarjeta de crédito: Corresponderá al valor anualizado de todas las sumas de dinero que mensual, semestral y/o anualmente deba pagar el cliente por el valor de los servicios necesarios para la mantención operativa de una Tarjeta de Crédito en sus distintas modalidades de uso, conforme a lo dispuesto en el artículo 3° número 9) del decreto supremo N° 44, de 2012, del Ministerio de Economía, Fomento y Turismo. Tendrán este carácter todos los servicios necesarios para el uso de la Tarjeta de Crédito, cualquiera sea su denominación, los que se devengarán a favor del Emisor o de un tercero, y no podrán corresponder a tasa de interés, reajuste, capital, impuesto o Costos de Apertura, Comisiones y Cargos de la Tarjeta de Crédito.

4. Costo mantención anual de cuenta bancaria y no bancaria: Corresponderá al valor anualizado de todas las sumas de dinero que mensual, semestral y/o anualmente deba pagar el cliente por los servicios necesarios para la mantención de la cuenta.

5. Costo total del crédito por pagar: Corresponde a la suma total del monto pactado a pagar en forma periódica para dar cumplimiento a la obligación crediticia, que considera amortización de capital, interés, gastos o cargos propios del crédito y gastos o cargos por productos o servicios voluntariamente contratados, de conformidad con lo establecido en los decretos supremos N°s. 42 y 43, ambos de 2012, del Ministerio de Economía, Fomento y Turismo.

6. Costo Total de la deuda por pagar: Corresponde a la suma total de todas las cuotas o pagos periódicos pactados para extinguir la obligación respecto de una tarjeta de crédito y/o línea de crédito.

7. Cuota mensual por pagar: Corresponde al monto pactado a pagar en forma periódica para dar cumplimiento a la obligación crediticia, que considera amortización de capital, interés, gastos o cargos propios

del crédito y gastos o cargos por productos o servicios voluntariamente contratados.

8. Cupo total línea de crédito: Corresponderá al monto máximo disponible para el uso de la línea de crédito vigente.

9. Monto de la deuda del producto ofertado: Corresponde al capital de la línea de crédito ofertada asociada a la tarjeta o cuentas corrientes que se utilizaría para pagar la deuda vigente de un producto o servicio financiero.

10. Monto de la deuda del producto vigente: Monto total a pagar para poner término a la tarjeta de crédito o cuenta corriente, según corresponda, y su respectiva línea de crédito asociada, según el certificado de liquidación o de actualización de deudas vigente, incluyendo la respectiva comisión de prepago, si corresponde.

11. Gastos operacionales: Todas aquellas obligaciones de dinero, cualquiera sea su naturaleza o denominación, derivados de la contratación de un producto o servicio que haya sido objeto de un proceso de portabilidad financiera y que sean devengadas a favor del proveedor, una empresa relacionada, o de un tercero, que no correspondan a tasa de interés ni a capital y que deben ser pagados por el cliente.

12. Monto del crédito ofertado: Corresponde al capital del crédito ofertado, para los productos de crédito, tales como crédito de consumo e hipotecario.

13. Monto del crédito vigente: Monto total a pagar para poner término al crédito según el certificado de liquidación o de actualización de deudas vigente, incluyendo la respectiva comisión de prepago, si corresponde.

14. Seguros asociados: Corresponde a la descripción de los seguros, obligatorios y voluntarios, asociados a productos y/o servicios vigentes o considerados en la cotización de los productos y/o servicios ofertados.

15. Plazo pendiente: Corresponde al periodo de tiempo remanente o faltante para extinguir la obligación crediticia contado a partir de la presentación de la oferta.

16. Diferencia en Costos Totales en caso de portarse: Corresponderá a la diferencia monetaria entre el Costo Total de el o los productos o servicios vigentes y el Costo Total del producto o servicio ofertado.

17. Tasa de interés: Corresponde a la tasa de interés expresada en términos anuales tanto de los productos originales como ofertados en el proceso de portabilidad.

18. Tasa de interés mensual de la línea de crédito: Para efectos de este Reglamento corresponderá a la tasa de interés mensual vigente tanto para el producto original como el ofertado.

19. Tipo de cuenta: Corresponderá indicar si se trata de una cuenta corriente o cuenta a la vista.

20. Tipo de tarjeta: Corresponde a la marca y ámbito de uso (nacional o internacional) de la tarjeta de crédito.

Art. 16. Formato de Oferta. La oferta de portabilidad deberá contener la información señalada en los artículos anteriores y ajustarse a los formatos que se indican en este artículo, con el objeto de permitir al cliente informarse de forma sencilla respecto de las principales condiciones de los productos y servicios ofrecidos y de los productos o servicios vigentes que se buscan terminar.

El formato de la sección "Información General" será el siguiente:

OFERTA DE PORTABILIDAD FINANCIERA

INFORMACIÓN GENERAL

SERNAC recomienda cotizar en al menos 3 instituciones financieras para obtener una mejor oferta

Estimado(a) Sr. (a) [**Nombre o Razón Social**, Cédula de identidad o RUT],

Esta hoja contiene información de sus productos vigentes y los que está cotizando con esta institución financiera. Úsela para comparar las condiciones ofrecidas y buscar la mejor oferta. Para ver más detalles de cada producto revise las cotizaciones adjuntas. Una vez que decida la mejor opción, acepte la oferta dentro del plazo de vigencia.

Fecha emisión: [dd/mm/aaaa]
Fecha vigencia: [número días hábiles bancarios]

Proveedor inicial: [Nombre o Razón Social, RUT]
Proveedor de la oferta: [Nombre o Razón Social, RUT]

Canal de contacto con el proveedor de la oferta: [correo electrónico, teléfono, link u otro medio de contacto]

Luego, la Sección "Tabla General de Productos o Servicios Nuevos y Vigentes a Terminar", para el caso que ningún producto o servicio financiero que se ofrezca se destine a pagar más de un producto o servicio financiero vigente, tendrá el siguiente formato:

TABLA GENERAL DE PRODUCTOS O SERVICIOS NUEVOS Y VIGENTES A TERMINAR

La siguiente tabla detalla sus productos y/o servicios ofertados, los productos y/o servicios vigentes que serán financiados y el resultado de cada operación de portabilidad.

N	Productos vigentes que serán pagados por los productos y/o servicios ofertados	Productos y/o servicios ofertados	Resultado de portabilidad por producto o servicio ofertado
1	[Producto vigente 1]	[Producto ofertado 1]	
2	[Producto vigente 2]	[Producto ofertado 2]	
3	[Producto vigente 3]	[Producto ofertado 3]	

El formato de la sección "Información Comparada por Producto o Servicio Financiero" es el que se muestra a continuación. En el caso que el producto o servicio financiero ofertado, no sólo se destine al pago de deudas de productos y/o servicios vigentes, sino que además otorgue un monto de "Libre Disposición", en la casilla del "Monto del Crédito" y/o "Deuda" de la tabla, según corresponda, deberá indicar aquel monto que va destinado a "Pago de Deudas" y cuál es de "Libre Disposición". Si tal condición no aplica, deberá señalar directamente el monto del crédito para el pago de deudas.

INFORMACIÓN COMPARADA POR PRODUCTO O SERVICIO FINANCIERO

⚠ RECUERDE: Para créditos de igual monto y plazo, un Costo Total más bajo es un ahorro para Ud.

I. PRODUCTOS DE CRÉDITOS

[Producto ofertado 1]

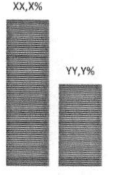

■ CAE Vigente ■ CAE Ofertado

XX,X%

YY,Y%

Al comparar créditos de igual monto y plazo, una CAE más baja representa mejores condiciones para Ud.

Condición	Vigente	Ofertado
Monto del crédito		[Pago de Deudas:] [Libre Disposición:]
Tasa de interés		
CAE		
Seguros asociados:		
Obligatorios		
Voluntarios		
Plazo pendiente		
Cuota mensual a pagar		
Costo Total del Crédito por pagar		
Diferencia en Costos Totales en caso de portarse		
Modalidad de portabilidad		

Plazo subscripción del contrato del producto y/o servicio financiero:
Gastos operacionales de portabilidad:

II. TARJETAS DE CRÉDITO

[Producto ofertado 2]

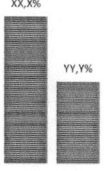

■ CAE Vigente ■ CAE Ofertado

XX,X%

YY,Y%

Esta CAE refleja el costo de comprar en cuotas. Una CAE más baja representa mejores condiciones para Ud.

Condición	Vigente	Ofertado
Tipo de tarjeta		
Cupo nacional		
Cupo internacional		
Costo de mantención anual		
CAE compra en cuotas		
Seguros asociados:		
Obligatorios		
Voluntarios		
Deuda		[Pago de Deudas:] [Libre Disposición:]
Costo Total de la Deuda por pagar		
Diferencia en Costos Totales en caso de portarse		

Plazo subscripción del contrato del producto y/o servicio financiero:
Gastos operacionales de portabilidad:

II. TARJETAS DE CRÉDITO

[Producto ofertado 2]

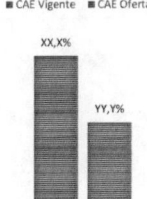

■ CAE Vigente ■ CAE Ofertado

XX,X%

YY,Y%

Esta CAE refleja el costo de comprar en cuotas. Una CAE más baja representa mejores condiciones para Ud.

Condición	Vigente	Ofertado
Tipo de tarjeta		
Cupo nacional		
Cupo internacional		
Costo de mantención anual		
CAE compra en cuotas		
Seguros asociados:		
Obligatorios		
Voluntarios		
Deuda		[Pago de Deudas:] [Libre Disposición:]
Costo Total de la Deuda por pagar		
Diferencia en Costos Totales en caso de portarse		

Plazo subscripción del contrato del producto y/o servicio financiero:
Gastos operacionales de portabilidad:

III. CUENTAS BANCARIAS Y NO BANCARIAS

[Producto ofertado 3]

Condición	Vigente	Ofertado
Tipo de cuenta		
Costo mantención anual		
Seguros asociados:		
Obligatorios		
Voluntarios		

Línea de Crédito de Cuenta Corriente		
Cupo Total Línea de Crédito		
Deuda		[Pago de Deudas:] [Libre Disposición:]
Costo Total de la Deuda por pagar		
Diferencia en Costos Totales en caso de portarse		

Plazo subscripción del contrato del producto y/o servicio financiero:
Gastos operacionales de portabilidad:

IV. OTROS PRODUCTOS Y/O SERVICIOS FINANCIEROS

[Esta sección no tiene formato preestablecido. El proveedor deberá indicar las principales características que corresponda, asociadas al tipo de producto o servicio no incluido en las demás subsecciones].

En caso de que alguno de los productos o servicios financieros que se ofrezcan se destine a pagar más de un producto o servicio financiero, se deberá establecer tal relación en la Sección Tabla General de Productos o Servicios Nuevos y Vigentes a Terminar:

TABLA GENERAL DE PRODUCTOS O SERVICIOS NUEVOS Y VIGENTES A TERMINAR

La siguiente tabla detalla sus productos y/o servicios ofertados, los productos y/o servicios vigentes que serán financiados y el resultado de cada operación de portabilidad.

N	Productos vigentes que serán pagados por los productos y/o servicios ofertados	Productos y/o servicios ofertados	Resultado de portabilidad por producto o servicio ofertado
1	[Producto vigente 1]	[Producto ofertado 1]	
	[Producto vigente 2]		

Asimismo, el formato de la Sección "Información Comparada por Producto o Servicio Financiero" del producto en cuestión deberá ser reemplazado por el siguiente, cuando corresponda. En caso de que la condición no aplique para determinado producto o servicio se deberá señalar que "No Aplica".

INFORMACIÓN COMPARADA POR PRODUCTO O SERVICIO FINANCIERO

⚠ RECUERDE: Para créditos de igual monto y plazo, un Costo Total más bajo es un ahorro para Ud.
[Subsección del Tipo de Producto]

[Producto ofertado 1]

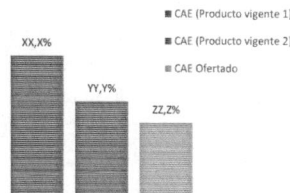

■ CAE (Producto vigente 1)
■ CAE (Producto vigente 2)
■ CAE Ofertado

Al comparar créditos de igual monto y plazo, una CAE más baja representa mejores condiciones para Ud.

Condición	Vigente		Ofertado
	[Producto vigente 1]	[Producto vigente 2]	
Monto del crédito [deuda]			[Pago de Deudas:] [Libre Disposición:]
Tasa de interés			
CAE			
Seguros asociados:			
Obligatorios			
Voluntarios			
Plazo pendiente			
Cuota mensual a pagar			
Costo de mantención anual			
Cupo total Línea de Crédito			
Costo Total del Crédito [de la Deuda] por pagar			
Diferencia en Costos Totales en caso de portarse			
Modalidad de portabilidad			

Plazo subscripción del contrato del producto y/o servicio financiero:
Gastos operacionales de portabilidad:

En caso de que la oferta de portabilidad sea enviada de forma digital al cliente, los referidos formatos podrán ser modificados, siempre y cuando mantengan la estructura y contenido indicados en este Reglamento, y se modifiquen con el único objeto de mejorar la operatividad del proceso de portabilidad y facilitar la comprensión del cliente.

TÍTULO IV. DE LA ACEPTACIÓN Y MANDATO DE TÉRMINO

Art. 17. Aceptación de la oferta. El cliente deberá comunicar la aceptación de la oferta de portabilidad por escrito, ya sea de manera física o digital, dentro del periodo de vigencia de la oferta, a través del canal de contacto especificado por el proveedor en la oferta. Dicha aceptación deberá ser notificada por el nuevo proveedor al proveedor inicial, de la forma señalada en el respectivo certificado de liquidación, a más tardar al siguiente día hábil bancario de recibida la aceptación, debiendo indicar los productos y servicios que se especificaron en la sección "Productos Vigentes a Terminar" de la oferta aceptada.

En la mencionada notificación, el nuevo proveedor deberá especificar al proveedor inicial la forma de comunicación en que solicita ser notificado por el proveedor inicial.

Recibida la notificación, el proveedor inicial podrá requerir al nuevo proveedor que le comunique si tiene lugar la prórroga del mandato o el arrepentimiento de la aceptación referidos en el artículo 20 de este Reglamento, en cuyo caso, el nuevo proveedor estará obligado a cumplir con el respectivo requerimiento.

Art. 18. Arrepentimiento de la aceptación de la oferta. El cliente podrá arrepentirse, sin expresión de causa, de la aceptación de la oferta respecto de uno o más contratos de productos o servicios ofrecidos, solamente en la medida que dichos contratos no se hubieren celebrado. El cliente podrá arrepentirse de la aceptación de la oferta, comunicándolo por escrito a través del canal de contacto dispuesto en la oferta. Asimismo, se entenderá que el cliente se ha arrepentido de la aceptación de la oferta de portabilidad respecto de los contratos no celebrados si no los celebra dentro del plazo de suscripción referido en la letra a) del artículo 7 de la Ley, sin perjuicio de lo indicado en su inciso segundo.

Si el cliente ejerciera este derecho sobre uno o más contratos, el nuevo proveedor estará obligado a devolverle cualquier suma que el cliente hubiere abonado en relación a dichos contratos, dentro de los cinco días hábiles bancarios siguientes a aquel en que se hubiera comunicado el arrepentimiento, reteniendo solo el monto que corresponda a servicios ya prestados y rindiendo cuenta de estos últimos dentro de diez días hábiles bancarios siguientes a aquel en que se hubiere comunicado el arrepentimiento.

Para efectos de la devolución referida en el inciso anterior, el nuevo proveedor deberá, dentro del plazo indicado en el inciso anterior, devolver la suma abonada en la misma forma en que corresponda entregar los fondos de conformidad al artículo 27 de este Reglamento, por tanto, la entrega de dichos fondos podrá realizarse a través de transferencia electrónica, dinero en efectivo, cheque, vale vista o cualquier otro medio a convenir con el cliente.

Art. 19. Otorgamiento del mandato de término. Mediante la aceptación escrita de la oferta de portabilidad dentro de su periodo de vigencia, ya sea de forma física o digital, el cliente otorga el mandato de término para efectos de la Ley, sin la necesidad de un documento o consentimiento adicional.

Este mandato facultará al nuevo proveedor para realizar todos los pagos, comunicaciones o requerimientos correspondientes, en nombre y representación del cliente, solo respecto de los productos o servicios financieros especificados en la sección "Productos vigentes a terminar" de la correspondiente oferta aceptada.

El mandato de término será siempre de carácter gratuito y se regirá por las normas del Título XXIX del Libro Cuarto del Código Civil, en todo lo que no sea contrario a las disposiciones de la Ley y el Reglamento, y a los demás elementos que sean propios de su naturaleza.

Art. 20. Vigencia de mandato de término. El mandato de término tendrá una vigencia de tres meses desde su otorgamiento, la cual podrá ser prorrogada por acuerdo expreso y escrito de las partes, ya sea de forma física o digital. Para acreditar dicha prórroga al proveedor inicial, bastará con que el nuevo proveedor envíe una copia del acuerdo de prórroga al proveedor inicial, a través del medio de comunicación indicado en el certificado de liquidación.

El arrepentimiento de la aceptación de la oferta, de acuerdo al artículo 18 de este Reglamento, revocará el mandato de término, solo respecto de los contratos de productos o servicios que no hubieren sido celebrados y de los productos o servicios vigentes que habrían sido pagados con los fondos a ser provistos por los productos o servicios que no serán contratados. La revocación del mandato de término respecto de uno o más contratos no afectará al mandato de término respecto de aquellos contratos que ya hubieren sido celebrados, ni su respectiva rendición de cuentas.

Art. 21. Cumplimiento de mandato de término. Una vez que el cliente y el nuevo proveedor hubieren contratado todos los productos o servicios financieros incluidos en la oferta de portabilidad aceptada por el cliente, excluyendo aquellos contratos que no serán celebrados en virtud del arrepentimiento del cliente, el nuevo proveedor deberá dar cumplimiento al respectivo mandato de término dentro del plazo de seis días hábiles bancarios. Sin perjuicio de lo anterior, en caso de que se contrate un producto o servicio financiero que, conforme a la oferta de portabilidad, provea los fondos necesarios para pagar la totalidad de una deuda, el plazo para el cumplimiento del mandato de término respecto de dicho producto se contará desde la contratación del producto o servicio financiero que provee los fondos correspondientes.

En caso de que la oferta de portabilidad incluya la contratación de una cuenta corriente o cuenta vista y el cierre de una cuenta del mismo tipo, el nuevo proveedor deberá cumplir el mandato de término respecto de dicha cuenta dentro del plazo de cinco días hábiles bancarios contado desde la firma del nuevo contrato.

En caso de que las cuentas o líneas de crédito asociadas a ellas hubieren sido bloqueadas de conformidad a lo establecido en el artículo 10 de la Ley, el plazo para cumplir el mandato de término será de seis días hábiles bancarios contado desde la celebración del nuevo contrato.

La obligación de pago de deudas expresadas en moneda extranjera deberá ser cumplida por el nuevo proveedor en la misma forma en que correspondería ser cumplida por el cliente.

Art. 22. Obligación de rendir cuentas. Se entenderá cumplida la obligación de rendir cuenta del mandato de término cuando el nuevo proveedor acredite, mediante un certificado enviado al cliente, que:

a) Efectuó el pago, en caso de ser necesario, de los productos y servicios financieros especificados en la oferta de portabilidad, y

b) Requirió, cuando corresponda, al proveedor inicial el cierre o término de los productos o servicios financieros especificados en la oferta de portabilidad.

El certificado deberá acompañar copia de la comunicación enviada por el nuevo proveedor al proveedor inicial solicitando el cierre o término de los correspondientes productos, especificando la fecha de envío de la comunicación. Asimismo, en caso de que el proveedor inicial hubiere remitido los respectivos comprobantes de pago de conformidad al artículo 43 del Reglamento, el nuevo proveedor deberá enviar copia de ellos al cliente.

Art. 23. Término del mandato. Sin perjuicio del plazo de vigencia indicado respecto del mandato de término, la ejecución de las obligaciones del mismo contraídas por el nuevo proveedor, conllevará el término del mandato, de conformidad a las reglas generales.

TÍTULO V. DEL BLOQUEO DE PRODUCTOS Y LA ACTUALIZACIÓN DE DEUDAS

Art. 24. Bloqueo de productos. Sin perjuicio de lo señalado en otras disposiciones legales, el cliente podrá solicitar el bloqueo de sus productos o servicios financieros con créditos disponibles o deuda rotativa, tales como líneas de crédito asociadas a cuentas corrientes o tarjetas de crédito, al momento de solicitar el certificado de liquidación, de conformidad a lo señalado en el inciso sexto del artículo 17 D de la Ley N° 19.496, que establece normas sobre protección de los derechos de los consumidores. Este bloqueo se mantendrá vigente mientras dure la vigencia del certificado de liquidación solicitado conjuntamente con el bloqueo de los productos o servicios.

Adicionalmente, en caso de que no haya sido solicitado el bloqueo de productos de conformidad al inciso anterior, el cliente podrá, al momento de presentar la solicitud de portabilidad, señalar que asume el compromiso de no aumentar sus deudas por sobre determinado monto. Con la entrega del referido compromiso se entenderá que el cliente acepta que los respectivos productos o servicios financieros sean bloqueados de conformidad al artículo 10 de la Ley. En este caso, aceptada la oferta y antes de la firma de el o los nuevos contratos, el nuevo proveedor podrá solicitar al proveedor inicial, previa notificación al cliente, que bloquee los productos o servicios financieros con créditos disponibles o rotativos que se acordaron refinanciar en virtud del proceso de portabilidad. Presentada la solicitud, el proveedor inicial deberá bloquear los productos y entregar un certificado de actualización de deudas al nuevo proveedor, dentro de veinticuatro horas, considerando días hábiles bancarios, desde la solicitud de bloqueo. Este bloqueo se mantendrá vigente mientras dure la vigencia del certificado de actualización de deudas emitido en virtud de la mencionada solicitud de bloqueo.

Si el cliente no hubiere asumido el compromiso del inciso anterior en la solicitud de portabilidad, el nuevo proveedor podrá solicitarle al cliente, durante el proceso de portabilidad, que asuma dicho compromiso o que solicite el bloqueo de sus productos mediante la solicitud de un nuevo certificado de liquidación, en caso de que ello sea necesario para llevar correctamente a cabo el proceso de portabilidad.

El bloqueo implicará la inhabilitación de los productos o servicios financieros de manera de impedir que el cliente o un tercero autorizado los utilice durante el periodo que dure el respectivo bloqueo. El bloqueo no impedirá el correspondiente devengo de intereses de transacciones que hayan tomado lugar con anterioridad al respectivo bloqueo.

Art. 25. Certificado de actualización de deudas. El nuevo proveedor podrá solicitar al proveedor inicial, en cualquier momento durante un proceso de portabilidad financiera, y las veces que estime pertinente para la mejor ejecución de la oferta de portabilidad aceptada y el mandato de término que proceda, un certificado de actualización de deudas.

El certificado de actualización de deudas deberá ser entregado por el proveedor inicial, a más tardar al día hábil bancario siguiente de la recepción de la solicitud, a través del medio de contacto indicado por el nuevo proveedor de conformidad al inciso segundo del artículo 17 del Reglamento. El mencionado plazo no será aplicable para los casos en que la emisión del certificado de deudas implique el bloqueo previo de productos o servicios financieros con créditos disponibles o rotativos de conformidad al inciso tercero del artículo 10 de la Ley, en cuyo caso deberá ser enviado dentro de veinticuatro horas, considerando días hábiles bancarios, contadas desde la recepción de la solicitud.

El certificado de actualización de deudas deberá tener el título de "Certificado de Actualización de Deudas" y contener, respecto de cada producto o servicio financiero que tenga vigente con el cliente y que fuere objeto del mandato de término, la siguiente información:

a) Especificación del producto o servicio financiero vigente;

b) Especificar si el producto se encuentra bloqueado; y

c) Monto total a pagar para poner término al producto o servicio financiero según la fecha de pago, incluyendo la respectiva comisión de prepago, si corresponde.

Adicionalmente, deberá especificar en su parte superior, el nombre o la razón social, y el Rol Único Tributario del proveedor inicial, la fecha de emisión y vigencia del certificado y, en caso de que uno de los productos o servicios financieros a pagar por el nuevo proveedor estuviere garantizado por una garantía con cláusula de garantía general, deberá especificar en su parte final el monto total a pagar para poner término a todos los productos o servicios financieros y a todas las obligaciones vigentes no financieras, según la fecha de pago, incluyendo la respectiva comisión de prepago, si corresponde y señalando si todos los productos con créditos rotativos o disponibles se encuentran bloqueados.

El certificado tendrá una vigencia mínima de seis días corridos. Sin perjuicio de ello, en caso de que una cuota o deuda de algún producto o servicio deba ser pagada en un plazo que venza dentro del plazo de vigencia del certificado de actualización, los montos a pagar con fecha posterior al vencimiento del mencionado plazo, deberán incluir un asterisco y señalar que corresponden a montos referenciales en razón del vencimiento del plazo de pago de una cuota o deuda. Lo anterior será aplicable tanto para el monto a pagar por producto o servicio financiero como para el monto total a pagar para poner término a todos los productos o servicios financieros.

TÍTULO VI. DE LA ENTREGA DE SALDOS, CARGOS
PENDIENTES Y NOTIFICACIONES DE CIERRE

Art. 26. Cierre o término de productos. Una vez cumplido el respectivo mandato de término por el nuevo proveedor, el proveedor inicial será exclusivamente responsable del término o cierre de los productos o servicios, de conformidad con la normativa aplicable a cada producto o servicio financiero.

Los productos o servicios financieros, cuyo término o cierre haya sido solicitado en virtud de un mandato de término, deberán cerrarse o terminarse en la misma forma y plazos que correspondería hacerlo si fuera solicitado directamente por el cliente, de conformidad a las normas especiales aplicables a cada tipo de producto o servicio.

Si, de conformidad a las normas especiales aplicables a cada tipo de producto o servicio financiero, no fuera posible cerrar o terminar anticipadamente productos o servicios financieros, tales como boletas de garantía vigentes, estos, y aquellos productos asociados a los mismos, se mantendrán vigentes durante el plazo que corresponda, de conformidad a las normas especiales aplicables. La imposibilidad o retardo del cierre o término de productos o servicios vigentes no afectará los procesos de portabilidad financiera.

Art. 27. Saldo a favor del cliente en productos o servicios financieros. Si los productos o servicios financieros especificados en el mandato de término contaren con saldos a favor del cliente, el proveedor inicial deberá entregarle dichos saldos dentro del plazo de tres días hábiles bancarios contados desde el cierre del respectivo producto o servicio financiero.

Para efectos de hacer la entrega referida en el inciso anterior, el proveedor inicial deberá tener disponible los fondos para retiro del cliente dentro del plazo mencionado y hasta el retiro de éstos, sin perjuicio de otras normas que regulen esta materia, tales como el artículo 156 del decreto con fuerza de ley N° 3, que fija texto refundido, sistematizado y concordado de la ley general de bancos y de otros cuerpos legales que se indican. La entrega de estos fondos podrá realizarse a través de dinero en efectivo, cheque, vale vista o cualquier otro medio a convenir con el cliente.

Sin perjuicio de lo anterior, el proveedor inicial deberá cumplir con esta obligación mediante transferencia electrónica de fondos, cuando así lo solicite el cliente, quien deberá entregar la información sobre la cuenta en que solicita recibir los fondos. En caso de que el cliente solicite con posterioridad al cierre de los productos o servicios financieros que la entrega de los saldos se practique mediante transferencia electrónica, la transferencia se deberá practicar a más tardar dentro de tres días hábiles bancarios contados desde la recepción de la solicitud.

Art. 28. Saldo a favor en razón del pago y disminución de deuda vigente. En caso de que el monto adeudado por el cliente al proveedor inicial haya disminuido respecto al monto indicado en el certificado de liquidación vigente o certificado de actualización de deudas vigente y el nuevo proveedor haya cumplido el mandato de conformidad a lo indicado en dichos certificados, el saldo resultante entre el monto efectivamente adeudado al proveedor inicial y el monto pagado por el nuevo proveedor será considerado como un saldo a favor del cliente y deberá ser entregado a éste por el proveedor inicial, de conformidad a lo dispuesto en el artículo anterior. En este caso, el plazo del inciso primero del artículo anterior se contará desde la notificación de pago referida en el artículo 42 del Reglamento.

Los contratos de los nuevos productos o servicios financieros celebrados con el nuevo proveedor, así como sus respectivas garantías y la subrogación especial de créditos, si corresponde, no se verán afectados por la disminución del monto adeudado mencionado en el inciso anterior.

Art. 29. Pagos automáticos y cheques girados pendientes de cobro. El cumplimiento del mandato de término por parte del nuevo proveedor no lo hará responsable del pago de cheques girados y pendientes de cobro, de otros cargos pendientes de cobro, del pago de productos o servicios que sean pagados mediante mandatos de pagos automáticos de tarjetas o pagos automáticos de cuentas asociados a productos o servicios financieros que se requieren terminar o mediante otras formas de pago automático o periódico con cargo a dichos productos a terminar.

Será responsabilidad de cada cliente otorgar los nuevos mandatos de pago automático u acordar otros métodos de pago automático o periódico con sus proveedores de productos o servicios u otras personas, naturales o jurídicas, que corresponda.

Art. 30. Cargos pendientes de tarjetas de crédito. Para el caso de transacciones con cargo a una tarjeta de crédito emitida por el proveedor inicial, que fueren realizadas con anterioridad a su bloqueo, y cuyo registro en el respectivo estado de cuenta se encuentre pendiente, el nuevo proveedor estará habilitado para efectuar el pago al proveedor inicial con cargo a la nueva tarjeta de crédito contratada con el cliente, en la medida que el proveedor inicial así lo requiera y ello haya sido comunicado al cliente por el nuevo proveedor. La responsabilidad del nuevo proveedor se circunscribe a cumplir el encargo del proveedor inicial y a informar previamente al cliente. El proveedor inicial será responsable ante el cliente respecto de los cargos que solicite.

Para efectos de llevar a cabo lo anterior, el proveedor inicial requerirá el cobro al nuevo proveedor mediante glosas descriptivas, de manera que el cliente pueda conocer las transacciones. Una vez recibido el requerimiento, el nuevo proveedor deberá informar dicho cobro al cliente, cargar las transacciones a la tarjeta de crédito del cliente y pagar los cargos al proveedor inicial dentro de un plazo de tres días hábiles bancarios desde la recepción del requerimiento.

Art. 31. Cargos pendientes en virtud de la Ley N° 20.009. En caso de que el cliente desconozca operaciones de conformidad a la Ley N°

20.009, que establece un régimen de limitación de responsabilidad para titulares o usuarios de tarjetas de pago y transacciones electrónicas en caso de extravío, hurto, robo o fraude, dichas operaciones no serán consideradas como pasivo del cliente para efectos de la preparación de los certificados de liquidación o certificados de actualización de deuda.

Art. 32. Notificación de cierre. Una vez terminado o cerrado el respectivo producto o servicio financiero, el proveedor inicial deberá comunicar al cliente dicha situación, incluyendo el término de productos asociados o de mandatos de pago automático, dentro del plazo de cinco días hábiles bancarios contado desde el cierre efectivo del producto o servicio financiero.

La mencionada comunicación se practicará a través de alguno de los medios de contacto del cliente que tenga registrado el proveedor inicial, tales como el correo electrónico del cliente o su número telefónico. El proveedor inicial será responsable de acreditar el cumplimiento de esta obligación mediante copia o grabación de la respectiva comunicación.

Si los productos o servicios terminados o cerrados estuvieran vinculados a seguros a prima única u otra forma de pago que terminen anticipadamente en razón de la portabilidad, en la misma comunicación referida en el inciso anterior el proveedor inicial deberá informar al cliente sobre la forma de obtener la devolución de la prima no devengada.

Este artículo no será aplicable para productos o servicios financieros que tengan normas especiales respecto a la forma o plazo para la notificación de su cierre o término.

TÍTULO VII. DEL PROCESO DE PORTABILIDAD FINANCIERA CON SUBROGACIÓN

Art. 33. Requisitos para subrogación especial de crédito. La subrogación especial de crédito operará por el solo ministerio de la ley y aun contra la voluntad del proveedor inicial, cuando concurran las siguientes condiciones en forma copulativa:

a) Que un nuevo proveedor contrate un crédito con el cliente en virtud de una oferta de portabilidad, de conformidad con el artículo 16 de la Ley.

b) Que el contrato de crédito indicado en la letra a) señale expresamente que tiene por objeto el pago y la subrogación de un crédito inicial, especificando el crédito.

c) Que el nuevo proveedor pague, en nombre y representación del cliente, el costo total de prepago del crédito inicial, con los fondos del crédito referido en la letra a).

Art. 34. Del pago en un proceso de portabilidad con subrogación. El pago referido en la letra c) del artículo 14 de la Ley, deberá efectuarse dentro del plazo de seis días hábiles bancarios desde la celebración del nuevo contrato de crédito y durante la vigencia del certificado de liquidación o actualización de deudas.

Art. 35. Subrogación especial de créditos y efectos. Los efectos de la subrogación especial de la Ley N° 21.236, en virtud de la cual un nuevo crédito sustituye jurídicamente un crédito inicial, son exclusivamente aquellos señalados en el Título III de la Ley y en este Reglamento, según dispone el numeral 13 del artículo 3 de la Ley. En virtud de lo anterior, subsistirán las garantías reales, garantizando la nueva obligación en beneficio del nuevo proveedor cuando se cumplan los requisitos exigidos por la Ley y el Reglamento.

La subrogación especial de crédito procederá únicamente respecto de los créditos que se extingan por el solo pago de los mismos.

En caso de subrogación especial de un crédito inicial caucionado por una o más garantías reales, tales como prendas o hipotecas, éstas subsistirán y garantizarán, de pleno derecho, el o los nuevos créditos, según corresponda, pasando a caucionarlos de la misma forma y bajo las mismas condiciones respecto de el o los créditos iniciales, en beneficio del nuevo proveedor. En virtud de lo anterior, se entenderá que la garantía real se ha modificado, para garantizar el o los nuevos créditos, de pleno derecho y para todos los efectos legales, desde el momento del pago referido en la letra c) del artículo 14 de la Ley. Los efectos antes mencionados solo serán aplicables para garantías reales, por lo que, de existir garantías personales, éstas no garantizarán la nueva obligación y se extinguirán en caso de que se extingan las obligaciones que caucionen, de conformidad a las reglas generales.

Para todos los demás efectos legales, se aplicarán, desde el inicio del proceso de portabilidad, las normas especiales que regulen el otorgamiento de cada tipo de créditos, según corresponda, en la medida en que no sean contrarias a las disposiciones de la Ley y el Reglamento. Por tanto, en caso de que se ofrezca un crédito bajo la modalidad de portabilidad con subrogación, que tenga por objeto el pago de un crédito hipotecario vigente, se deberá cumplir con todas las obligaciones del reglamento correspondiente que se emita en virtud del artículo 62 de la Ley Nº 19.496 y las normas del artículo 40 del decreto con fuerza de ley Nº 251, de 1931.

Art. 36. Subrogación especial de créditos y garantías con cláusula de garantía general. En caso de que un nuevo crédito subrogue al crédito inicial y este último esté caucionado por una garantía real con cláusula de garantía general, ésta pasará a beneficiar exclusivamente al nuevo proveedor, caucionando así la totalidad de las obligaciones que el cliente contraiga con éste, desde el momento en que todas las obligaciones incluidas en el certificado de liquidación o actualización de deudas hayan sido debidamente extinguidas o pagadas por el nuevo proveedor. En dicho caso, el certificado de liquidación o de actualización de deudas deberá incluir todos los créditos y los montos que deban ser pagados para poner término a todas las obligaciones directas e indirectas que tenga el cliente con el proveedor inicial, incluyendo aquellas que no deriven de productos o servicios financieros, de conformidad a lo señalado en el inciso cuarto del artículo 17 D de la Ley Nº 19.496.

La existencia de obligaciones adicionales no incluidas en el certificado de liquidación o de actualización de deudas y la existencia de productos o servicios financieros que no se terminen o extingan por el solo hecho del respectivo pago no afectarán el beneficio exclusivo sobre la garantía del nuevo proveedor señalado en el inciso anterior.

Asimismo, las obligaciones adicionales no incluidas en el certificado de liquidación o actualización de deudas otorgado por el proveedor inicial y, en consecuencia, no pagadas por el nuevo proveedor, dejarán de estar cauionadas por la garantía que pasó a beneficiar exclusivamente al nuevo proveedor.

Art. 37. Subrogación especial de créditos y garantías sin cláusula de garantía general. En caso de que el crédito inicial esté caucionado por una garantía sin cláusula de garantía general y los términos del nuevo crédito impliquen condiciones más gravosas para el cliente, dichos términos serán inoponibles a terceros acreedores hipotecarios o prendarios de grado posterior existentes con anterioridad al proceso de portabilidad, o a terceros que hubieren otorgado la respectiva garantía, a menos que hubieren dado su consentimiento en forma previa o al momento de la celebración del nuevo contrato de crédito.

El mencionado consentimiento deberá otorgarse por escrito y, en caso de que la respectiva garantía esté sujeta a un sistema registral, deberá también cumplirse con las solemnidades legales establecidas para el otorgamiento de dicha clase de garantía, dejándose constancia de la subrogación especial de crédito de la Ley Nº 21.236, en el sistema registral de que se trate.

Art. 38. Subrogación especial de créditos y obligaciones caucionadas con garantías con cláusula de garantía general y sin cláusula de garantía general. Si en una portabilidad financiera con subrogación, el proveedor inicial tuviere una obligación en su favor, caucionada tanto por una garantía sin cláusula de garantía general, como por una garantía con cláusula de garantía general, el nuevo proveedor solo podrá beneficiarse de ambas garantías si, cumpliendo los requisitos para la subrogación especial de créditos, incluye y paga, dentro del proceso de portabilidad con subrogación, la totalidad de las obligaciones directas e indirectas que tenga el cliente con el proveedor inicial especificadas en el respectivo certificado de liquidación o actualización de deudas, de conformidad a las normas del artículo 36 del Reglamento.

En cambio, si el nuevo proveedor solo paga la obligación caucionada con la garantía sin cláusula de garantía general, sin pagar las demás obligaciones existentes que tenga el cliente con el proveedor inicial, el nuevo crédito otorgado por el nuevo proveedor se subrogará solo respecto de la obligación pagada. En consecuencia, el nuevo proveedor solo se beneficiará de la garantía sin cláusula de garantía general, caucionándose el nuevo crédito con dicha garantía, y manteniéndose la garantía con cláusula de garantía general en beneficio del proveedor inicial.

Art. 39. Constancia de subrogación especial de crédito. En el caso de que el crédito que se subrogue haya estado garantizado por una hipoteca o una prenda sin desplazamiento, el nuevo proveedor deberá solicitar al Conservador de Bienes Raíces competente o al encargado del Registro de Prendas sin desplazamiento, respectivamente, la constancia de la subrogación especial de créditos, a más tardar dentro de 30 días hábiles bancarios desde dicha subrogación. La constancia se hará mediante una inscripción modificatoria, que solo constituye una formalidad de publicidad, debiendo además efectuarse, cuando corresponda, una anotación o nota marginal tanto en la inscripción de la garantía que caucionaba la o las obligaciones objeto de la subrogación, como en la inscripción de la prohibición de gravar y enajenar pactadas a favor del proveedor inicial, para los efectos legales que correspondan. La inscripción modificatoria no afectará la fecha de inscripción original de la garantía.

El incumplimiento de plazo del inciso anterior no afectará la validez de la portabilidad financiera ni la subrogación del contrato y sus efectos sobre las garantías, ni será motivo para que el Conservador de Bienes Raíces competente o encargado del Registro de Prendas rechace la inscripción o anotación de solicitudes realizadas en forma extemporánea. Ante esta solicitud corresponderá a los encargados de los registros públicos de garantías, ya sea el Conservador de Bienes Raíces competente o el responsable de los Registros de Prenda, efectuar la inscripción modificatoria y, cuando corresponda, las notas al margen de las inscripciones mencionadas que dejen constancia en el respectivo registro del cambio de acreedor y de las especificaciones correspondientes. Dichas gestiones deberán efectuarse, a más tardar, dentro de diez días hábiles contados desde la respectiva solicitud del nuevo proveedor, pero si se efectuare en forma extemporánea no afectará bajo ninguna circunstancia el proceso de portabilidad y subrogación de la garantía.

Para practicar la inscripción modificatoria y las mencionadas notas o anotaciones marginales, solo será exigible la presentación del contrato del nuevo crédito y el respectivo Comprobante de Pago para Inscripción emitido de conformidad con las condiciones, plazos y formalidades señaladas en el artículo 43 de este Reglamento. Lo anterior será sin perjuicio de la solicitud de documentos que la entidad responsable estime necesarios para acreditar la representación, capacidad o identidad de la persona que solicite tomar nota de la constancia.

La inscripción y las anotaciones marginales mencionadas en los incisos anteriores se entenderán necesarias solo para efectos de publicidad y oponibilidad a terceros y de ninguna manera podrá considerarse como requisito de solemnidad para la validez de la portabilidad financiera y la subrogación del contrato y sus garantías, la que se ha producido con anterioridad por el solo hecho del pago al proveedor inicial.

Art. 40. Facultad de insertar o adicionar certificados a escritura pública de otorgamiento de hipoteca. Podrá insertarse o adicionarse a las escrituras públicas en las que se otorgaron las garantías hipotecarias, que, a consecuencia de un proceso de portabilidad financiera, pasen a caucionar nuevas obligaciones que sean objeto de dicho proceso en beneficio del nuevo proveedor financiero, el certificado de pago del impuesto de timbres y estampillas a que se refiere el numeral 17 del artículo 24 del decreto ley N° 3.475, de 1980, que modifica la ley de timbres y estampillas contenida en el decreto ley N° 619, de 1974 y el Comprobante de Pago para Inscripción, respecto de el o los créditos que se extingan producto de la portabilidad financiera y que se haya encontrado caucionados con la garantía real objeto de la portabilidad con subrogación.

Art. 41. Subrogación especial de crédito con dos o más clientes. En caso de que dos o más clientes sean deudores de un mismo crédito con un proveedor inicial, la subrogación especial de crédito procederá en la medida que concurran conjuntamente, o mediante un mandato con representación, a la totalidad del proceso de portabilidad.

TÍTULO VIII. DE LA NOTIFICACIÓN Y COMPROBANTES DE PAGO

Art. 42. Notificación de pago al proveedor inicial. Todo pago realizado al proveedor inicial en virtud de un proceso de portabilidad financiera deberá ser notificado a éste, el mismo día del pago, de acuerdo a la forma de comunicación que el proveedor inicial haya señalado en el certificado de liquidación.

La notificación del pago deberá señalar en forma precisa los productos o servicios que fueron pagados.

Art. 43. Comprobantes de pago. Sin perjuicio de la subrogación que se produzca por el solo ministerio de la ley, de conformidad al artículo 14 de la Ley, una vez recibida la notificación de pago del artículo anterior, el proveedor inicial deberá siempre emitir un "Comprobante General de Pago" por todos los servicios y productos financieros que hayan sido pagados en virtud de un proceso de portabilidad financiera.

Dicho comprobante de pago deberá tener el título de "Comprobante General de Pago" y especificar:

a) El nombre o razón social y Rol Único Tributario del proveedor inicial;

b) El nombre o razón social y Rol Único Tributario del nuevo proveedor;

c) Los productos o servicios financieros pagados;

d) El monto total pagado por el nuevo proveedor;

e) La fecha del respectivo pago efectuado al proveedor inicial; y

f) La fecha de emisión del certificado.

Adicionalmente, en caso de que se pague un crédito caucionado por una garantía real, en virtud de un proceso de portabilidad con subrogación, se deberá emitir un comprobante de pago adicional por cada garantía real, denominado "Comprobante de Pago para Inscripción", el cual deberá tener el título de "Comprobante de Pago para Inscripción" y especificar:

a) El nombre o razón social y Rol Único Tributario del proveedor inicial;

b) El nombre o razón social y Rol Único Tributario del nuevo proveedor;

c) Los productos o servicios financieros pagados y caucionados por la garantía real;

d) La garantía real que caucionaba los productos o servicios financieros pagados, con los datos que la identifiquen o, si correspondiera, los datos de su inscripción en el o los registros pertinentes;

e) El monto total pagado por todas las obligaciones señaladas en el respectivo certificado de liquidación caucionadas con la garantía que se singulariza;

f) La declaración del proveedor inicial de haberse pagado todas las obligaciones señaladas en el respectivo certificado de liquidación o actualización de deudas caucionadas con la garantía que se singulariza;

g) La fecha del respectivo pago efectuado al proveedor inicial; y

h) La fecha de emisión del certificado.

Los Comprobantes de Pago para Inscripción deberán contar con firma electrónica avanzada, de conformidad a lo establecido en la Ley Nº 19.799, sobre Documentos Electrónicos, Firma Electrónica y Servicios de Certificación de Dicha Firma.

Los comprobantes de pago deberán ser remitidos al nuevo proveedor, conforme a lo señalado en el inciso segundo del artículo 17 de este Reglamento, dentro de un plazo de tres días hábiles bancarios contado desde que el proveedor inicial haya sido notificado del pago, de manera que el nuevo proveedor pueda solicitar la respectiva inscripción y entregar copia del comprobante de pago al cliente en caso de que este último lo solicite.

En caso de que el proveedor inicial no remita los referidos comprobantes de pago dentro del plazo indicado, el nuevo proveedor deberá informar de tal hecho al Servicio Nacional del Consumidor dentro de los cinco primeros días del mes siguiente al incumplimiento. El Servicio Nacional del Consumidor determinará, mediante circular, la forma en que deberá ser informado respecto de este incumplimiento.

Los comprobantes de pago deberán emitirse sin costo para el cliente ni para el nuevo proveedor.

TÍTULO IX. DE LA COMUNICACIÓN ENTRE EL PROVEEDOR INICIAL Y EL NUEVO PROVEEDOR

Art. 44. Comunicaciones entre proveedor inicial y nuevo proveedor. Toda comunicación que realice el nuevo proveedor al proveedor inicial deberá efectuarse en la forma señalada en el respectivo certificado de liquidación.

Por su parte, toda comunicación que realice el proveedor inicial al nuevo proveedor deberá efectuarse en la forma señalada por el nuevo proveedor en la notificación referida en el inciso segundo del artículo 17 de este Reglamento.

Los métodos de comunicación deberán corresponder a métodos digitales, expeditos, de general utilización, y que permitan el debido almacenamiento de las comunicaciones.

En caso de que los mencionados métodos de comunicación sean provistos por terceros, tales como sociedades de apoyo al giro, deberán ofrecerse y contratarse bajo condiciones objetivas y no discriminatorias para los proveedores. La limitación del artículo 30 de la Ley de no establecer diferencias en relación al volumen de las operaciones no impide que se pueda cobrar un monto único por cada operación o comunicación, pudiendo, por ejemplo, establecer distintos precios por tipo de transacción o comunicación, siempre y cuando no se distinga por tamaño o volumen de operaciones.

Los métodos de comunicación deberán cumplir con estándares asociados a la seguridad de la información, que permitan garantizar la disponibilidad, la confidencialidad e integridad de los datos y de la información, así como de los sistemas que los procesan, con el propósito de prevenir la divulgación no autorizada de la información, las modificaciones no autorizadas de la información y las interrupciones no autorizadas de los sistemas tecnológicos.

Los terceros que provean los métodos de comunicación deberán ser capaces de garantizar la interoperabilidad entre los mismos, así como mantener la neutralidad en la interacción con los distintos proveedores. Adicionalmente, deberán cumplir, en lo que sea aplicable, con las disposiciones de la Ley N° 19.628, sobre protección de la vida privada, debiendo tratar y comunicar los datos personales con la exclusiva finalidad de llevar a cabo el proceso de portabilidad solicitado por el cliente. Una vez terminado el respectivo proceso de portabilidad, el proveedor de los métodos de comunicación deberá eliminar toda información relativa a dicho proceso. Se entenderá que la presentación de una solicitud implica el consentimiento del titular para el tratamiento de sus datos personales, con la exclusiva finalidad de llevar a cabo un proceso de portabilidad.

TÍTULO X. NORMAS DE PUBLICIDAD

Art. 45. Información al cliente respecto del proceso de portabilidad. Una vez presentada la solicitud de portabilidad, y dentro de 5 días hábiles bancarios desde su recepción, el proveedor deberá entregar al cliente, ya sea manera física o digital, una comunicación de fácil comprensión en que se indique lo siguiente:

a) Tipos de procesos de portabilidad financiera;

b) Etapas que contemplan los procesos de portabilidad financiera;

c) Plazos máximos para cada una de las etapas del proceso de portabilidad financiera;

d) Derecho de arrepentimiento de la aceptación de la oferta de portabilidad;

e) Efectos e implicancias de los compromisos de los artículos 5 y 10 de la Ley, en caso de haber sido asumidos por el cliente;

f) Obligación del nuevo proveedor de cumplir el mandato de término, pagando y requiriendo al proveedor inicial el cierre o término de los productos o servicios que correspondan;

g) Posibilidad de cargos adicionales en virtud del artículo 30 del Reglamento, cuando sea aplicable; y

h) Obligación del nuevo proveedor de solicitar la constancia de subrogación especial de crédito, en caso de que corresponda.

TÍTULO XI. DE LOS CARGOS O DERECHOS

Art. 46. Cargos y derechos de notarios y conservadores. Los notarios no podrán cobrar recargo sobre el monto del contrato del nuevo crédito referido en el Título III de la Ley, a menos que el capital del referido crédito sea superior al capital inicial del crédito inicial. En dicho caso, el recargo procederá solo sobre el monto del nuevo contrato de crédito que exceda al monto del capital inicial de crédito inicial.

Asimismo, los conservadores de bienes raíces no podrán cobrar recargo sobre el monto del nuevo contrato de crédito por practicar las inscripciones referidas en el artículo 19 de la Ley y en el artículo 39 del Reglamento, a menos que el capital del referido crédito sea superior al capital inicial del crédito inicial. En dicho caso, el recargo procederá solo sobre el monto del nuevo contrato de crédito que exceda al monto del capital inicial de crédito inicial.

TÍTULO XII. DISPOSICIONES VARIAS

Art. 47. Productos o servicios financieros. Para efectos de esta Ley y el Reglamento se entenderán como "productos o servicios financieros" a las operaciones de crédito de dinero, las cuentas corrientes bancarias o cuentas vistas, las tarjetas de pago, sus respectivas líneas de crédito asociadas, y aquellos productos o servicios que se otorguen en forma masiva y estandarizada mediante contratos de adhesión y por los cuales los proveedores tienen derecho a cobrar una comisión, siempre y cuando no correspondan a productos o servicios de ahorro o inversión. Los descuentos o promociones ofrecidos por el proveedor respecto de la comisión de un producto o servicio no serán considerados para efectos de determinar el derecho a cobrar comisión del proveedor.

Las cuotas de participaciones, derechos sociales, acciones o cualquier otro derecho o título sobre la propiedad de un proveedor no serán considerados como un producto o servicio financiero para efectos de la Ley y este Reglamento.

Art. 48. Seguros asociados a créditos. Los seguros asociados a créditos vigentes sujetos a portabilidad financiera bajo cualquier modalidad, tales como seguros de desgravamen, incendio o sismo asociados a créditos hipotecarios vigentes, se terminarán junto con el pago de la respectiva deuda o el cierre del producto o servicio financiero, según corresponda y bajo las reglas generales aplicables. Los seguros de título no se considerarán como seguros asociados a créditos para estos efectos.

La contratación de nuevos productos o servicios financieros con el nuevo proveedor en un proceso de portabilidad financiera, ya sea con o sin subrogación, implicará, cuando corresponda, la contratación de nuevos seguros de parte del cliente, de acuerdo a las normas generales que sean aplicables.

Art. 49. Portabilidad financiera con un mismo proveedor. El proceso de portabilidad financiera podrá tener lugar tanto entre productos o servicios financieros otorgados por distintos proveedores, como entre productos o servicios financieros otorgados por un mismo proveedor.

En caso de que un cliente presente una solicitud de portabilidad financiera al mismo proveedor con el cual tiene vigente los productos o servicios financieros que desea terminar, se entenderá que se está solicitando una portabilidad financiera con el mismo proveedor.

En dicho caso, el proceso se regirá bajo las mismas reglas aplicables a todo proceso de portabilidad financiera, teniéndose en especial consideración que las gestiones del mandato de término se realizarán actuando en nombre y representación del cliente.

Sin perjuicio de lo anterior, la portabilidad financiera con un mismo proveedor tendrá las siguientes normas especiales:

a) Se entenderá que el proveedor tendrá tanto la calidad de nuevo proveedor, como de proveedor inicial.

b) No será necesario que el proveedor solicite un certificado de liquidación, de actualización de deudas o de pago de impuestos de timbre y estampilla, sin perjuicio de ello, estos documentos deberán ser igualmente emitidos cuando lo solicite el cliente y para efectos de cumplir con la obligación del inciso segundo del artículo 16 de la Ley y del numeral 17 del artículo 24 del decreto ley Nº 3.475, de 1980, que modifica la ley de timbres y estampillas contenida en el decreto ley Nº 619, de 1974.

c) El proveedor podrá mantener copia de los mencionados certificados en caso de que no prospere el proceso de portabilidad, siempre y cuando se cumpla con lo señalado en el artículo 25 de la Ley.

d) El proveedor, en calidad de nuevo proveedor, no deberá cumplir con ninguna obligación de notificar o remitir documentos al proveedor inicial.

e) El proveedor, en calidad de proveedor inicial, no deberá cumplir con ninguna obligación de notificar o remitir documentos al nuevo proveedor, sin perjuicio de ello, igualmente deberá emitir, cuando corresponda, los respectivos comprobantes de pago.

f) No será necesario que el proveedor requiera el término de los productos vigentes en virtud del mandato de término, siempre y cuando se deje constancia de la fecha en que se inició el proceso de cierre o término de cada producto o servicio financiero. Dicha constancia

REGLAMENTO DE LA LEY N° 21.236

reemplazará a la copia de la comunicación para efectos de cumplir con la obligación indicada en el inciso final del artículo 22 de este Reglamento; y

g) En el caso de una portabilidad financiera con subrogación, en el que los créditos vigentes estén caucionados por una garantía con cláusula de garantía general, se entenderá que el proveedor no perderá la garantía general.

Art. 50. Tratamiento de datos personales. Se entenderá que la presentación de una solicitud de oferta de portabilidad implica el consentimiento del titular para el tratamiento de sus datos personales. Dicho tratamiento de datos deberá efectuarse en conformidad con la Ley N° 19.628 y con la exclusiva finalidad de llevar a cabo un proceso de portabilidad.

Los proveedores deberán implementar las medidas necesarias para garantizar la seguridad y la reserva en el tratamiento de datos, con especial resguardo respecto de los fines para los cuales fue autorizado por su titular.

Art. 51. Decimales de formatos. Los antecedentes de cada producto o servicios financieros a ser incluidos en la oferta de portabilidad, certificado de actualización de deudas, comprobantes de pago y certificado de liquidación podrán incluir como máximo la siguiente cantidad de decimales:

a) Tasa: cuatro decimales.

b) Porcentajes: dos decimales.

c) Monto en pesos: sin decimales.

d) Monto en Unidades de Fomento: cuatro decimales.

e) Monto en moneda extranjera: dos decimales.

ARTÍCULO TRANSITORIO

Artículo único. El presente decreto supremo entrará en vigencia desde su total tramitación".

Anótese, tómese razón y publíquese.- SEBASTIÁN PIÑERA ECHENIQUE, Presidente de la República.- Ignacio Briones Rojas, Ministro de Hacienda.- Lucas Palacios Covarrubias, Ministro de Economía, Fomento y Turismo.

Lo que transcribo a usted para su conocimiento.- Saluda Atte. a usted, Francisco Moreno Guzmán, Subsecretario de Hacienda.

CONTRALORÍA GENERAL DE LA REPÚBLICA
División de Contabilidad y Finanzas Públicas
Unidad Jurídica

**Cursa con alcance el decreto N° 1.154, de
2020, del Ministerio de Hacienda**

N° E34013.- Santiago, 7 de septiembre de 2020.

Esta Contraloría General ha dado curso al documento del rubro, mediante el cual se aprueba el reglamento de la ley N° 21.236, que regula la Portabilidad Financiera, por cuanto se ajusta a derecho.

No obstante, cumple con hacer presente que esta Entidad Fiscalizadora entiende que lo señalado en el artículo 6° del decreto en estudio, es sin perjuicio de lo dispuesto en el nuevo inciso del artículo 17 D de la ley N° 19.496 —que Establece normas sobre protección de los derechos de los consumidores—, añadido por el literal c), del número 2°, del artículo 31, de la aludida ley N° 21.236.

Con el alcance que antecede, se ha tomado razón del instrumento del epígrafe.

Saluda atentamente a Ud., Jorge Andrés Bermúdez Soto, Contralor General.

Al señor
Ministro de Hacienda
Presente.

Cuadro sinóptico relativo a las infracciones y multas (Ley 19.496)

Artículo	Contexto de la infracción	Tipología de infracción	Sanción/ multa	Antes L. 21.081	Actual
Art. 1.3	Servicio técnico, repuestos fuera del plazo.	Infracción art. 5 L. 18.223	5-50 UTM mensuales		
Art. 14	Bienes usados o similares	Infracción deber informativo interpretable a tenor del art. 23	Multa* vid. art. 24		
Art. 17 K	Producto financiero	Infracciones relativas a los arts. 17B-17J, 17 M, 17N. Sanciones de la L. 21.236 (vid. arts. 19 y 27)	Multa	Hasta 750 UTM	Hasta 1.500 UTM
Art. 18	Precio	Precio superior al exhibido, informado o publicitado	Multa* vid. art. 24		
Art. 23	Garantía legal (bien o prestación de servicio)	Infracciones relativas a los arts. 14, 19-21, 40, 41	Multa* vid. art. 24		
	Organizadores espectáculos públicos	Venta sobrecupos	Multa	Hasta 300 UTM	Hasta 2.250 UTM
	Ventas servicios de trasportes pasajeros (excepto trasporte aéreo)	Venta sobre-cupos (cfr. art. 23 bis)	Multa	Hasta 300 UTM	Hasta 2.250 UTM

Artículo	Contexto de la infracción	Tipología de infracción	Sanción/ multa	Antes L. 21.081	Actual
Art. 24	Vid. las identificadas con *		Importe sanción por defecto*	Hasta 50 UTM	Hasta 300 UTM
	Publicidad falsa o engañosa	Infracciones relativas a los arts. 28, 28 A	Multa Suspensión publicidad: art. 31	Hasta 750 UTM	Hasta 1.500 UTM
	(si afecta a)	Cualidades del producto o servicio	Multa Suspensión publicidad: art. 31	Hasta 1.000 UTM	Hasta 2.250 UTM
	(si afecta a)	Afecta salud o seguridad de la publicación o medio ambiente	Multa Suspensión publicidad: art. 31	Hasta 1.000 UTM	Hasta 2.250 UTM
Art. 25	Prestación de servicio previamente conectado	Paralización o no prestación injustificada	Multa	Hasta 150 UTM	Hasta 750 UTM
	Servicios de determinadas prestaciones (v.gr. teleco-municaciones, teléfono, basura, resi-duos, elementos tóxicos)	Paralización o no prestación injustificada	Multa (más indemni-zación art. 25 A)	Hasta 300 UTM	Hasta 1.500 UTM
Art. 26	Prescripción	Responsabilidad contravencional y multas	Multa* vid. art. 24		
Art. 28 A	Publicidad	Mensaje publici-tario que induce a confusión	Multa* vid. art. 24 Suspensión publicidad: art. 31		
Art. 29	Rotulación: información incorrecta o ausente		Multa	De 5 a 50 UTM	Hasta 300 UTM

Artículo	Contexto de la infracción	Tipología de infracción	Sanción/ multa	Antes L. 21.081	Actual
Art. 39	Cobro intereses superiores a Ley Nª 18.010	Ley 18.010	Multa* Vid también: Art. 8 Ley 18.010 Art. 472 CP		
Art. 39 A	Gastos cobranzas superior a intereses segundo inciso art. 37	Infracciones relativas a los arts. 39, 37 inc 2º	Multa* vid. art. 24		
Arts. 40 y 41	Vid. art. 23 (garantía legal)				
Art. 45	Omisión advertencias o indicaciones prestación servicios riesgosos		Multa	Hasta 750 UTM	Hasta 2.250 UTM
Art. 49	Producto peligroso	Infracciones relativas a los arts. 44-49	Multa* vid. art. 24		
Art. 49 Bis	Videojuegos		Multa	De 1 a 50 UTM En caso de reincidencia hasta el doble	Hasta 300 UTM
Art. 50 E	Denuncia temeraria	Infracciones relativas a los arts. 50 E, 52	*vid. art. 24 vid. art. 51 n. 1 responsabilidad disciplinaria abogado	Hasta 200 UTM	Hasta 200 UTM
Art. 54 O	Procedimiento voluntario para la protección del interés colectivo o difuso de los Consumidores	Infracción de terceros mediante informes			De 1 hasta 5 UTM

Artículo	Contexto de la infracción	Tipología de infracción	Sanción/ multa	Antes L. 21.081	Actual
Art. 55 D	Sello Sernac: falsa comunicación de obtención	Infracciones relativas a los arts. 55 C, 55 D		Hasta 1000 UTM	Hasta 2.250 UTM
Art. 56	Sello Sernac: incorrecto protocolo en la fase de reclamo	Infracciones relativas a los arts. 55 n. 2, 56		Hasta 50 UTM	Hasta 50 UTM
Art. 58	Negativa injustificada a dar cumplimiento requerimientos del SERNAC	Infracciones relativas al art. 58 Plazo adicional para cumplir para PYME	Multa		Hasta 50 UTM
	Negativa o demora injustificada remisión antecedentes requeridos por el SERNAC	Infracciones relativas al art 58	Multa o incautación		Hasta 400 UTM

Cuadro sinóptico de los topes y variaciones porcentuales de las infracciones y multas

Norma	Materia	Sanción/multa
Art. 24	Fija circunstancias Atenuantes y agravantes	Multa proporcional a la intensidad de la afectación provocada por los derechos del consumidor
Art. 24 A	Interés colectivo o difuso, art. 53C	No puede exceder 1) el 30% de las ventas de la línea de producto o servicio, efectuadas durante el período en que ésta se haya prolongado o 2) El doble del beneficio económico obtenido como resultado de la infracción Si es microempresa o Pyme (art. 2.2 Ley 20.416): no puede exceder el 10%
		Tope máximo: 45.000 UT anuales
		Nota: el art. 24 A se aplica a las sanciones sobre portabilidad financiera (vid. art. 19, 27 L. 21.236)
Art. 50 G	Límite de multa en procedimientos de única instancia	Aplicable también a los procedimientos inferiores a 10 UTM
Art. 53 B	Rebaja de la multa en caso de conciliación	Hasta el 50%

Leyes citadas por la Ley Nº 19.496

	Referencia expresa a otro texto	Eventual disposición expresamente citada	Referencia implícita a otro texto	Disposición o texto desumible (no exáustivo)
Art. 2	L. 19.472	Reenvío general		
Art. 2 ter	CC	Titulo preliminar (párrafo 4º)		
Art. 3	L. 18.010 Manda realizar reglamento *ad hoc* (pendiente de dictarse)	Art. 10		Arts. 2, 6 bis, 16, 20, 22, 26, 30
Art. 3 *bis*	Manda realizar reglamento *ad hoc* sobre derecho de retracto (pendiente de dictarse)			
Art. 6	D.L. 2.757 de 1979	Arts. 16, 21, 22 y 23	"constitución y disolución" de las asociaciones	Arts. 5, 18, 19
	L. 20.500	Título II (Arts. 15-20)		
Art. 7	D.L. 2.757 de 1979	Art. 18		
Art. 8			"Actos y contratos civiles y mercantiles	C. Com. CC
Art. 9	L. 18.045	Art. 100	"responsabilidades penales"	
Art. 10	Código penal		"Condenado por delitos concursales"	Delitos de propiedad y delito sancionado con pena aflictiva: v.gr. 37, 10 7º, 296-298, 432 y ss., 446 y ss.
			"Condenados contra la propiedad o por delito sancionado con pena aflictiva"	Ley Nº 20.931 (en relación con delitos de propiedad).

	Referencia expresa a otro texto	Eventual disposición expresamente citada	Referencia implícita a otro texto	Disposición o texto desumible (no exáustivo)
Art. 11			"eventuales responsabilidades penales"	
15			"Comisión en flagrancia de un delito"	
Art. 15 bis			L. 19.628	.
17 D	Decreto 42 de 2012	Reenvío general		
	L. 16.250	Reenvío general		
	L. 20.009	Art. 1		
Art. 17 N	Manda realizar reglamento *ad hoc* sobre solvencia económica y operación de crétito (pendiente de dictarse)			
Art. 21	L. 825 de 1974	Art. 70		
Art. 24	Ley 20.416	Art. 2 inciso segundo		
Art. 24 A	Ley 20.416	Art. 2 inciso segundo		
Art. 26	CC o leyes especiales	Reenvío general		
Art. 37	L. 19.628 sobre protección de los datos de carácter personal (*sic*)	Reenvío general		
	D.S. 104 de 2020	Reenvío general		
	Manda realizar reglamento *ad hoc* sobre cobranzas exrajudiciales (pendiente de dictarse)			

	Referencia expresa a otro texto	Eventual disposición expresamente citada	Referencia implícita a otro texto	Disposición o texto desumible (no exáustivo)
Art. 39	L. 18.010	Reenvío general y Art. 8	"sanción penal"	Art. 472 CP
Art. 39 B	CC	2158		
44			"normas especiales que regulan la provisión de determinados bienes o servicios"	Vgr. art. 111 H y ss. L. 20.850; Código Sanitario (DFL. 725, de 1968 y posteriores modificaciones), Decreto Ley Nº 3.557, de 1980, Normas sobre Protección de Aguas en Pro de la Agricultura y la Salud de los Habitantes
49			"pena aplicable en caso de que los hechos sean constitutivos de delito"	*Responsabilidad penal delitos de lesión*: 391, 399, 494 Nº 5; *delitos de peligro*: 313 d, 314, 315.
50B	L. 15.231	Reenvío general		
	L. 18.287	Reenvío general		
	CPC	Reenvío general		
50E	COT	Arts. 530 y ss.	"sin perjuicio de las responsabilidades penal y civil solidaria"	
50H	CPC	Art. 44		
	COT	Art. 532		

	Referencia expresa a otro texto	Eventual disposición expresamente citada	Referencia implícita a otro texto	Disposición o texto desumible (no exáustivo)
51	CPC	Art. 12 Art. 173 Art. 358 Art. 411 Título II del Libro I Título V del Libro II		
	D.L. 211 de 1973	Reenvío general		
	DFL 1 de 2004	Art. 30		
52	CPC	Art. 254		
53	CPC	Reenvío general		
53 B	CPC	Art. 48		
53 C	CPC	Art. 170		
54 O	CP	Art. 247		
55	DFL 251 de 1931	Art. 3 letra e)		
56 B	L. 19.880	Reenvío general	"delito que merezca pena aflictiva"	¿?
56 C	COT	Párrafo 11 del Título VII		
56 E	arancel del Colegio de Abogados de Chile CPC	aquí hay referencia a los art. 200, 202 y 211 CPC ma la riforma del 21081. non considera que nel frattmepo la legge 20886 modifica el CPC!		L. 20.886 Arts. 202 y 211 CPC derogados
57	D.L. 3.551 de 1980	Reenvío general		
	D.L. 1.263 de 1975	Reenvío general		
	L 19.882	Título VI		

	Referencia expresa a otro texto	Eventual disposición expresamente citada	Referencia implícita a otro texto	Disposición o texto desumible (no exáustivo)
58	L. 20.416	Art. 2 inciso segundo	"demás normas que digan relación con el consumidor"	Vg.r. Art. 51 L. 20.423, Art. 14 Decreto 229 de 2002, art. 19 y 20 L. 20.096 **DFL 1 de 2004**
	D.L. 211 de 1973 **(sic)**	Reenvío general		
	D.S. 1.101 de 1960	Reenvío general		
	DFL 2 de 1959	Art. 1		
	L. 19.882	Titulo VI		
59	L. 18.046	Título VIII		
	L. 19.882	Titulo VI		
	DFL 1/19.653 de 2000 DFL relativos a la ley N° 18.575	Reenvío general		
59 ter	CP	246,247, 247 bis		
	L. 19.880	Reenvío general		
	DFL 29 de 2004 DFL relativos a la ley N° 18.575	Reenvío general		
	DFL 1/19.653 de 2000	Reenvío general		
60	L. 18.959	Reenvío general		
	Ley de Presupuestos	Referencia a aquella del año de referencia		
	CC	1401		
Art. 2 DT	L. 18.223	Arts. 5 y 13		l. art. 13 de la 18.223 ahora es el art. 39 DFL 3 de 1997
Art. 3 DT	L. 19.250	Art. 4 transitorio		
Art. 5 DT	CPR de 1980	Art. 82 N° 1). (sic)		Art. 93 N° 1 CPR de 2005

Correlación disposiciones Ley Nº 19.496 con reglamentos

	Referencia general a reglamentos	
Art. 1	Decreto 229 de 2002	Reglamento información precio unitario
	Decreto 42 de 2012	Reglamento información en créditos hipotecarios
	Decreto 9 de 2020	Reglamento Comercio electrónico
Art. 3 letra g)	Reglamento pendiente (por "Ley pro Consumidor")	
Art. 3 bis	Reglamento pendiente (por "Ley pro Consumidor")	
	Decreto 9 de 2020	Reglamento Comercio electrónico
Art. 8 f	Decreto 98 de 2019	Reglamento Fundo concursable y Asociaciones Nacionales
Art. 11 bis	Decreto 98 de 2019	Reglamento Fundo concursable y Asociaciones Nacionales
Art. 11 ter	Decreto 98 de 2019	Reglamento Fundo concursable y Asociaciones Nacionales
Art. 17 C	Decreto 42 de 2012	Reglamento información en créditos hipotecarios
Art. 17 D	Decreto 42 de 2012	Reglamento información en créditos hipotecarios)
Art. 17 I (referencia implícita)	Decreto 44 de 2012	Reglamento tarjetas de crédito
Art. 17 K	Decreto 44 de 2012	Reglamento tarjetas de crédito
Art. 17 N	Reglamento pendiente (por "Ley pro Consumidor")	
Art. 28 B	Decreto 62 de 2019	Reglamento no molestar, antispam
Art. 30	Decreto 229 de 2002	Reglamento información precio unitario
Art. 37	Decreto 43 de 2012	Reglamento información de crédito al consumo

	Referencia general a reglamentos	
Art. 47	v.gr. D.S. 298 de 1994	Reglamento sobre Trasporte cargas peligrosas
	D.S. 148 de 2003	Reglamento manejo productos peligrosos
	D.S. 43 de 2015	Reglamento de Almacenamiento de sustancias peligrosas
	Resolución 408 EXENTA de 2016	Listado Sustancias peligrosas
Art. 49 bis (referencia implícita)	Decreto 51 de 2015	Reglamento contenido y leyenda videojuegos
	Decreto 89 de 2017 (modifica Decreto 51)	
Art. 54 S	Resolución 432 EXENTA de 2019	Circular interpretativa Sernac
Art. 55	Decreto 41 de 2012	Reglamento Sello Sernac
	Decreto 44 de 2012	Reglamento tarjetas de crédito
Art. 55 C	Decreto 41 de 2012	Reglamento Sello Sernac
Art. 56 A	Decreto 41 de 2012	Reglamento Sello Sernac
Art. 56 B	Decreto 41 de 2012	Reglamento Sello Sernac
Art. 58	Decreto 62 de 2019	Reglamento no molestar, antispam
Art. 58 bis	Decreto 86 de 2019	Reglamento registro sentencias
Art. 62	Decreto 98 de 2019	Reglamento Fondo concursable y Asociaciones Nacionales
	Decreto 86 de 2019	Reglamento registro sentencias
	Decreto 62 de 2019	Reglamento no molestar, antispam
	Decreto 44 de 2012	Reglamento tarjetas de crédito
	Decreto 89 de 2017	Reglamento contenido y leyenda videojuegos
	Decreto 51 de 2015	Reglamento contenido y leyenda videojuegos
	Decreto 43 de 2012	Reglamento información de crédito al consumo
	Decreto 42 de 2012	Reglamento información en créditos hipotecarios
	Decreto 41 de 2012	Reglamento Sello Sernac
	Decreto 229 de 2002	Reglamento información precio unitario

Leyes modificadoras de la L. 19.496

Leyes modificadoras de la L. 19.496	Año
L. 19.659	1999
L. 19.761	2001
L. 19.955	2004
L. 20.416	2010
L. 20.543	2011
L. 20.555	2011
L. 20.715	2013
L. 20.720	2013
L. 20.756	2014
L. 20.855	2015
L. 20.945	2016
L. 20.967	2016
L. 21.062	2017
L. 21.081	2018
L. 21.236	2020
L. 21.320	2021
L. 21.398	2021

LEY QUE ESTABLECE NORMAS DE PROTECCIÓN AL CONSUMIDOR Y DEROGA DECRETO LEY N° 280, DE 1974

De conformidad a lo dispuesto en la Ley N° 18.223, de 24 mayo de 1983 (Diario Oficial de 10 de junio de 1983)

Versión original

Actualmente está en vigor solamente: art. 5 y art. 13 (actual art. 160 DFL 3 de 1997)

La Junta de Gobierno de la República de Chile ha dado su aprobación al siguiente Proyecto de ley:

TÍTULO I. DE LAS INFRACCIONES EN PERJUICIOS DEL CONSUMIDOR

Art. 1. El que en la venta de productos o mercaderías, o en la prestación de un servicio, defraudare por un valor de hasta cincuenta unidades tributarias mensuales, ya sea en calidad, cantidad, identidad, substancia, procedencia, peso o medida, será castigado con multa de una a cincuenta unidades tributarias mensuales.

Art. 2. El que cobrare un precio superior al exhibido o al que figura en sus cartas, menús, circulares, propaganda, ofertas, presupuestos o en otros documentos similares vigentes, será castigado con multa de una a veinte unidades tributarias mensuales.

Art. 3. El que negare, injustificadamente, la venta de cualquier bien o la prestación del servicio comprendido en su respectivo giro en las condiciones ofrecidas, será castigado con multa de una a veinte unidades tributarias mensuales.

Art. 4. El que estando obligado a rotular los bienes o servicios que produzca, expenda o preste, no lo hiciere; o faltare a la verdad en la rotulación, la ocultare o alterare, será sancionado con multa de cinco a cincuenta unidades tributarias mensuales.

Art. 5. El que al vender un bien se comprometiere a proporcionar servicio técnico y repuestos e, injustificadamente, no prestare el servicio o no vendiere los repuestos dentro del plazo ofrecido, será sancionado con multa de cinco a cincuenta unidades tributarias mensuales.

NOTA: el artículo actualmente está en vigor.

Art. 6. El que suspendiere, paralizare o no prestare, injustificadamente, un servicio previamente contratado y por el cual se hubiera pagado derecho de conexión, de instalación, de incorporación o de mantención, será castigado con multa de cinco a cincuenta unidades tributarias mensuales.

Cuando el servicio de que trata el inciso anterior fuere de agua potable, gas, alcantarillado, energía eléctrica o teléfono, los responsables serán sancionados, además, con presidio menor en su grado mínimo

Art. 7. El productor o comerciante que en la promoción de ventas de bienes o servicios falsee sus cualidades, será sancionado con multa de una a veinte unidades tributarias mensuales. Cuando la publicidad sea de carácter masivo, la multa será de veinte a cien unidades tributarias mensuales.

Art. 8. En todo caso, el delito o infracciones de que trata esta ley darán lugar a la correspondiente indemnización de perjuicios.

Art. 9. El que suspendiere, paralizare o no prestare, injustificadamente, un servicio previamente contratado y por el cual se hubiera pagado derecho de conexión, de instalación, de incorporación o de mantención, será castigado con multa de cinco a cincuenta unidades tributarias mensuales.

PARTE TERCERA

TÍTULO II. DISPOSICIONES VARIAS

Art. 10. De las faltas e indemnizaciones previstas en el Título anterior, conocerá el juez de policía local respectivo y el procedimiento se sujetará, en todo, al fijado en el Título III de la ley N° 15.231, cuyo texto refundido, coordinado y sistematizado, fue fijado por el decreto supremo N° 307, de Justicia, de 23 de mayo de 1978. En el caso del inciso tercero del artículo 24 de la citada ley, el juez deberá aplicar, precisamente, la prisión inconmutable allí prevista.

No obstante lo dispuesto en el inciso precedente, el proceso seguirá su curso aún sin la comparecencia del denunciante.

Art. 11. La Dirección de Industria y Comercio podrá actuar como parte en los procesos a que se refiere esta ley.

Art. 12. Deróganse el decreto ley N° 280, de 1974 y el decreto supremo N° 1.379, de 1966, del Ministerio de Economía, Fomento y Reconstrucción.

Art. 13. Introdúcense las siguientes modificaciones a la Ley General de Bancos, cuyo texto fue fijado por el decreto con fuerza de ley N° 252, de 1960:

a) Reemplázase el párrafo primero del inciso quinto del artículo 34 por el siguiente:

"Las infracciones a este artículo serán castigadas con presidio menor en sus grados medio a máximo.".

b) Agrégase a continuación del artículo 45, el siguiente artículo 45 bis:

"Artículo 45 bis.- El que obtuviere créditos de instituciones de crédito, públicas o privadas, suministrando o proporcionando datos falsos o maliciosamente incompletos acerca de su identidad, actividades o estados de situación o patrimonio, ocasionando perjuicios a la institución, sufrirá la pena de presidio menor en sus grados medio a máximo.

NOTA: artículo actualmente está en vigor.el art. 34 es el actual art. 39 DFL 3 de 1997; el art. 45 es el actual art. 160 DFL 3 de 1997

JOSE T. MERINO CATRO, Almirante, Comandante en Jefe de la Armada, Miembro de la Junta de Gobierno.- FERNANDO MATTHEI AUBEL, General del Aire, Comandante en Jefe de la Fuerza Aérea, Miembro de la Junta de Gobierno.- CESAR MENDOZA DURAN, General Director de Carabineros, Miembro de la Junta de Gobierno.- CESAR RAUL BENAVIDES ESCOBAR, Teniente General de Ejército, Miembro de la Junta de Gobierno.

Por cuanto he tenido a bien aprobar la precedente ley, la sanciono y la firmo en señal de promulgación.

Llévese a efecto como Ley de la República.

Regístrese en la Contraloría General de la República, publíquese en el Diario Oficial e insértese en la Recopilación Oficial de dicha Contraloría.

Santiago, 24 de mayo de 1983.- AUGUSTO PINOCHET UGARTE, General de Ejército, Presidente de la República.- Jaime del Valle Alliende, Ministro de Justicia.- Manuel Martín Sáez, Ministro de Economía, Fomento y Reconstrucción.

Lo que transcribo para su conocimiento.- Le saluda atentamente.- Alicia Cantarero Aparicio, Subsecretario de Justicia.

PARTE TERCERA

LEY N° 19.496 QUE ESTABLECE NORMAS SOBRE PROTECCIÓN DE LOS DERECHOS DE LOS CONSUMIDORES

Ley N° 19.496, de 7 febrero de 1997
(Diario Oficial de 7 de marzo de 1997)
Versión original

Teniendo presente que el H. Congreso Nacional ha dado su aprobación al siguiente Proyecto de ley:

TÍTULO I. ÁMBITO DE APLICACIÓN Y NOCIONES BÁSICAS

Art. 1. La presente ley tiene por objeto normar las relaciones entre proveedores y consumidores, establecer las infracciones en perjuicio del consumidor y señalar el procedimiento aplicable en estas materias.

Para los efectos de esta ley se entenderá por:

1.- Consumidores: las personas naturales o jurídicas que, en virtud de cualquier acto jurídico oneroso, adquieran, utilicen o disfruten, como destinatarios finales, bienes o servicios.

2.- Proveedores: las personas naturales o jurídicas, de carácter público o privado, que habitualmente desarrollen actividades de producción, fabricación, importación, construcción, distribución o comercialización de bienes o de prestación de servicios a consumidores, por las que se cobre precio o tarifa.

3.- Información básica comercial: los datos, instructivos, antecedentes o indicaciones que el proveedor debe suministrar obligatoriamente al público consumidor, en cumplimiento de una norma jurídica.

4.- Publicidad: la comunicación que el proveedor dirige al público por cualquier medio idóneo al efecto, para informarlo y motivarlo a adquirir o contratar un bien o servicio.

5.- Anunciante: el proveedor de bienes, prestador de servicios o entidad que, por medio de la publicidad, se propone ilustrar al público acerca de la naturaleza, características, propiedades o atributos de los bienes o servicios cuya producción, intermediación o prestación constituye el objeto de su actividad, o motivarlo a su adquisición.

6.- Contrato de adhesión: aquel cuyas cláusulas han sido propuestas unilateralmente por el proveedor sin que el consumidor, para celebrarlo, pueda alterar su contenido.

7.- Promociones: las prácticas comerciales, cualquiera sea la forma que se utilice en su difusión, consistentes en el ofrecimiento al público en general de bienes y servicios en condiciones más favorables que las habituales, con excepción de aquellas que consistan en una simple rebaja de precio.

8.- Oferta: práctica comercial consistente en el ofrecimiento al público de bienes o servicios a precios rebajados en forma transitoria, en relación con los habituales del respectivo establecimiento.

Art. 2. Sólo quedan sujetos a las disposiciones de esta ley los actos jurídicos que, de conformidad a lo preceptuado en el Código de Comercio u otras disposiciones legales, tengan el carácter de mercantiles para el proveedor y civiles para el consumidor.

Sin embargo, les serán aplicables las normas de la presente ley a los actos de comercialización de sepulcros o sepulturas y a aquéllos en que el proveedor se obligue a suministrar al consumidor el uso o goce de un inmueble por períodos determinados, continuos o discontinuos, no superiores a tres meses siempre que lo sean amoblados y para fines de descanso o turismo.

Las normas de esta ley no serán aplicables a las actividades de producción, fabricación, importación, construcción, distribución y comercialización de bienes o de prestación de servicios reguladas por leyes especiales, salvo en las materias que estas últimas no prevean.

TÍTULO II. DISPOSICIONES GENERALES

§ 1º Los derechos y deberes de los consumidores

Art. 3. Son derechos y deberes básicos del consumidor:

a) La libre elección del bien o servicio;

b) El derecho a una información veraz y oportuna sobre los bienes y servicios ofrecidos, su precio, condiciones de contratación y otras características relevantes de los mismos, y el deber de informarse responsablemente de ellos;

c) El no ser discriminado arbitrariamente por parte de proveedores de bienes y servicios;

d) La seguridad en el consumo de bienes o servicios, la protección de la salud y el medio ambiente y el deber de evitar los riesgos que puedan afectarles;

e) La reparación e indemnización adecuada y oportuna de todos los daños materiales y morales en caso de incumplimiento a lo dispuesto en esta ley, y el deber de accionar de acuerdo a los medios que la ley le franquea, y

f) La educación para un consumo responsable, y el deber de celebrar operaciones de consumo con el comercio establecido.

Art. 4. Los derechos establecidos por la presente ley son irrenunciables anticipadamente por los consumidores.

§ 2° De las organizaciones para la defensa de los derechos de los consumidores

Art. 5. La constitución de las organizaciones que se formen para la defensa de los derechos de los consumidores, así como su modificación y la cancelación de su personalidad jurídica, se regirán por las disposiciones contenidas en los artículos siguientes, y en lo que no fueren contrarias a ellas por los preceptos del Título XXXIII del Libro I del Código Civil.

Art. 6. Todos aquellos a quienes los estatutos de la organización irrogaren lesión o perjuicio, podrán ocurrir ante el juez de letras del domicilio de ésta, a objeto de que ordene su corrección, sin menoscabo de las demás acciones que les franquea la ley. El proceso se sustanciará de conformidad a las reglas del juicio sumario.

Art. 7. Las organizaciones de defensa de los derechos de los consumidores pueden disolverse por sí mismas, previa comunicación de la escritura pública de disolución a la autoridad que registró su existencia.

Además, pueden ser disueltas por sentencia judicial, o por disposición de la Ley, a pesar de la voluntad de sus miembros

Art. 8. Las organizaciones a que se refiere el presente párrafo sólo podrán ejercer las siguientes funciones:

a) Difundir el conocimiento de las disposiciones de esta ley y sus regulaciones complementarias;

b) Informar, orientar y educar a los consumidores para el adecuado ejercicio de sus derechos y brindarles asesoría cuando la requieran;

c) Estudiar y proponer medidas encaminadas a la protección de los derechos de los consumidores y efectuar o apoyar investigaciones en el área del consumo, y

d) Representar a sus miembros y ejercer las acciones a que se refiere esta ley en defensa de aquellos consumidores que le otorguen el respectivo mandato.

Art. 9. Las organizaciones de que trata este párrafo en ningún caso podrán:

a) Desarrollar actividades lucrativas;

b) Incluir como asociados a personas jurídicas que se dediquen a actividades empresariales;

c) Percibir ayudas o subvenciones de empresas o agrupaciones de empresas que suministren bienes o servicios a los consumidores;

d) Realizar publicidad o difundir comunicaciones no meramente informativas sobre bienes o servicios, ni

e) Dedicarse a actividades distintas de las señaladas en el artículo anterior.

La infracción grave y reiterada de las normas contenidas en el presente artículo será sancionada con la cancelación de la personalidad jurídica de la organización, sin perjuicio de las responsabilidades penales o civiles en que incurran quienes las cometan.

Art. 10. No podrán ser integrantes del consejo directivo de una organización de consumidores:

a) El que hubiere sido declarado en quiebra culpable o fraudulenta, mientras no se alce la quiebra;

b) El que hubiere sido condenado por delito contra la propiedad o por delito sancionado con pena aflictiva, por el tiempo que dure la condena;

c) El que hubiere sido sancionado como reincidente de denuncia temeraria o por denuncias temerarias reiteradas, de conformidad a lo dispuesto en el artículo 55.

Art. 11. Tampoco podrán ser integrantes del consejo directivo de una organización de consumidores quienes ejerzan cargos de elección popular ni los consejeros regionales.

Los directivos de una organización de consumidores que sean a la vez dueños, accionistas propietarios de más de un 10% del interés social, directivos o ejecutivos de empresas o sociedades que tengan por objeto la producción, distribución o comercialización de bienes o prestación de servicios a consumidores, deberán abstenerse de intervenir en la adopción de acuerdos relativos a materias en que tengan interés comprometido en su condición de propietarios o ejecutivos de dichas empresas. La contravención a esta prohibición será sancionada con la pérdida del cargo directivo en la organización de consumidores, sin perjuicio de las eventuales responsabilidades penales o civiles que se configuren.

§ 3° Obligaciones del proveedor

Art. 12. Todo proveedor de bienes o servicios estará obligado a respetar los términos, condiciones y modalidades conforme a las cuales se hubiere ofrecido o convenido con el consumidor la entrega del bien o la prestación del servicio.

Art. 13. Los proveedores no podrán negar injustificadamente la venta de bienes o la prestación de servicios comprendidos en sus respectivos giros en las condiciones ofrecidas.

Art. 14. Cuando con conocimiento del proveedor se expendan productos con alguna deficiencia, usados o refaccionados o cuando se ofrezcan productos en cuya fabricación o elaboración se hayan utilizado partes o piezas usadas, se deberán informar de manera expresa las circunstancias antes mencionadas al consumidor. Será bastante constancia el usar en los propios artículos, en sus envoltorios o en las facturas, boletas o documentos respectivos las expresiones "segunda selección", "hecho con materiales usados" u otras equivalentes.

El cumplimiento de lo dispuesto en el inciso anterior eximirá al proveedor de las obligaciones derivadas del derecho de opción que se establece en los artículos 19 y 20, sin perjuicio de aquellas que hubiera contraído el proveedor en virtud de la garantía otorgada al producto.

Art. 15. Los sistemas de seguridad y vigilancia que, en conformidad a las leyes que los regulan, mantengan los establecimientos comerciales están especialmente obligados a respetar la dignidad y derechos de las personas.

En caso que se sorprenda a un consumidor en la comisión flagrante de un delito los gerentes, funcionarios o empleados del establecimiento se limitarán, bajo su responsabilidad, a poner sin demora al presunto infractor a disposición de las autoridades competentes.

Cuando la contravención a lo dispuesto en los incisos anteriores no fuere constitutiva de delito, ella será sancionada en conformidad al artículo 24.

§ 4° Normas de equidad en las estipulaciones y en el cumplimiento de los contratos de adhesión

Art. 16. No producirán efecto alguno en los contratos de adhesión las cláusulas o estipulaciones que:

a) Otorguen a una de las partes la facultad de dejar sin efecto o modificar a su solo arbitrio el contrato o de suspender unilateralmente su ejecución, salvo cuando ella se conceda al comprador en las modalidades de venta por correo, a domicilio, por muestrario, usando medios audiovisuales, u otras análogas, y sin perjuicio de las excepciones que las leyes contemplen;

b) Establezcan incrementos de precio por servicios, accesorios, financiamiento o recargos, salvo que dichos incrementos correspondan a prestaciones adicionales que sean susceptibles de ser aceptadas o rechazadas en cada caso y estén consignadas por separado en forma específica;

c) Pongan de cargo del consumidor los efectos de deficiencias, omisiones o errores administrativos, cuando ellos no le sean imputables;

d) Inviertan la carga de la prueba en perjuicio del consumidor;

e) Contengan limitaciones absolutas de responsabilidad frente al consumidor que puedan privar a éste de su derecho a resarcimiento frente a deficiencias que afecten la utilidad o finalidad esencial del producto o servicio, y

f) Incluyan espacios en blanco, que no hayan sido llenados o inutilizados antes de que se suscriba el contrato.

Si en estos contratos se designa árbitro, el consumidor podrá recusarlo sin necesidad de expresar causa y solicitar que se nombre otro por el juez letrado competente. Si se hubiese designado más de un árbitro, para actuar uno en subsidio de otro, podrá ejercer este derecho respecto de todos o parcialmente respecto de algunos. Todo ello de conformidad a las reglas del Código Orgánico de Tribunales.

Art. 17. Los contratos de adhesión relativos a las actividades regidas por la presente ley deberán estar escritos de modo legible y en idioma castellano, salvo aquellas palabras de otro idioma que el uso haya incorporado al léxico. Las cláusulas que no cumplan con dichos requisitos no producirán efecto alguno respecto del consumidor.

Ley N° 19.496
Versión original

Sin perjuicio de lo dispuesto en el inciso anterior, en los contratos impresos en formularios prevalecerán las cláusulas que se agreguen por sobre las del formulario cuando sean incompatibles entre sí.

No obstante lo previsto en el inciso primero, tendrán validez los contratos redactados en idioma distinto del castellano cuando el consumidor lo acepte expresamente, mediante su firma en un documento escrito en idioma castellano anexo al contrato, y quede en su poder un ejemplar del contrato en castellano, al que se estará, en caso de dudas, para todos los efectos legales.

Tan pronto el consumidor firme el contrato, el proveedor deberá entregarle un ejemplar íntegro suscrito por todas las partes. Si no fuese posible hacerlo en el acto por carecer de alguna firma, entregará de inmediato una copia al consumidor con la constancia de ser fiel al original suscrito por éste. La copia así entregada se tendrá por el texto fidedigno de lo pactado, para todos los efectos legales.

§ 5° Responsabilidad por incumplimiento

Art. 18. Constituye infracción a las normas de la presente ley el cobro de un precio superior al exhibido, informado o publicitado.

Art. 19. El consumidor tendrá derecho a la reposición del producto o, en su defecto, a optar por la bonificación de su valor en la compra de otro o por la devolución del precio que haya pagado en exceso, cuando la cantidad o el contenido neto de un producto sea inferior al indicado en el envase o empaque.

Art. 20. En los casos que a continuación se señalan, sin perjuicio de la indemnización por los daños ocasionados, el consumidor podrá optar entre la reparación gratuita del bien o, previa restitución, su reposición o la devolución de la cantidad pagada:

a) Cuando los productos sujetos a normas de seguridad o calidad de cumplimiento obligatorio no cumplan las especificaciones correspondientes;

b) Cuando los materiales, partes, piezas, elementos, sustancias o ingredientes que constituyan o integren los productos no correspondan a las especificaciones que ostenten o a las menciones del rotulado;

c) Cuando cualquier producto, por deficiencias de fabricación, elaboración, materiales, partes, piezas, elementos, sustancias, ingredientes, estructura, calidad o condiciones sanitarias, en su caso, no sea enteramente apto para el uso o consumo al que está destinado o al que el proveedor hubiese señalado en su publicidad;

d) Cuando el proveedor y consumidor hubieren convenido que los productos objeto del contrato deban reunir determinadas especificaciones y esto no ocurra;

e) Cuando después de la primera vez de haberse hecho efectiva la garantía y prestado el servicio técnico correspondiente, subsistieren las deficiencias que hagan al bien inapto para el uso o consumo a que se refiere la letra c). Este derecho subsistirá para el evento de presentarse una deficiencia distinta a la que fue objeto del servicio técnico, o volviere a presentarse la misma, dentro de los plazos a que se refiere el artículo siguiente;

f) Cuando la cosa objeto del contrato tenga defectos o vicios ocultos que imposibiliten el uso a que habitualmente se destine;

g) Cuando la ley de los metales en los artículos de orfebrería, joyería y otros sea inferior a la que en ellos se indique.

Para los efectos del presente artículo se considerará que es un solo bien aquel que se ha vendido como un todo, aunque esté conformado por distintas unidades, partes, piezas o módulos, no obstante que éstas puedan o no prestar una utilidad en forma independiente unas de otras. Sin perjuicio de ello, tratándose de su reposición, ésta se podrá efectuar respecto de una unidad, parte, pieza o módulo, siempre que sea por otra igual a la que se restituye.

Art. 21. El ejercicio de los derechos que contemplan los artículos 19 y 20 deberá hacerse efectivo ante el vendedor dentro de los tres meses siguientes a la fecha en que se haya recibido el producto, siempre que éste no se hubiere deteriorado por hecho imputable al consumidor. Si el producto se hubiere vendido con determinada garantía, prevalecerá el plazo por el cual ésta se extendió, si fuere mayor.

Las acciones a que se refiere el inciso primero podrán hacerse valer, asimismo, indistintamente en contra del fabricante o el importador, en caso de ausencia del vendedor por quiebra, término de giro u otra circunstancia semejante. Tratándose de la devolución de la cantidad pagada, la acción no podrá intentarse sino respecto del vendedor.

El vendedor, fabricante o importador, en su caso, deberá responder al ejercicio de los derechos a que se refieren los artículos 19 y 20 en el mismo local donde se efectuó la venta o en las oficinas o locales en que habitualmente atiende a sus clientes, no pudiendo condicionar el ejercicio de los referidos derechos a efectuarse en otros lugares o en condiciones menos cómodas para el consumidor que las que se le ofreció para efectuar la venta, salvo que éste consienta en ello.

En el caso de productos perecibles o que por su naturaleza estén destinados a ser usados o consumidos en plazos breves, el término a que se refiere el inciso primero será el impreso en el producto o su envoltorio o, en su defecto, el término máximo de siete días.

El plazo que la póliza de garantía otorgada por el proveedor contemple y aquel a que se refiere el inciso primero de este artículo, se suspenderán durante el tiempo en que el bien esté siendo reparado en ejercicio de la garantía.

Tratándose de bienes amparados por una garantía otorgada por el proveedor, el consumidor, antes de ejercer alguno de los derechos que le confiere el artículo 20, deberá hacerla efectiva ante quien corresponda y agotar las posibilidades que ofrece, conforme a los términos de la póliza.

La póliza de garantía a que se refiere el inciso anterior producirá plena prueba si ha sido fechada y timbrada al momento de la entrega del bien. Igual efecto tendrá la referida póliza aunque no haya sido fechada ni timbrada al momento de la entrega del bien, siempre que se exhiba con la correspondiente factura de venta.

Tratándose de la devolución de la cantidad pagada, el plazo para ejercer la acción se contará desde la fecha de la correspondiente factura o boleta y no se suspenderá en caso alguno. Si tal devolución se acordare una vez expirado el plazo a que se refiere el artículo 70 del decreto Ley Nº 825, de 1974, el consumidor sólo tendrá derecho a recuperar el precio neto del bien, excluidos los impuestos correspondientes.

Para ejercer estas acciones el consumidor deberá acreditar el acto o contrato con la documentación respectiva.

Art. 22. Los productos que los proveedores, siendo éstos distribuidores o comerciantes, hubieren debido reponer a los consumidores y aquellos por los que devolvieron la cantidad recibida en pago, deberán serles restituidos, contra su entrega, por la persona de quien los adquirieron o por el fabricante o importador, siendo asimismo de cargo de estos últimos el resarcimiento, en su caso, de los costos de restitución o de devolución y de las indemnizaciones que se hayan debido pagar en virtud de sentencia condenatoria, siempre que el defecto que dio lugar a una u otra les fuere imputable.

Art. 23. Comete infracción a las disposiciones de la presente ley el proveedor que, en la venta de un bien o en la prestación de un servicio, actuando con negligencia, causa menoscabo al consumidor debido a fallas o deficiencias en la calidad, cantidad, identidad, sustancia, procedencia, seguridad, peso o medida del respectivo bien o servicio.

Serán sancionados con multa de cien a trescientas unidades tributarias mensuales, los organizadores de espectáculos públicos, incluidos los artísticos y deportivos, que pongan en venta una cantidad de localidades que supere la capacidad del respectivo recinto. Igual sanción se aplicará a la venta de sobrecupos en los servicios de transporte de pasajeros, con excepción del transporte aéreo.

Art. 24. Las infracciones a lo dispuesto en esta ley serán sancionadas con multa de hasta 50 unidades tributarias mensuales, si no tuvieren señalada una sanción diferente.

Ley Nº 19.496
Versión original

La publicidad falsa difundida por medios masivos de comunicación, en relación a cualquiera de los elementos indicados en el artículo 28, que incida en las cualidades de productos o servicios que afecten la salud o seguridad de la población o el medio ambiente, hará incurrir al anunciante infractor en una multa de hasta 200 unidades tributarias mensuales.

El juez, en caso de reincidencia, podrá elevar las multas antes señaladas al doble. Se considerará reincidente al proveedor que sea sancionado por infracciones a esta ley dos veces o más dentro del mismo año calendario.

Para la aplicación de las multas el Tribunal tendrá especialmente en cuenta la cuantía de lo disputado y las facultades económicas del infractor.

Art. 25. El que suspendiere, paralizare o no prestare, sin justificación, un servicio previamente contratado y por el cual se hubiere pagado derecho de conexión, de instalación, de incorporación o de mantención será castigado con multa de hasta 150 unidades tributarias mensuales.

Cuando el servicio de que trata el inciso anterior fuere de agua potable, gas, alcantarillado, energía eléctrica, teléfono o recolección de basura o elementos tóxicos, los responsables serán sancionados con multa de hasta 300 unidades tributarias mensuales.

El proveedor no podrá efectuar cobro alguno por el servicio durante el tiempo en que se encuentre interrumpido y, en todo caso, estará obligado a descontar o reembolsar al consumidor el precio del servicio en la proporción que corresponda.

Art. 26. Las acciones que persigan la responsabilidad contravencional que se sanciona por la presente ley prescribirán en el plazo de seis meses, contado desde que se haya incurrido en la infracción respectiva.

Las sanciones impuestas por dichas contravenciones prescribirán en el término de un año, contado desde que hubiere quedado a firme la sentencia condenatoria.

PARTE TERCERA

Art. 27. Las restituciones pecuniarias que las partes deban hacerse en conformidad a esta ley, serán reajustadas según la variación experimentada por el Índice de Precios al Consumidor, determinado por el Instituto Nacional de Estadísticas, entre el mes anterior a la fecha en que se produjo la infracción y el precedente a aquél en que la restitución se haga efectiva.

TÍTULO III. DISPOSICIONES ESPECIALES

§ 1º Información y publicidad

Art. 28. Comete infracción a las disposiciones de esta ley el que, a sabiendas o debiendo saberlo y a través de cualquier tipo de mensaje publicitario induce a error o engaño respecto de:

a) Los componentes del producto y el porcentaje en que concurren;

b) la idoneidad del bien o servicio para los fines que se pretende satisfacer y que haya sido atribuida en forma explícita por el anunciante;

c) las características relevantes del bien o servicio destacadas por el anunciante o que deban ser proporcionadas de acuerdo a las normas de información comercial;

d) El precio del bien o la tarifa del servicio, su forma de pago y el costo del crédito en su caso, en conformidad a la normas vigentes;

e) Las condiciones en que opera la garantía, y

f) Su condición de no producir daño al medio ambiente, a la calidad de vida y de ser reciclable o reutilizable.

Art. 29. El que estando obligado a rotular los bienes o servicios que produzca, expenda o preste, no lo hiciere, o faltare a la verdad en la rotulación, la ocultare o alterare, será sancionado con multa de cinco a cincuenta unidades tributarias mensuales.

Art. 30. Los proveedores deberán dar conocimiento al público de los precios de los bienes que expendan o de los servicios que ofrezcan, con excepción de los que por sus características deban regularse convencionalmente.

Ley Nº 19.496
Versión original

El precio deberá indicarse de un modo claramente visible que permita al consumidor, de manera efectiva, el ejercicio de su derecho a elección, antes de formalizar o perfeccionar el acto de consumo.

Igualmente se enunciarán las tarifas de los establecimientos de prestación de servicios.

Cuando se exhiban los bienes en vitrinas, anaqueles o estanterías, se deberá indicar allí sus respectivos precios.

El monto del precio deberá comprender el valor total del bien o servicio, incluidos los impuestos correspondientes.

Cuando el consumidor no pueda conocer por sí mismo el precio de los productos que desea adquirir, los establecimientos comerciales deberán mantener una lista de sus precios a disposición del público, de manera permanente y visible.

Art. 31. En las denuncias que se formulen por publicidad falsa, el tribunal competente, de oficio o a petición de parte, podrá disponer la suspensión de las emisiones publicitarias cuando la gravedad de los hechos y los antecedentes acompañados lo ameriten. Podrá, asimismo, exigir al anunciante que, a su propia costa, realice la publicidad correctiva que resulte apropiada para enmendar errores o falsedades.

Art. 32. La información básica comercial de los servicios y de los productos de fabricación nacional o de procedencia extranjera, así como su identificación, instructivos de uso y garantías, y la difusión que de ellos se haga, deberán efectuarse en idioma castellano, en términos comprensibles y legibles, y conforme al sistema general de pesos y medidas aplicables en el país, sin perjuicio de que el proveedor o anunciante pueda incluir, adicionalmente, esos mismos datos en otro idioma, unidad monetaria o de medida.

Art. 33. La información que se consigne en los productos, etiquetas, envases, empaques o en la publicidad y difusión de los bienes y servicios deberá ser susceptible de comprobación y no contendrá expresiones que induzcan a error o engaño al consumidor.

Expresiones tales como "garantizado" y "garantía", sólo podrán ser consignadas cuando se señale en qué consisten y la forma en que el consumidor pueda hacerlas efectivas.

Art. 34. Como medida prejudicial preparatoria del ejercicio de su acción en los casos de publicidad falsa o engañosa, podrá el denunciante solicitar del juez competente se exija, en caso necesario, del respectivo medio de comunicación utilizado en la difusión de los anuncios o de la correspondiente agencia de publicidad, la identificación del anunciante o responsable de la emisión publicitaria.

§ 2° Promociones y ofertas

Art. 35. En toda promoción u oferta se deberá informar al consumidor sobre las bases de la misma y el tiempo o plazo de su duración.

En caso de rehusarse el proveedor al cumplimiento de lo ofrecido en la promoción u oferta, el consumidor podrá requerir del juez competente que ordene su cumplimiento forzado, pudiendo éste disponer una prestación equivalente en caso de no ser posible el cumplimiento en especie de lo ofrecido.

Art. 36. Cuando se trate de promociones en que el incentivo consista en la participación en concursos o sorteos, el anunciante deberá informar al público sobre el monto o número de premios de aquéllos y el plazo en que se podrán reclamar. El anunciante estará obligado a difundir adecuadamente los resultados de los concursos o sorteos.

§ 3° Del crédito al consumidor

Art. 37. En toda operación de consumo en que se conceda crédito directo al consumidor, el proveedor deberá poner a disposición de éste la siguiente información:

a) El precio al contado del bien o servicio de que se trate;

b) La tasa de interés que se aplique sobre los saldos de precio correspondientes y la tasa de interés moratorio en caso de incumplimiento, la que deberá quedar señalada en forma explícita;

c) El monto de cualquier pago adicional que fuere procedente cobrar;

d) Las alternativas de monto y número de pagos a efectuar y su periodicidad, y

e) El sistema de cálculo de los gastos que genere la cobranza de los créditos impagos.

Sin perjuicio de lo anterior, cuando se exhiban los bienes en vitrinas, anaqueles o estanterías, se deberán indicar allí las informaciones referidas en las letras a) y b).

Art. 38. Los intereses se aplicarán solamente sobre los saldos insolutos del crédito concedido y los pagos no podrán ser exigidos por adelantado, salvo acuerdo en contrario.

Art. 39. Cometerán infracción a la presente ley, los proveedores que cobren intereses por sobre el interés máximo convencional a que se refiere el artículo 6° de la ley N° 18.010, sin perjuicio de la sanción civil que se contempla en el artículo 8° de la misma ley.

§ 4° Normas especiales en materia de prestación de servicios

Art. 40. En los contratos de prestación de servicios cuyo objeto sea la reparación de cualquier tipo de bienes, se entenderá implícita la obligación del prestador del servicio de emplear en tal reparación componentes o repuestos adecuados al bien de que se trate, ya sean nuevos o refaccionados, siempre que se informe al consumidor de esta última circunstancia.

El incumplimiento de esta obligación dará lugar, además de las sanciones o indemnizaciones que procedan, a que se obligue al prestador del servicio a sustituir, sin cargo adicional alguno, los componentes o repuestos correspondientes al servicio contratado.

En todo caso, cuando el consumidor lo solicite, el proveedor deberá especificar, en la correspondiente boleta o factura, los repuestos empleados, el precio de los mismos y el valor de la obra de mano.

Art. 41. El prestador de un servicio, incluido el servicio de reparación, estará obligado a señalar por escrito en la boleta, recibo u otro documento, el plazo por el cual se hace responsable del servicio o reparación.

En todo caso, el consumidor podrá reclamar del desperfecto o daño ocasionado por el servicio defectuoso dentro del plazo de diez días hábiles, contado desde la fecha en que hubiere terminado la prestación del servicio o, en su caso, se hubiere entregado el bien reparado. Si el tribunal estimare procedente el reclamo, dispondrá se preste nuevamente el servicio sin costo para el consumidor o, en su defecto, la devolución de lo pagado por éste al proveedor. Sin perjuicio de lo anterior, quedará subsistente la acción del consumidor para obtener la reparación de los perjuicios sufridos.

Para ejercer el derecho establecido en el inciso anterior, el consumidor deberá acreditar el acto o contrato con la documentación respectiva.

Art. 42. Se entenderán abandonadas en favor del proveedor las especies que le sean entregadas en reparación, cuando no sean retiradas en el plazo de un año contado desde la fecha en que se haya otorgado y suscrito el correspondiente documento de recepción del trabajo.

Art. 43. El proveedor que actúe como intermediario en la prestación de un servicio responderá directamente frente al consumidor por el incumplimiento de las obligaciones contractuales, sin perjuicio de su derecho a repetir contra el prestador de los servicios o terceros que resulten responsables.

§ 5° Disposiciones relativas a la seguridad de los productos y servicios

Art. 44. Las disposiciones del presente párrafo sólo se aplicarán en lo no previsto por las normas especiales que regulan la provisión de determinados bienes o servicios.

Art. 45. Tratándose de productos cuyo uso resulte potencialmente peligroso para la salud o integridad física de los consumidores o para la seguridad de sus bienes, el proveedor deberá incorporar en los mismos, o en instructivos anexos, las advertencias e indicaciones necesarias para que su empleo se efectúe con la mayor seguridad posible.

En lo que se refiere a la prestación de servicios riesgosos, deberán adoptarse por el proveedor las medidas que resulten necesarias para que aquélla se realice en adecuadas condiciones de seguridad, informando al usuario y a quienes pudieren verse afectados por tales riesgos de las providencias preventivas que deban observarse.

El incumplimiento de las obligaciones establecidas en los dos incisos precedentes será sancionado con multa de hasta doscientas unidades tributarias mensuales.

Art. 46. Todo fabricante, importador o distribuidor de bienes o prestador de servicios que, con posterioridad a la introducción de ellos en el mercado, se percate de la existencia de peligros o riesgos no previstos oportunamente, deberá ponerlos, sin demora, en conocimiento de la autoridad competente para que se adopten las medidas preventivas o correctivas que el caso amerite, sin perjuicio de cumplir con las obligaciones de advertencia a los consumidores señaladas en el artículo precedente.

Art. 47. Declarada judicialmente o determinada por la autoridad competente de acuerdo a las normas especiales a que se refiere el artículo 44, la peligrosidad de un producto o servicio, o su toxicidad en niveles considerados como nocivos para la salud o seguridad de las personas, los daños o perjuicios que de su consumo provengan serán de cargo, solidariamente, del productor, importador y primer distribuidor o del prestador del servicio, en su caso.

Con todo, se eximirá de la responsabilidad contemplada en el inciso anterior quien provea los bienes o preste los servicios cumpliendo con las medidas de prevención legal o reglamentariamente establecidas y los demás cuidados y diligencias que exija la naturaleza de aquéllos.

Art. 48. En el supuesto a que se refiere el inciso primero del artículo anterior, el proveedor de la mercancía deberá, a su costa, cambiarla a los consumidores por otra inocua, de utilidad análoga y de valor equivalente. De no ser ello posible, deberá restituirles lo que hubieren pagado por el bien contra la devolución de éste en el estado en que se encuentre.

Art. 49. El incumplimiento de las obligaciones contempladas en este párrafo sujetará al responsable a las sanciones contravencionales correspondientes y lo obligará al pago de las indemnizaciones por los daños y perjuicios que se ocasionen, no obstante la pena aplicable en caso de que los hechos sean constitutivos de delito.

El juez podrá, en todo caso, disponer el retiro del mercado de los bienes respectivos, siempre que conste en el proceso, por informes técnicos, que se trata de productos peligrosos para la salud o seguridad de las personas, u ordenar el decomiso de los mismos si sus características riesgosas o peligrosas no son subsanables.

TÍTULO IV. DEL PROCEDIMIENTO A QUE DA LUGAR LA APLICACIÓN DE ESTA LEY

Art. 50. Será competente para conocer de las acciones a que dé lugar la aplicación de la presente ley el juez de policía local de la comuna en que se hubiere celebrado el contrato respectivo, o en su caso, se hubiere cometido la infracción o dado inicio a su ejecución.

Lo anterior se entenderá sin perjuicio de que los consumidores que consideren lesionados sus derechos puedan reclamar de ello ante el

Ley N° 19.496
Versión original

Servicio Nacional del Consumidor, quien dará a conocer al proveedor respectivo el motivo de inconformidad a fin de que voluntariamente pueda concurrir y proponer las alternativas de solución que estime convenientes. Sobre la base de la respuesta del proveedor reclamado, el Servicio Nacional del Consumidor promoverá un entendimiento voluntario entre las partes. El documento en que dicho acuerdo se haga constar tendrá carácter de transacción extrajudicial y extinguirá, una vez cumplidas sus estipulaciones, la acción del reclamante para perseguir la responsabilidad contravencional del proveedor.

Art. 51. La demanda respectiva deberá presentarse por escrito y no requerirá patrocinio de abogado habilitado.

Recibida la demanda, el juez decretará una audiencia oral de avenimiento, contestación y prueba. La audiencia deberá tener lugar cinco días después de notificada la demanda. Para los efectos previstos en esta ley se presume que representa al proveedor y que en tal carácter obliga a éste, la persona que ejerce habitualmente funciones de dirección o administración por cuenta o representación del proveedor.

La audiencia a que se refiere el inciso anterior será conducida personalmente por el juez y a ella podrán comparecer las partes personalmente sin la necesidad de apoderado o abogado habilitado.

Cuando las partes deseen rendir prueba testimonial, podrán presentar la lista de testigos en la misma audiencia o en el día hábil que la preceda.

Art. 52. Las cuestiones accesorias al juicio pero que requieran de un pronunciamiento especial del tribunal deberán ventilarse y fallarse en la audiencia oral a que se refiere el artículo anterior o en una posterior que se fije para estos efectos. En este último caso, ella no podrá tener lugar en un plazo superior a cinco días contados desde la última audiencia.

Art. 53. Rendida la prueba o practicadas las medidas para mejor resolver que se decreten, el juez deberá fallar la causa dentro de los cinco días siguientes a aquél en que se haya notificado por el estado diario la resolución que cite a las partes a oír sentencia.

Art. 54. El Servicio Nacional del Consumidor podrá subrogarse en las acciones del demandante cuando éste comparezca personalmente, y sólo para los efectos de demandar la aplicación de las multas de que tratan los artículos anteriores. No obstante, podrá denunciar las infracciones al tribunal competente y hacerse parte en aquellas causas que comprometan los intereses generales de los consumidores.

Art. 55. Declarada una denuncia judicial como temeraria por sentencia firme, los responsables serán sancionados con multa de hasta cincuenta unidades tributarias mensuales. En caso de reincidencia, la multa se impondrá doblada.

Lo dispuesto en el inciso anterior se entenderá sin perjuicio de la responsabilidad civil solidaria de los autores por los daños que se hubieren producido.

Art. 56. En lo no previsto en este Título, el procedimiento se sujetará a las normas contenidas en la ley N° 18.287, sobre procedimiento ante los juzgados de policía local.

TÍTULO IV. DEL SERVICIO NACIONAL DEL CONSUMIDOR

Art. 57. El Servicio Nacional del Consumidor será un servicio público funcionalmente descentralizado y desconcentrado territorialmente en todas las regiones del país, con personalidad jurídica y patrimonio propio, sujeto a la supervigilancia del Presidente de la República a través del Ministerio de Economía, Fomento y Reconstrucción.

Art. 58. El Servicio Nacional del Consumidor deberá velar por el cumplimiento de las disposiciones de la presente ley y demás normas que digan relación con el consumidor, difundir los derechos y deberes del consumidor y realizar acciones de información y educación del consumidor.

Corresponderán especialmente al Servicio Nacional del Consumidor las siguientes funciones:

a) Formular, realizar y fomentar programas de información y educación al consumidor;

b) Realizar, a través de laboratorios o entidades especializadas, de reconocida solvencia, análisis selectivos de los productos que se ofrezcan en el mercado en relación a su composición, contenido neto y otras características. Aquellos análisis que excedan en su costo de 250 unidades tributarias mensuales, deberán ser efectuados por laboratorios o entidades elegidas en licitación pública. En todo caso el Servicio deberá dar cuenta detallada y pública de los procedimientos y metodología utilizada para llevar a cabo las funciones contenidas en esta letra;

c) Recopilar, elaborar, procesar, divulgar y publicar información para facilitar al consumidor un mejor conocimiento de las características de la comercialización de los bienes y servicios que se ofrecen en el mercado;

d) Realizar y promover investigaciones en el área del consumo, y

e) Velar por el cumplimiento de las disposiciones legales y reglamentarias relacionadas con la protección de los derechos de los consumidores.

La facultad de velar por el cumplimiento de otras normas que digan relación con el consumidor, a que se refiere el inciso primero y la letra e) del inciso segundo de este artículo, sólo puede ser ejercida cuando esa facultad no está entregada al conocimiento y resolución de otros organismos o instancias jurisdiccionales, salvo para denunciar ante ellos las posibles infracciones.

Los proveedores estarán obligados a proporcionar al Servicio Nacional del Consumidor los informes y antecedentes que les sean solicitados por escrito, y que digan relación con la información básica comercial, definida en el artículo 1° de esta ley, de los bienes y servicios que ofrezcan al público.

Art. 59. El Director Nacional será el Jefe Superior del Servicio y tendrá su representación judicial y extrajudicial.

Art. 60. El patrimonio del Servicio Nacional del Consumidor estará formado por:

a) Los bienes muebles e inmuebles, corporales e incorporales, de la ex-Dirección de Industria y Comercio, que por Ley N° 18.959 pasó a denominarse Servicio Nacional del Consumidor;

b) Los aportes que anualmente le asigne la Ley de Presupuestos de la Nación;

c) Los aportes de cooperación internacional que reciba para el desarrollo de sus actividades;

d) El producto de la venta de las publicaciones que realice, cuyo valor será determinado por resolución de su Director Nacional;

e) Las herencias, legados y donaciones que acepte el Servicio, siempre que provengan de personas o entidades sin fines de lucro y no regidas por esta ley, y

f) Los frutos de tales bienes.

Las donaciones en favor del Servicio estarán exentas del trámite de insinuación judicial a que se refiere el artículo 1.401 del Código Civil, así como de cualquier contribución o impuesto.

TÍTULO FINAL

Art. 61. Las multas a que se refiere esta ley serán de beneficio fiscal.

DISPOSICIONES TRANSITORIAS

Artículo primero.- La presente ley entrará en vigencia noventa días después de su publicación en el Diario Oficial.

Artículo segundo.- Derógase la ley N° 18.223, con excepción de sus artículos 5° y 13, así como toda otra disposición legal contraria a lo preceptuado por la presente ley, a contar de su fecha de vigencia.

Habiéndose cumplido con lo establecido en el N° 1 del Artículo 82 de la Constitución Política de la República, y por cuanto he tenido a bien aprobarlo y sancionarlo; por tanto promúlguese y llévese a efecto como Ley de la República.

Santiago, 7 de febrero de 1997.- EDUARDO FREI RUIZ-TAGLE, Presidente de la República.- Oscar Landerretche Gacitúa, Ministro de Economía, Fomento y Reconstrucción Subrogante.

Lo que transcribo a Ud. para su conocimiento.- Saluda atentamente a Ud., Oscar Landerretche Gacitúa, Subsecretario de Economía.

TRIBUNAL CONSTITUCIONAL

Proyecto de ley relativo a los derechos de los consumidores

El Secretario del Tribunal Constitucional, quien suscribe, certifica que la Honorable Cámara de Diputados envió el proyecto de ley enunciado en el rubro, aprobado por el Congreso Nacional, a fin de que este Tribunal ejerciera el control de constitucionalidad respecto de las disposiciones contempladas en los incisos primero y segundo del artículo 50 de dicho proyecto, y que por sentencia de 27 de enero de 1997, declaró:

1. Que las disposiciones del inciso tercero del artículo 50 del proyecto de ley en examen, son inconstitucionales y deben eliminarse de dicho texto.

2. Que las disposiciones contempladas en el inciso primero del artículo 50 del proyecto remitido, son constitucionales.

3. Que el Tribunal no se pronuncia sobre las disposiciones contenidas en el inciso segundo del artículo 50 del proyecto remitido, por versar sobre materias que no son propias de ley orgánica constitucional.

Santiago, enero 28 de 1997.- Rafael Larraín Cruz, Secretario

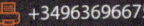